PLAZA & JANES

P & J

LITERARIA

Mamaíta y Papantonio
Salvador Maldonado

Plaza & Janés Editores, S.A.

Portada de

ROSA BIADIU

Primera edición: Setiembre, 1988

© 1988, Lola Salvador Maldonado
Editado por **PLAZA & JANES EDITORES, S. A.**
Virgen de Guadalupe, 21-33. Esplugues de Llobregat (Barcelona)

Printed in Spain – Impreso en España

ISBN: 84-01-38129-0 – Depósito Legal: B. 32407-1988

Impreso en HUROPE, S. A. – Recaredo, 3 - Barcelona

Para Ronnie Grubb y para nuestro baby William, tataranieto de Mamaíta y Papantonio.

Y para mis amigos, los doctores Lucrecia Suárez, Héctor Escobar y Merche M. Pardo, que, junto al Equipo de Pediatría del Ramón y Cajal, con eficaz contumacia y cariño, nos siguen devolviendo a tantos jóvenes descendientes sanos y salvos.

Lo he encontrado, entre otros papeles de perfume masónico, muy al fondo del cajón secreto del buró americano de Papantonio. «... mis pasos no han hecho ruido sobre la tierra, a nadie he molestado con mis llantos y mi trabajo lo he puesto al servicio de los débiles. Si hay Orden, Bondad y Armonía en el Universo, justo será que mi conducta se premie y que me acompañe en el Último Viaje el espejismo de aquella Sonrisa hospitalaria pues, desde que se borró, a mi Vida he llamado Muerte y sin alegría he recorrido el Laberinto en busca de aquellas Palabras Perdidas y esforzado ha sido mi tránsito por los tres caminos. ¡Libertad! ¡Igualdad! ¡Fraternidad!»

(De una carta fechada en Madrid el 2 de noviembre de 1939 que envía Rosita Maldonado a Ramón Salarregui al campo de refugiados de Argelès, en Francia.)

PRÓLOGO

Para esclarecer las ciertamente múltiples miradas, correspondencias y escritos de los que trata esta historia que surge, muere y renace de amor en el Olivar de Atocha, revelaremos ahora párrafos de una carta que Rosita Maldonado envió a Ramón Salarregui estando éste, a consecuencia de la no por muy militar menos civil y brutal guerra, en el campo de refugiados de Argelès en Francia y que lleva la fecha del 2 de noviembre de 1939: «... aunque nunca, querido Ramón, me acostumbraré a llamarte "Cándido" por muy perseguido y traicionado que te sientas, mi Dulce Inocente, ya que sé de las desgraciadas aventuras de Cunegunda y no quisiera yo estar en su pellejo. "Vivid en alegría", decía Goethe y ésa es la intención de mi vida en tu ausencia, vivir alegre en la confianza de que pronto volveremos a vernos y, si me permite Voltaire, mientras, "regar tu jardín" con sonrisas y esperanzas.

»En estos cuadernillos que ahora me propongo enviarte, trataré de aquel remoto nacimiento mío, y de lo poco que sé de los años que siguieron. Si recuerdas, dejamos la crónica en el momento en que Papantonio, aún asombrados sus grandes ojos azules y perdido su acento andaluz, acababa de casarse con Mamaíta, al parecer un poco o un mucho en contra de su verdadera voluntad porque eran los sueños de aquel vegetariano que hacía tiempo había alcanzado en Masonería el grado de Maestro, además de quimeras raras, delirios orientales por un lado y renuncias imaginarias por otro. Tenemos pues en el Olivar, el taller de muebles de mi padre en pleno desarrollo; a los porteros instalados, Basilio en el alcohol y Vicenta en la pasión que la consumía; al jocoso y castizo de Baonza, socio de la fábrica y de la tienda de Barquillo, anunciando la ruina del negocio; a tía Celia en Galicia cuidando de su padre, el banquero don Manuel; a la inefable doña Mariquita, olvidada de su pasado de costurera recogida en la casa, haciendo las veces de dueña y señora; al impenitente solterón Felipe Buenaventura, el amigo señorito de la familia, prodigando sus visitas; a Luis y Eulalia escapados en Barcelona y a los andaluces, Chachas y Chaches, en Andalucía.

»Todos ellos habían dado la vuelta al siglo y yo estaba a punto de nacer, aunque hasta que no llegó a la casa el buró americano no nací yo, que, por cierto, fue en uno de sus cajones secretos donde descubrí muchos años después los escritos de Papantonio y sus cuadernos de dibujo junto al manuscrito casi completo del "Viajero del Sur", aquellas páginas, jamás publicadas por el "cafre de don Salvador", que escribiera el difunto tío Andrés, el joven literato y periodista cuyo espíritu seguía rondando los espacios. Sabrás que espero que sea este manuscrito, repleto de notas, cuentos y poemas árabes, el que marque el momento de nuestro reencuentro. Pero volviendo a los papeles de Papantonio, escritos de su puño y letra, te diré, "Cándido" mío, que hay unas notas de perfume masónico que han llamado mi atención, en las que mi padre se dirige a los "Lirios del Valle", pronosticando que no llegará lógicamente al año 2000 y dándonos consejos a todos, a sus descendientes, dice, "de distintas procedencias y razas". Hay en estos apuntes algo que me estremece, su lamento por haber perdido la "sonrisa hospitalaria de Madrid" —a saber lo que él querría decir con eso— y los entrecomillados: "A mi Vida he llamado Muerte" y este otro: "Mientras no sepamos que morir es hacerse, no seremos más que tristes huéspedes en la oscura tierra."

»Así pues, en los años que quiero ahora contarte, habíamos nacido ya la nueva generación y los tres niños de la "casa grande" escapábamos de la vigilanca de doña Mariquita y nos íbamos a jugar con Isabelita, la hija de Vicenta, que tenía sus mismos ojos azules, aquellos que las malas lenguas seguían diciendo que deslumbraban al patrón. La mayor parte de mi infancia transcurrió en tierra de nadie, en medio del patio, entre el olivo que estaba junto al pozo de nuestra cocina y la campana del chiscón de Vicenta, donde se cocía nada menos que el progreso de la nación, allí donde estaba el taller que todo lo sustentaba, con su trajín, su martilleo, con su serrar de sol a sol, su navegar sobre virutas, y aquel olor a serrín que yo traspasaba, cruzando y descruzando el patio, dándole patadas a una pinza de la ropa que cogía del tendal de Carmela, esa pinza que tú más tarde has bautizado, querido Ramón, querido "Cándido", Inocente mío, "Cándi", que así te he de llamar si lo prefieres, como "la pinza de Proust".»

PRIMERA PARTE

I

Manolita es Mamaíta. — Antonio también se ha convertido
en Papantonio. — El ladrón rompe la cerradura de Shushtari. — «Tiritón» deja de tiritar. — La España de 1907. — Las
cosas no han cambiado.

Aún seguía soñando María Manuela Barros y Pérez, señora de
Maldonado, con aventuras de esquimales y cocodrilos, y entre los
fulgores de sus sueños de algodón allá iba ella, agarrada de la mano
de su difunto hermano Andrés, atravesando ambos, intrépidos, las
húmedas y oscuras selvas en cuyos confines los esperaba Don Alfonso XIII. Se abrían las arenas movedizas a los pies de la insig-
nificante pero monina futura reina y acechaban enseñando los dientes, tras grandes bloques de hielo, los osos polares, aullando y ladrando... cuando, de pronto, abrió los ojos la que era huerfanita so-
ñadora para encontrarse como en cada despertar con el terror de su
vientre abultado, prodigio aquél debido a los poderes miríficos de la
rueda de Santa Catalina que habían convertido a Manolita en Mamaíta.

—Mamaíta..., ¿sueñas?
—Sí, Papantonio.

Antonio Maldonado, que ya también se había convertido en
Papantonio, se estaba levantando de la cama matrimonial y con
premura, con la precisión de sus gestos siempre elásticos, sobre el
pijama, se metía los pantalones.

—Están ladrando los perros en el patio. Voy a ver... Duérmete.

Manolita tenía los ojos abiertos y espantados y era aquel dormitorio y aquel hombre a su lado, tan guapetón, de negrísima barba y mirada azul, lo que le parecía un sueño.

—Estoy con Andrés, que me quiere presentar a la Corte. Hay un oso, con una manaza con uñas...

—Te tengo dicho que en tu estado no deberías cenar tanto.

—¡No me dejas soñar! —Cerraba los ojos Manolita—. ¿Dónde vas?

—¿No oyes a los perros? Vuélvete a dormir.

—Ahora lo veo... El Rey está en su trono, apoyado en un olivo. «Un Rey para mi hermanita, dice Andrés.» Se mueven las arenas o quizá, no sé... Es un pantano que me traga.

—La digestión, Mamaíta, la digestión.

—Hay otro oso que se ríe, colgado de un árbol, un oso pardo, colgado de una palmera...

—¿Una palmera? —Antonio se ajustaba los tirantes sobre la camisa—. ¿Un oso en una palmera, Mamaíta?

Manolita se dio la vuelta, agarrándose el vientre, trasladando toda la ropa de la cama hacia su lado y se arrebujaba con la colcha procurando volver a las fantasías del sueño.

Desde el gabinete, mientras se calzaba unos zapatos, Antonio la oía musitar.

—«Por fin voy a conocer a don Alfonso. Su Alteza está tumbada entre las lianas, con el pecho desnudo; se acaricia el bigotito y se estira, alargándose, la barbilla. Yo le miro y no me atrevo a hacerle la reverencia, pero le rodeo, le observo, me parece feo, y por fin me alejo, dejando caer mi pañuelo. ¡Él se presenta a mi espalda! "Basta, Manolita, basta... Señorita Manuela, no me huya —me dice—, no me huya, es inútil. Hábleme... Su silencio es tan elocuente, tan halagador. Aunque usted no lo sepa, quizá yo también la quiera..., quizá sea inútil que ambos neguemos nuestro destino."»

Antonio desde el arco del gabinete miró a su esposa con una mezcla de aprensión y condena. Se hubiera quedado a escuchar lo que decía, pero los perros seguían ladrando, así que salió Antonio del recinto conyugal con la misma sensación de alivio con la que abandonaba el dormitorio todas las mañanas.

Cerró la puerta con cuidado. Un silencio espeso recorría la casa. Mientras cruzaba el pasillo, Antonio pensó que más tarde le pediría a Mariquita que bajase una cama de la buhardilla y se la preparase en el gabinete. A la altura del vestíbulo, antes de abrir la puerta que daba al patio del taller, como venía siendo su costumbre desde no hacía mucho, resumió su pensamiento en voz alta: «Hasta que nazca lo que ha de nacer, Mamaíta, lo menos que puedo hacer yo es dejarte soñar.»

Boca y *Tiritón* ladraban a la noche cerrada, nerviosos, junto a una escalera de mano que se apoyaba medio torcida contra el portón del patio. Vicenta, etérea, bellísima, descalza y en camisón, intentaba calmarlos. Antonio corrió hacia la portera.

—¡Don Antonio!, los ladrones han saltado por aquí. Digo ladrones, pero yo sólo he visto a uno. El muy sinvergüenza ha dejado la escalera preparada. Le he visto como le estoy viendo a usted ahora... —Aunque estaba adelantado el verano, temblaba Vicenta como una hoja—. No tenía media torta... Un gurrumino, muy ágil... Ha brincado como una pulga.

La puerta del despacho del taller estaba abierta de par en par. Dentro había quedado encendida una luz.

—Tranquilícese, Vicenta, mujer... ¡Se le han oscurecido los ojos de miedo!

Los perros se habían calmado ante la presencia del amo, pero la portera, sin embargo, parecía aún más alterada.

—Fíjese, don Antonio, *Tiritón* ha dejado de tiritar... ¡Le ha curado la tiritera el ladrón!

—¡Misterios! —Comprobaba Antonio que efectivamente el perro no temblaba—. Desde que lo recogimos que no ha dejado de tiritar y de pronto..., ya ve... ¡Arcanos!

—Me he entretenido, queriendo despertar al Basilio. ¡Ay, don Antonio, vamos a ver qué se ha llevado! Ha debido trepar por la verja y luego saltar. No sé cómo se las habrá arreglado para tranquilizar a los perros, ha debido darles alguna golosina. Se han puesto a ladrar cuando han visto que se iba. Vamos...

Cogió la escalera Vicenta, separándola del portón y andaba con ella en brazos sin dar pie con bola.

—No vaya a volver a entrar, el muy bandolero..., o por si queda dentro alguno... que no se nos escape.

Seguía Vicenta agarrada a la escala de Jacob y se bamboleaba con ella, por el patio.

—¿Dónde va, mujer? Deje la escalera. —Se la quitó y la tumbó en el suelo—. Parece usted Juana de Arco dispuesta a subirse por su propio pie a la hoguera.

—¿Qué dice? —No estaba ella para acertijos.

—Nada, Vicenta, que va usted a coger frío. —La miraba.

Se dio cuenta entonces ella de que sólo un camisón la cubría y se quedó quieta, quieta. Antonio miraba hacia el suelo, para que la mujer no se turbase. Estaba prendido en sus pies desnudos.

—Está usted descalza. Va a coger frío.

Los pies de Vicenta eran largos, estropeados y emocionantes. Seguramente estaban helados. Él hubiese vendido su alma en ese instante por arrodillarse ante ellos y calentarlos con su aliento. Cerró los ojos, implorándose fuerza. El día en que se confirmó el embarazo de Manolita, él se había prometido huir de toda ensoñación. Abrió los ojos. Los pies de Vicenta eran pies de crucificado, un tesoro arqueológico de mármol que despuntaba entre... Y él bien podría lamer aquellos pies con su saliva, limpiándolos del polvillo de tierra que los cubría.

—Se va usted a clavar una astilla —dijo, dándose la vuelta—, o se puede encontrar con un clavo. Vaya a calzarse.

La dejó plantada como siempre y sin mirarla se dirigió al despacho.

No había llegado a romperse la puerta pero se había roto la cerradura. Antonio comprobó consternado, los desperfectos de aquel herraje simbólico. ¡El mal ladrón había roto la cerradura de Shushtari! Apretó las mandíbulas Antonio, entró en el despacho y miró alrededor. Todo estaba intacto. Abrió la puerta que daba a la nave de los ebanistas. Ninguna herramienta parecía faltar. Seguramente ni siquiera le había dado tiempo al ladrón a entrar al taller. Regresó al despacho y vio que el cajón de la mesa de Baonza estaba abierto. El cestillo de la calderilla estaba vacío. Escuchó una respiración y se volvió.

Vicenta se había calzado con sus alpargatas rojas y las llevaba en chancletas. Se había puesto encima lo primero que había encontrado, la chaqueta del marido, y su cuerpo tan delgado bajo la tosquedad de la pana era una visión más turbadora aún que el agujero negro que le estaba encañonando, porque Vicenta avanzaba hacia él con el pistolón de Basilio.

Antonio dio un respingo, apartándose.

—¿Qué hace, mujer? Me está apuntando al corazón. ¿Me quiere matar? Baje esa pistola.

Vicenta, decidida, sin hacerle caso, pasó a su lado, entrando en el taller y no había bajado el arma, sino que la esgrimía en alto, casi pegada a los ojos.

—¿Pero qué hace? ¿Se ha vuelto loca? —La siguió Antonio, preocupado—. Baje esa pistola. Si se le dispara, se va a volar la cara.

—Quizá haya otro desaprensivo escondido por aquí. Aunque yo sólo vi a uno, pero a lo mejor entraron dos. —Levantó la voz—. ¡Si anda alguno por aquí, que salga!

—No, no, mejor que no salga —reía ahora Antonio— o acabaremos todos, codo con codo, en San Carlos o en Gobernación.

Vicenta seguía buscando sombras detrás de los bancos.

—Ese hombre me va a matar de un disgusto —le rechinaban los dientes a Vicenta.

—¿Quién? ¿El ladrón? —No entendía Antonio.

—No, Basilio. No ha habido forma de despertarle —resoplaba—. ¡Como le coja! No le oí llegar.

—¿De quién habla ahora, del ladrón o de Basilio? ¿A quién no oyó llegar?

—¡A Basilio! ¡Valientes porteros que se trajo usted al Olivar! El día menos pensado nos echa usted y no me extrañaría.

Igual que había hecho Alfonso XIII con Manolita, Antonio se había puesto a sus espaldas y rodeándola con sus brazos, primero le había agarrado bien el antebrazo, haciéndole bajar el arma y luego se la había quitado.

—Las armas las carga el diablo, Vicenta.

Entraba Antonio otra vez en el despacho y depositaba el arma de Basilio sobre el tablero de dibujo.

—Mañana se la devolveré a Basilio, siempre que usted me prometa que no la volverá a tocar.

—¡Basilio! ¡Mira que no despertarse! Como un tronco está, roncando, soñando con la lotería. Cuando lo espabile... ¡Me va a oír! ¡Usted que le encomendó la custodia de su famosa cerradura! Eso sí, engrasar su pistolón, ¡no hace otra cosa! ¡Es el vicio que le puede! Ayer, ya le digo que ni le oí llegar. ¡Maldito vino! —Buscaba Vicenta consuelo en su propia frente y se apretaba las sienes—. ¡Maldito alcohol!

Antonio no la había visto nunca con el pelo suelto y estaba admirando el volumen del mismo, las sombras que le hacía sobre el cuello.

Ella, amparada por su mirada, se había tranquilizado.

Empezaba a clarear el amanecer.

—¿Le preparo una taza de malta, don Antonio? Con este susto...

—No, Vicenta, gracias.

—Doña Mariquita tampoco ha dado señales de vida —protestaba Vicenta—, claro, que como se cierra a cal y canto y se pasa la noche leyendo, hundida entre las almohadas...

—Doña Mariquita, lo que pasa, es que está un poco teniente.

—Y doña Manolita, ¿se ha despertado?

—Tan dormida como Basilio —sonreía Antonio misterioso—. La señora también andará soñando.

—En su estado, un susto... —se preocupaba Vicenta por Manolita—. Mientras no nazca lo que tiene que nacer...

—La señora está perfectamente, un susto tampoco es para tanto.

De pronto Vicenta se envaró, molesta, ajustándose sobre el pecho la chaqueta de Basilio.

—Claro..., ¿qué sé yo de eso? ¿Qué voy a saber yo de lo que es tener un hijo?

Y de pronto le miró, como si acabara de descubrirle. Se sorprendió. Él no llevaba puesto el cuello de la camisa y su barba parecía indefensa, tan despeinada y desnuda.

Suspiró Vicenta y decidió seguir rezongando.

—Si tuviéramos hijos, Basilio no se daría a la bebida. —De pronto estaba muy enfadada y casi escupía las palabras—. ¿Qué voy a saber yo de tener hijos?

Él no tenía respuesta.

—Tampoco yo sé mucho, Vicenta... Ni de eso, ni de nada. No soy tan listo como cree. —Ella le taladraba el corazón—. Si fuera más listo, Vicenta...

Se miraban anhelantes, Antonio, como siempre, fue el primero en bajar la mirada.

—Nuestro perrillo *Tiritón* habrá dejado de temblar, pero usted, Vicenta... Ande, váyase a casa... Usted sí que está temblando.

—Ya ve. ¡Las mujeres somos tan raras! ¡Tan raras como los perros! Hay una cosa que decía mi madre, que en paz descanse, que ni el amo más bueno, ni el hombre más listo, conoce a su perro o a su mujer.

—Yo a los perros creo que sí los conozco, Vicenta, pero con las mujeres, no sé, quizá sea fácil equivocarse. Mi maestro, aquel que se llamaba Montserrat, decía también una cosa y es que el hombre es la capacidad de cometer errores —no podía ni quería dejar de mirarla y se iba por las ramas—, y el error es tan hospitalario, tan acogedor, contiene tanta tentación... El error es tan envolvente como el canto de las sirenas, equivocarnos es nuestro único derecho y sin embargo el vértigo del error nos paraliza, nos mata; el error...

Vicenta no estaba dispuesta, además del susto, a seguir escuchando sus elucubraciones.

—Si no manda nada más, don Antonio...

Él la vio partir y quedó, como siempre, con un nudo en la garganta. Sentándose en el taburete giratorio frente a su mesa se volvió ahora para verla cruzar el patio hacia el chiscón. La chaqueta de Basilio cuadraba sus hombros y luego volaba, raspando sus caderas, y el camisón largo, arrugado y tosco terminaba de deformar su figura. Las cintas de sus alpargatas rojas iban sueltas y se arrastraban tras sus pies como hilillos de sangre. Antonio estuvo a punto de levantarse y correr tras ella para prevenirla, no fuera a tropezarse y caer.

Naturalmente, no lo hizo.

Así que en el Olivar de Atocha, la vida daba la razón a la difunta doña Trinidad. La zona se había llenado de peligros y de maleantes que amenazaban a la gente de bien y aquel carpinterillo de La Alpujarra que no había hecho ascos al solar de Andrés, había engatusado a todos y era amo y señor de perros y almas.

Y lo que es la España de 1907, seguía sin acabar de doblar el siglo de la modernidad, siendo la tónica del país más bronco de Europa, el hambre, el atraso y la miseria, y la diversión preferida de su público tirar ladrillos y piedras al ruedo taurino.

A pesar de que acababa de nacer el primogénito de los Reyes, pesando cuatro kilos, la crisis de los gobiernos seguía siendo la pauta y decía Silvela que los presidentes del consejo se sucedían como el cinematógrafo.

Tampoco parecía capaz de mejorar al país aquella generación gloriosa de pensadores idealistas que aún nadie llamaba del 98 y aunque acababan de concederle el Premio Nobel a don Santiago Ramón y Cajal, el sabio que hablaba del amor como si tal cosa, a Vicenta y a Antonio, cuando se miraban, todavía se les nublaba el mar de los ojos.

¡Así que cualquiera se atreve a decir que las cosas habían cambiado!

II

El crimen del día. — Todas las mujeres son entretenidas. — La culpa de todo la tienen los curas y los periódicos. — Los «Polvos Coza». — «¡Qué verde! ¡Qué verde!» — Baonza interpreta al poeta.

Manolita, por la mañana en peinador, indolente, con el periódico doblado sobre las rodillas, hacía tiempo frente a la coqueta. Doña Mariquita, con cada bucle en su sitio, muy enfajada, muy dispuesta, tan redicha y picoteadora como siempre, más Mariquita «Pon y Quita» que nunca, mientras elegía, rebuscando en los armarios, la ropa adecuada para vestir a su joven señora, comentaba el crimen del día.

—El caballero le pagaba el cuarto.

—¿Qué caballero, Mariquita?

—Su amante, hija, que no te enteras. Vivía como una señora, como tú, ya ves, rodeada de lujo y molicie, sin tener que mover ni el dedo meñique.

—¡Pero si hacía cuatro meses que había despedido a la criada! ¡Si la comida se la hacía una vecina y la ropa se la lavaba una hermana sin posibles! ¡Menudo amante! Y además va y la mata.

—Que no, Manolita, que no... Que no ha sido él, que él estaba fuera. Si él era un hombre casado, respetable, un hombre como tu marido... —suspiraba la doña, corriendo perchas—. ¡Pobre pecadora!

—¡Qué cosas dices, Mariquita!

—Espero que se arrepintiera antes de exhalar el último suspiro.

—¡Bueno! ¡Lo que hay que oír!

Se volvía Mariquita hacia la embarazada, enarbolando, como si fuese el pendón de Castilla, un vestido de anchos vuelos y mil lunares.

—Mira, *Nena*..., degollada y todo, con la cabeza en la cama y el cuerpo por la alfombra, dicen que hasta tuvo tiempo de coger una imagen de plata maciza de la Virgen del Pilar que estaba en la mesilla. —Lo arreglaba todo Mariquita, mandando a la asesinada al cielo—. Hala, un acto de contrición y ya está.

—Cogería la imagen antes de que la degollaran, digo yo... y no para hacer un acto de contrición, sino para que no se la robasen. ¿No decías que era de plata?

—Me pones nerviosa, *Nena*.

—Más nerviosa me pones tú llamándome *Nena*.

—Ay... «señorita Manolita» —se burlaba Mariquita, equivocándose de nuevo aposta—, «Doña Manuela», «señora»... ¿Cómo quieres que te llame?

—¿Pero tú crees que con la cabeza cortada encima de la almohada y el cuerpo por la alfombra como dices, iba a quedarle vista para ver la imagen?

—Ya lo has leído, lo dice el periódico. ¡Pobre pecadora!

—¡Y dale!

—Y además yo no he dicho que estuviera la cabeza sola en la almohada —precisaba Mariquita, y ayudándose con el vestido y la percha, reconstruía el crimen sobre el lecho de Manolita—. Así, ¿ves? La cabeza un poco pegada al cuerpo. El cuerpo yacía tendido, exánime en la alfombra.

—¡Como si lo estuvieras viendo! —Impaciente golpeaba Manolita sus diminutos piececitos encalcetados contra el suelo.

—¿No has visto igual que yo los dibujos del periódico? —Ahora elegía la ropa interior de la cómoda, revolviendo los cajones—. Además siempre se ha dicho que durante un ratito, la cabeza, aunque esté cortada, puede hablar y se mueven los ojos y la lengua y todo.

—¡Tonterías!

—Yo no digo tonterías, *Nena*... —Se ponía todo lo seria que se podía poner doña Mariquita—. ¡Digo lo que dice la gente!

—Tonterías. A saber lo que diría Andrés si te oyera —suspiró—. ¿Sabes?, esta noche he vuelto a soñar con Andrés.

—¿Ibais por la selva?

—¿Cómo lo sabes?

—Siempre que sueñas con tu hermano vais por la selva... —Se santiguaba Mariquita—. Andresillo, que Dios le tenga en su gloria. En el nombre del Padre...

—Te estás haciendo una beata.

—¡No! Pero la religión me calma y los años enseñan muchas cosas.

—¡Una beata! ¡Una adicta a la Adoración Nocturna! Eso dice Antonio que eres.

—En los curas no creo, así que a mí no me digas eso. Leo la prensa católica porque viene muy bien. En *El Universo* viene ese folletín precioso, «Jeromín»...

—Eso no me lo has dicho.

—Me lo leo yo solita, en la cama, por las noches. ¡Más bien! Toda la cama para mí sola, hecha una Pepa, aunque no creas que no me acuerdo de Eulalia.

—¿Aún no te ha mandado las señas?

—No. Como dice que están buscando una casa nueva más grande... —Cerró el cajón de un golpe—. Si no fuera porque te va a nacer lo que te va a nacer, me iba a Barcelona a darles a los dos un repaso, a soltarles cuatro frescas.

—¿No se han casado? Pues, ¿qué más te da? Déjalos en paz... Además —estaba muy lógica esta mañana Manolita—, hasta que no tengas las señas...

Y volvió a abrir el periódico donde se seguía desenredando día tras día el horroroso crimen de la Verdier, que estaba resultando un verdadero escándalo.

—¡Morirse en corsé, falda bajera y delantal!

—¡Era una entretenida! —Blandía ahora unas enaguas Mariquita.

—¿Y quién no es una entretenida? ¿Eulalia, porque ya se ha casado con Luis? ¿Yo? Todas las mujeres somos unas entretenidas, a ver si no. A ti y a mí quién nos paga la comida, ¿eh? ¿Quién trabaja para nosotras? Pues Antonio. ¿Y Vicenta? ¿Acaso no es también una entretenida? Basilio es el portero y ella vive, como yo, del trabajo de su marido. La única que no era una entretenida era esa otra pobre, la del crimen de la plancha...

—Ésa era peor. ¡Comerciaba con su cuerpo!

—Huy, Mariquita..., ¡y todas! Pero ella trabajaba como una mula y él era un retrasado mental.

—La quiso redimir.

—Sí..., llevándosela de cocinera y de chica para todo.

—Claro, a ti te parece de perlas que le matara con la plancha, que le aplastara el cráneo por veinte sitios...

—Se aprovechaba de ella, Mariquita. Era una explotación. Eso dijo Antonio.

—No, si a ti todo lo que diga tu marido te parece bien. Te parecerá normal que hasta rompiera el mango de la plancha de los golpes que le dio al desgraciado.

Manolita miraba los cabos y los vestidos que había elegido Mariquita como quien tiene que tomar una decisión imposible. Apoyó la barbilla en el puño y se puso muy pensativa.

—¿Tú habrías metido la plancha debajo de la cama, Mariquita? Toda la plancha, pegada de pelos y piel y sangre, la parte de abajo de la plancha, donde se mete el carbón, toda llena de sesos y cosas de la cabeza, latiendo...

—¡Qué siniestra eres, hija! ¡Qué siniestra! Anda, vístete de una vez que tengo que bajar a ayudar a la portera, que hoy no viene la asistenta.

—Estoy deseando que llegue el ama. Y además del ama, seguro que necesitaremos a una fija. No me gusta que la portera ayude en la casa.

—Te quejarás. Muy buena mujer que es Vicenta y cocina la mar de bien. Hay que ver cómo corta las verduras de la noche, con un primor...

—Porque le dora la píldora a mi marido. Como sabe que si no fuera por Antonio, yo ya los habría echado... Ese hombre, borracho siempre... Aunque me da pena, no creas, esa mujer, tan guapa y tan mala suerte que tiene. Ni anoche se despertó el muy sinvergüenza de Basilio, y Antonio ahí solo, con los perros, buscando al ladrón... y ella por el patio, en camisón.

—¿Tú no estabas dormida?

—Al principio. Luego me levanté y me fui a la sala...

—Al mirador, a ver lo que pasaba, claro, y descalza que irías... ¡No, si tu hija va a nacer al revés! ¡Valiente vocación de sonámbula te ha entrado!

—Cuando Antonio se levanta por la noche y se va al taller a dibujar, yo me desvelo, ¿qué quieres? Anoche, ni me pude volver a dormir... ¡Esa mujer en camisón por el patio!

Cortó Mariquita por lo sano.

—Yo lo único que he dicho es que Vicenta cocina bien y que

hasta que no encontremos a una chica como Dios manda yo me las arreglo mejor así, con la portera y la asistenta. Primero, habrá que meter en cintura al ama y luego ya veremos si buscamos una fija. Con la casa, déjame a mí. ¡Pues que no estaba buena ni nada la salsa que Vicenta le hizo el otro día al congrio! ¡De chuparse los dedos!

Manolita se sujetó el vientre y empezó a doblarse entre arcadas.

—¡No hables de comida, Mariquita, te lo tengo dicho! ¡De comida no hables!

Mariquita miraba a su señora, dándola por imposible.

—Ay, señor..., ¡qué *Nena* esta mía! Se puede pasar toda la mañana hablando de crímenes tan contenta..., puñaladas, sesos, cráneos..., pero como se le nombre algo de comer se pone a morir y le da el telele. ¡Ay!

Manolita *la Entretenida*, en camisa, falda bajera y peinador, inclinada sobre el lavabo del gabinete, transida de espasmos, estaba echando los higadillos.

La cerradura de Shushtari, sobre la mesa del despacho, toda retorcida. Antonio la miraba como quien estudia la reconstrucción de una obra de arte. Basilio, espeso, sudoroso y cabizbajo, de pie frente al patrón, se pasaba la gorrilla de una mano a otra, tozudamente avergonzado.

—Tiene usted razón, don Antonio. Siempre tiene usted razón.

—En la fragua podrán rehacer las piezas rotas —decía pensativo Antonio.

—¡Pero en una cosa no tiene usted razón!

Levantó la vista.

—Menos mal. No me gusta tener siempre razón. Sería inhumano.

—Si quiere le digo en qué no tiene razón o si quiere me lo callo.

—¡Pero si el único que habla es usted!

—Pues me callo.

—No, vamos, Basilio, diga ya lo que tenga que decir.

Apalancado en el sitio, el portero tragaba saliva.

—El que tenga siempre razón no quiere decir que la razón la tenga usted siempre.

—¡Ay!

—Me callo, entonces.

Era terco Basilio, de cascabel gordo, un palurdo, un patán. Se levantó Antonio y dio una vuelta por el despacho, impaciente. Arrancó la hoja diaria del almanaque.

—¡Hable! Hable, Basilio, hable...

Volvía a tragar saliva el muy pelmazo.

—Tiene razón en decir que no tengo vergüenza.

—Yo no he dicho eso —precisaba Antonio.

—No lo ha dicho pero lo piensa. Usted me encomendó la cerradura hace ahora nueve años, no crea que no me acuerdo, aquel día que llegó usted a mi fonda, bueno, a la fonda donde trabajábamos Vicenta y yo, que venía usted andando desde Berja o desde Murtas o desde donde fuera, que usted lo enreda todo, que venía usted con las alpargatas al hombro, que parece que le estoy viendo y me dijo: «Si tengo mi casa en Madrid, usted y Vicenta se vienen de porteros conmigo.»

—¡Ay! —No acabaría nunca aquel hombre con su perorata.

—Y todo salió como usted dijo. Y yo le guardé la cerradura que usted se encontró en el camino y usted progresó y montó el taller y puso la cerradura en el despacho y aquí hemos estado nosotros con usted, a su lado, ayudándole en todo, en la medida de nuestras fuerzas.

—Nadie ha negado nunca eso.

—¡Pero yo soy un mal hombre, un mal marido, un desgraciado! —Se golpeaba el pecho Basilio como el traidor arrepentido de una función.

—¡Quién ha dicho nada de eso!

—Yo..., yo lo digo. Y su socio, el señor Baonza, no digamos, que a mí no me puede ver. Y eso que yo le respeto y no me meto donde no me llaman, pero a usted se lo digo, que a la vejez viruelas y que el señor Baonza un día se busca un lío, que él va muy guapo por ahí, por muchos tugurios, que a mí me lo cuentan, pero que ya no tiene edad...

—Mire, Basilio... —intentaba meter baza Antonio.

—Si quiere no hablo.

Contemporizaba Antonio, rindiéndose, agotándose ante el pesado de Basilio que ahora había cogido carrerilla.

—Si quiere me callo y ya está. Usted conmigo no tiene ninguna obligación. Pero digo yo... ¿Cuándo han robado aquí? No, no diga nada, porque usted dirá que ayer, que ayer han robado. Pues sí señor, ayer... y ¿cuándo más? ¡Nunca! A mí me conocen en el barrio y saben que yo no me ando con chiquitas. Saben que si se acercan, les descerrajo un tiro entre ceja y ceja que los dejo tiesos. Por eso no han venido a robar, porque me tienen miedo, porque me conocen. No, no ponga esa cara. Ya sé que usted está a punto de decirme que le deje, que tiene mucho que hacer y que yo tengo poco que hacer, aunque cuando hay que tocar la campana yo la toco, ¿no? Pero usted sí que tiene un trabajo y dibuja y todo eso de los clientes…, pero ¿yo? ¡Yo no puedo estar en casa todo el día, como una mujer! Pues cuando tengo un ratito me voy a tomar un vaso aquí al lado a la taberna del *Chato*, a charlar con los amigos de lo que pasa en el mundo, que pasan bien de cosas… ¿Y qué pasa? Que algún día vengo un poco achispado. ¡Es cosa de hombres! ¡Y yo soy un hombre, muy hombre!

Antonio, que seguía con la vista baja, la levantó. Los bigotazos de Baonza, habían asomado por los cristales que daban a la nave de los ebanistas y viendo el socio que Basilio estaba aún rajando, hizo un gesto a Antonio y desapareció como Fantomas.

—Y por qué bebo yo, ¿eh? —Se había inclinado Basilio sobre Antonio y le conminaba a seguir los vericuetos de su oratoria—. ¿Por qué bebo yo? Por lo mismo por lo que me están saliendo canas. ¡Por las muelas! —Antonio se sorprendió ahora—. El veneno de las muelas y el vino se ve que no hacen buenas químicas y a mí me afecta más que a otros. Ese ladrón que entró anoche debe ser de otro pueblo, porque aquí todos me conocen bien y conmigo no se atreven. Qué pasó cuando robaron en la Real Fábrica de Tapices, ¿eh? ¡Avisé yo a la ronda! Y eso que ellos tienen dos porteros que se turnan y diez perros. ¡Diez perros! Así que usted tendrá razón en que yo soy un mal hombre, pero le voy a decir en qué no tiene razón: ¡ayer no estaba borracho!

Ahora sí que le miró Antonio, incrédulo.

—¡No señor, no lo estaba! Porque yo, aunque esté achispado, me despierto a la más mínima. Y ayer yo no había bebido casi nada. Hace más de una semana que no lo pruebo… ¡Para que vea! Se lo había prometido a la Vicenta y estaba cumpliendo. Y sabe quién tuvo la culpa de que no me despertara, ¿eh? ¿A que no lo sabe?

Efectivamente no lo sabía Antonio y estaba deseando que el hombre llegase a alguna conclusión antes de que le sacara de sus casillas.

—Hable ya, hombre, que me tiene en vilo.

—¡La culpa la tienen los periódicos!

Había vuelto a asomar Baonza y Antonio le hizo un gesto para que no entrase aún.

—Como usted se ha empeñado que aquí aprenda a leer todo el

mundo, que, vamos, unos hombretones que somos, todas las mañanas, aquí de escuela... Luego usted, que le enseñó a mi mujer...
Pues ha tenido la culpa ese periódico que lee doña Mariquita, *El
Universo*, que se lo pasa a Vicenta. Desde que Vicenta trabaja
en la casa, doña Mariquita le pone la cabeza a mi mujer con lo
mío, ¡que bueno! Y claro le enseñó a Vicenta ese anuncio que viene
con la pobre mujer llorando, arrodillada a los pies del borracho...
¡Mire!

Sacó Basilio del bolsillo del pantalón una página recortada y la
extendió frente a Antonio sobre la mesa, como si le estuviera pre-
sentando los planos secretos del enemigo.

—¿Lo ve? Lea, lea. «Polvos Coza para bebedores. Se acabó la
ruina de las familias. Un sobre de Polvos Coza al día.» ¿Lo ve?
Claro, Vicenta se emperró tanto que me lo compré ayer y cuando
iba a entrar en la taberna, antes de tomarme la cañita de vino me
tragué los polvitos dichosos de un golpe, como si fueran bicarbo-
nato de sosa. ¡Y volví a casa más mareado que una mona! Cuando
me he despertado esta mañana, ¡con paños fríos me ha tenido que
reanimar la parienta! Yo estaba como muerto, por culpa de los malditos Polvos Coza que se han inventado los curas. ¡Los curas, que
no saben qué hacer para sacar dinero de donde no lo hay! —Y una
vez todo explicado, se paró de golpe.

Respiró Antonio, aliviado.

—Vaya, hombre, vaya, Basilio, pues lo siento. No sabía yo que
los curas hubieran montado ese negocio... —Y comenzó a reírse de
buena gana.

—A mí no me hace gracia, don Antonio. Imagínese, si me
muero...

—No tome usted más polvos de ésos, Basilio, ni se le ocurra.

—Desde luego que no, don Antonio. —Se llevó la mano al pecho—. Se lo prometo.

—Muy bien, Basilio, muy bien —susurraba Antonio en su tono
habitual, casi inaudible.

—Y ahora lo último que tengo que decirle.

Se alarmó Antonio.

—Tenemos mucho trabajo, Basilio. Si no le importa, luego char-
lamos un poco más. Hay unos pedidos pendientes, que...

—A mí no me gusta estorbar, don Antonio. No le entretengo ni
un minuto más. Así que usted me da la cuenta cuando quiera. Ya
le he dicho a la mujer que vaya preparando las cosas, que nos
marchamos. ¡Nos marchamos yo y la Vicenta!

Se le paró en seco el corazón a Antonio. ¿Qué había dicho aquel imbécil? Se levantó de un salto. Estaba lívido y furioso.

—¿Pero qué dice, hombre? ¿Quién ha hablado de que tengan que marcharse? ¿Está usted loco? Por nada del mundo quiero yo que ustedes se marchen. ¿Por qué se iban a tener que marchar?

Basilio había achinado los ojos y miraba a Antonio, frío ahora, sin pestañear.

—¿Marcharse ustedes? ¿Porque haya aparecido un ladrón? ¿Porque se haya tomado usted esos polvos de los curas? ¿Buscar yo otros porteros? ¡No, hombre, no!

Basilio no le quitaba la vista de encima. Se inclinó más hacia él. Le silbaron entre los dientes las palabras.

—Yo soy un hombre, don Antonio... No lo olvide.

—No olvido nada, Basilio. No olvido nada. —También le clavaba sus ojos azules Antonio.

Aflojó el portero.

—Quiero decir que yo pago los platos rotos, como un hombre... ¿Qué se llevó el ladrón?

Respiró el patrón.

—Yo qué sé, Basilio. Poca cosa, calderilla.

—Yo pago lo que haga falta, el arreglo de la cerradura y lo que sea. Yo, cuando la hago la pago. Yo soy así, hombre como el primero. Usted me dice lo que se debe y aquí paz y después gloria.

No era fácil que a Antonio se le subiera la sangre a la cabeza, así que una vez salvado el principal escollo, tomó asiento y recuperó la calma.

—De la cerradura ya hablaremos, Basilio. Primero la tengo que estudiar, pero de lo que se llevó el ladrón, eso, olvídelo. No debió ser casi nada. En todo caso, aquí no paga nadie, si acaso los curas tendrían que pagar, ¿no?, por poner esos anuncios. Y no vuelva usted a hablar de marcharse, Basilio. —Se le nublaba la voz a Antonio—. De eso no vuelva a hablar. Usted lo ha dicho, empezamos esto juntos y...

Por tercera vez asomó la cabeza Baonza y esta vez Basilio reparó en él y tentó su suerte.

—Si quiere, don Antonio, le puedo dar las mismas explicaciones al señor Baonza...

Había entrado el bueno de Baonza justo para escuchar esto último. Reculó, mientras colgaba sombrero y bastón en el perchero.

—No, no hace falta, Basilio, no se preocupe.

—Es que yo, señor Baonza, ayer...

—Que no, que no. —Se acercaba al portero y le golpeaba las espaldas con confianza menestral y madrileña—. No me tiene que explicar nada, hombre. Además, ahora es que tenemos que tratar unas cosas don Antonio y yo. Luego le atiendo a usted todo lo que haga falta, que ya sé que anoche pasaron todos un buen susto. Pero ahora, hombre, vaya usted a descansar y a asearse, que tiene usted mala cara.

Sabía Basilio que con Baonza él no podía competir a hablador, así que estiró el cuello, se tocó la barba en la que se podían encender cerillas y salió al patio, para en medio del mismo, calarse la gorra, volviendo a tomar así posesión de sus territorios.

—¡Uf! —estaba diciendo Baonza mientras golpeaba su asiento con un pañuelo—, ¡uf! ¡Qué hombre este Basilio, tan pesado! Creía que no se iba nunca. He estado a punto de acercarme a la casa para hacer una visita a mi ahijada. ¿Cómo está hoy la mamá? Manolita se habrá asustado y espero que mi ahijada no sufra las consecuencias. ¡Lo que nos está haciendo esperar la mocosa!

No se decidía a sentarse Baonza porque para él siempre había demasiado polvo en este despacho y no era él hombre de andar en blusas y guardapolvos.

Antonio no le hacía caso, obsesionado como estaba con la cerradura rota.

—Pero dígame algo, Antonio. ¿Cuándo nace lo que tiene que nacer? ¿Qué dice el médico?

—Que a su ahijada aún no le toca venir al mundo.

—Tantos libros como personas se podían escribir con todas las mentiras que dicen los médicos. —Reparó ahora Baonza en lo que preocupaba a Antonio—. Vaya, la cerradura..., ¡su cerradura! La del versito..., pues está hecha un churro.

—Sí..., no sé si tendrá arreglo.

—¿Cómo era aquel versito, Antonio?

—¿Qué versito?

—Usted me lo dijo una vez... Un versito del que usted se acordó al encontrarse la cerradura.

Recitó Antonio a Shushtari como quien recita la Biblia.

—«Tuve un amante. Le dije: encontrarás en mí lo que quieras y más. Tomándome en sus redes, me arrancó los vestidos, me pegó, poseyéndome entre mi carne y mi sangre, llegándome a mi secreto rincón cerrado. Arrastrándome de las orejas, me dijo mi amante: ahora, por tu propio bien, debes abrir esa cerradura. La abrí, me poseyó y después le poseí yo a él. Recorrí y visité todo su ser.

Y ahora soy como una tortuga en el camino, sin rival, ni compañía.»

A Baonza le cruzaba una sonrisa de oreja a oreja.

—¡Qué verde! ¡Qué verde! —reía el más castizo de Barquillo.

—¿Verde?

—Perdone, socio..., verde, sí..., ¡hasta indecente!, y le voy a decir una cosa. La primera vez que usted me recitó los versitos de marras y me dijo que a Felipe, a Andrés y a usted les gustaba mucho ese poeta..., perdone, ¡eh!, no quiero ofender..., yo pensé, bueno, mira que si estos tres, tan amigos... —Le sacudían las risas a Baonza y Antonio se ponía más serio que el Comendador.

—¡Baonza!

—Usted me lo dijo, que Andrés, que en paz descanse, cuando usted le conoció en Granada andaba interesado en el poeta ese, de nombre tan raro. Vamos, que el versito se las trae. Que si el rinconcito cerrado, que si la cerradura... Vamos, vamos, no me diga que no parece... ¡cosa de invertidos! Claro que yo de eso no entiendo.

Antonio, ofendidísimo, había abierto su cajón y estaba guardando la cerradura.

—¡Antonio! Hombre, Antonio, no se moleste. Una broma...

Antonio se había levantado y dándole la espalda al muy pillín del socio se disponía a entrar en el taller.

—Antonio, no se enfade...

Pero sí debió enfadarse Antonio, porque estuvo una semana sin hablarle.

III

Las conversaciones inanes de las mujeres. — «Conductancias, resistencias, bobinicas y alternancias». — El oráculo de Delfos no está a la altura del Papa. — El caballero español. — El piano de papel. — Los perros son mejores que los hombres pero no son hombres.

Hacía más de medio año que por necesidades del taller se había instalado la luz eléctrica en el Olivar y el milagro de San Telmo había alcanzado a la mal llamada «casa grande», así que era un sinvivir la preocupación de las mujeres por llaves, interruptores, pulsadores y timbres.

—Hija, ¿por qué no apagas esa luz? Con la de arriba tenemos bastante —protestaba Mariquita, alarmada aún por las últimas lecciones que había impartido Antonio previniendo los peligros de la chispa que recorría los cables forrados de seda.

—No se te ocurra apagarla. Si apagas ahí, se apaga el pasillo y además la luz de la mesilla hace bonito.

Manolita, por la noche, en bata, se hallaba, igual que por la mañana, sentada en la butaquita, frente al espejo de su coqueta y Mariquita, siempre haciendo de camarera de la reina, le quitaba las horquillas del pelo como quien saca alfileres de un acerico.

—¿Por qué no te pones en el lavabo, *Nena*? —Como antes. Estaríamos más cómodas las dos.

—No. Antonio dice que hay que tener cuidado con el agua y la electricidad, que si se juntan, nos podemos quedar como pajaritos.

—No lo has entendido bien, *Nena*. Eso es con el agua corriente y hasta que no la pongan, nada.

—¡Con el agua a secas! No tiene que ser corriente. ¡Con el agua a secas!

Mariquita la miraba a través del espejo con una sonrisa suficiente.

—¿A qué viene esa risita de conejo? —se mosqueaba Manolita.

—«Con el agua a secas», hija..., parece un chiste.

—¡Bah!

—¿Sabes que los del taller le hacen coplas a tu marido?

—No me extraña.

—Le han hecho una por su manía con la luz. Como se empeñó en enseñarles a todos los intríngulis de la cosa... Escucha: «*Conductancias, resistencias, bobinicas y alternancias. / Don Antonio, mis vagancias, se iluminan con anís. / Conductancias, resistencias...*» ¡Una risa! Lo cantan con ritmo de chotis.

—Es que el cuadro de distribución está en el taller y quiere que los obreros comprendan el mecanismo de...

—Oye..., a mí no me vengas con monsergas. Yo estoy encantada, en mi camita sola, leyendo con mi lamparita encima de los ojos. Y cuando me canso, zas, le doy a la perilla y ya está. Yo estoy por el adelanto, *Nena*, por el adelanto. Escucha, sigue así... —Dejaba el peinado Mariquita y con una horquilla en alto, sin moverse del sitio, pero con garbo, se daba la vuelta sobre sí misma, marcando la chulería del chotis—: «*Cables, bornes, voltios y amperios. / Me cortas, chulapita, el circuito y la respiración. / Cables, bornes, voltios y amperios. / Mira que si te enchufo, se hará el apagón.*»

—¡Se quejarán los que trabajan para nosotros! Si quiere tirar un cable que llegue al chiscón para que hasta los porteros tengan luz. ¡Un despilfarro! Yo ya le he dicho que es un despilfarro.

Hizo doña Mariquita un gesto indescifrable.

—Ay..., los porteros. Él me cae mal, pero Vicenta, hija, no nos podemos quejar. A mí me ayuda mucho.

Ahora fue Manolita la que torció el gesto de forma también indescifrable.

—¡Vicenta! —Hizo una pausa y cambió de tema—. ¿Te das cuenta, Mariquita, que cuando nazca mi niña, en esta casa no sólo tendremos luz, que ya la tenemos, sino también agua corriente? ¡Mi niña nacerá en la plena edad moderna! Antonio dice que tenemos mucha suerte, que vamos a vivir un siglo estupendo, el siglo que va a cambiar el mundo.

—¡Agua! A mí eso del agua corriente me parece un disparate. ¿Agua llamas tú a ese ruido que va ahora por toda la casa, que parece que la casa está todita habitada por almas del purgatorio que se quejan en el fuego?

—Es el aire en las cañerías. Pero cuando den el paso, ya verás... ¡Una gloria! Antonio piensa ducharse todos los días. ¡Imagínate! ¡Todos los días! Y dice que a la niña también hay que bañarla todos los días.

—Eso sí que ni hablar. Y además, la locura es habernos quedado sin vestidor para hacer un baño arriba. Los baños, hija, para los enfermos. Al marido de doña María, que está dando las últimas boqueadas, le llevan un baño alquilado.

—No hables de cosas tristes.

—Teniendo el pozo en el patio, ¿qué necesidad había de bañeras y zarandajas? Y además, un calentador... ¡Me dirás que no parece la caldera de Pedro Botero!

—Pues yo me pienso bañar todas las semanas.

—Será cuando pases la cuarentena, porque a mí no me vas a venir con enfermedades luego, que yo te he visto nacer y...

—No seas retrógrada, Mariquita. ¡No empieces!

Lo que estaba empezando Mariquita era a cepillarle el pelo y a darle a la teología.

—Me parece pecado bañarse enteros, pecado.

—¡Lo habrá dicho el Papa!

—En esas cosas no se mete, así que no seas hereje, *Nena*.

—El Papa está en contra del modernismo, lo ha dicho Antonio, y que se arma cada trifulca en el café, que bueno...

—Si tu marido no fuera tanto al café...

—Dice que tiene que relacionarse.

—¡Ya!

—Dice Antonio que el Papa ha prohibido hasta el tango.

—¡Anda ya!

—Que sí, que han ido unos bailarines a San Pedro a bailárselo para que vea que no es tan malo. ¡Si se baila más separado que el chotis! Y el Papa, erre que erre, lo ha prohibido.

—Él sabrá, que para eso lo ilumina el Espíritu Santo.

—¿Con luz eléctrica?

—A veces te crees graciosa, *Nena*, pero preferiría que delante de mí no te metieses con las cosas sagradas.

Se le bamboleaba la cabeza a Manolita, sacudida por los cincuenta cepillazos.

—Anda, déjalo ya, Mariquita, no me cepilles más. Siempre me ha parecido una tontería el tenerse que peinar para dormir.

—Tu madre siempre lo hizo y era viuda, así que tú...

Manolita se miró en el espejo. Tenía la cara desencajada y el cabello fosco y pajizo le rodeaba el rostro como una escarola erizada. Sus ojillos de miel estaban subrayados por grandes ojeras y le habían salido manchas oscuras en la cara.

—¿Qué es una viuda, Mariquita? ¿Quién es una viuda? —Ella misma se contestaba, infinitamente triste—. Una viuda es la que no ve a su marido, ¿no? ¿Y cuándo veo yo a Antonio? Hay días que ni a la hora de comer. Cuando me levanto, él ya se ha ido; por la noche..., a veces le oigo llegar y acostarse como un fantasma... ¿Una viuda no es la que no tiene marido con quien dormir?

—*Nena*, si fuiste tú quien me pediste que se le hiciera la cama en el gabinete.

—No. Te lo pidió él, porque no me quería molestar... Eso dijo.

Doña Mariquita miraba para otro lado, sin querer entenderla.

—¿Te das cuenta, Mariquita? ¡No me quiere molestar! —Se volvía a mirar en el espejo, clavándose en él—. «Espejito, espejito...» ¿Para esto me he casado yo? ¿Para que no me molesten? —Cogió ahora Manolita la fotografía de su boda que estaba sobre la coqueta y le pasó la mano al marco de terciopelo—. Anda, Mariquita, tú que hablabas siempre de la simpatía conyugal, ¿sabes? Todo lo que tú me explicaste es mentira. Tú dijiste que tuviera paciencia, que los hombres tenían muchas «urgencias», que había que atender a sus necesidades. No sé, Mariquita, no sé. —Miraba al marido en la fotografía—. No veo que Antonio tenga necesidad de nada. —Dejó la fotografía como si quemase—. ¡De nada!

—¡Hija! —No sabía dónde meterse Mariquita—. Ahora estás en estado y la salud es lo primero.

—No sé con quién hablar de todo esto, Mariquita. Quizá sean cosas mías. —Se sentía muy culpable—. ¡No me parece bien soñar todos los días con el Rey!

—*Nena*, te has casado en junio del año pasado. Estamos en setiembre, ¡lleváis catorce meses! Un día de éstos nacerá tu hija, todo es normal. Anda, ven, que te hago lo del péndulo. Ya verás cómo otra vez sale niña.

Se levantó Manolita desganada y se tumbó en la cama boca arriba. Con manoteos y visajes de hechicera se inclinaba sobre la embarazada la buena de doña Mariquita y tras sacarse la cadena de la que colgaba la imagen de Su Santidad Pío X, la colocaba sobre el vientre de la futura madre.

—Me da miedo, Mariquita, me da miedo tener un hijo.

—Calla. Cierra los ojos y agárrate la tripa. Nacerá como tú, en un suspiro. Un cuarto de hora larguito y ya está, aquí la tendremos berreando. Será igualita que tú cuando naciste, una monigota, ya verás. Tú naciste con los ojos abiertos y recuerdo que tu madre, en esta misma cama, bueno, en esta misma cama no, pero en este mismo cuarto, cuando supo que efectivamente eras una niña, lloró. Se lo predije yo que ibas a ser una niña... y acerté.

La medalla comenzó a fluctuar. Primero unas idas y venidas sospechosas y muy pronto empezó a dar vueltas sobre el eje de la cadena encima del mismísimo centro del desplazado ombligo de Manolita.

—¿Qué dice el Papa, Mariquita? ¿Abro ya los ojos?

—Ya los puedes abrir. Mira, está bien claro... ¡una niña! Lo dice el Papa, una niña.

—Me gustaría que lo viera Antonio, que no se lo cree, y que se burla de ti llamándote oráculo de Delfos.

—El oráculo de Delfos no le llega a las santas zapatillas al Santísimo Padre. ¡A tu marido, ni caso!

—Ya debería estar aquí. Me da miedo que cruce el Olivar de noche. No hay un alma. Y eso que Baonza le ha regalado esta mañana una pistolita monísima, para que la lleve siempre. Por eso estoy algo más tranquila. —Se detuvo de pronto, la boca abierta, agarrándose el vientre con las dos manos—. ¡Ay..., se ha movido mi niña, Mariquita!

Pío X, mareado debía estar, ya que todas las noches, además de tener que escuchar las conversaciones inanes de las mujeres, era sometido al mismo rito de adivinación.

Su Santidad hasta ahora no había cambiado de opinión y cada vez que era preguntado, se reafirmaba en el idéntico vaticinio pendular.

Antonio salía de la tertulia del café puntualmente a las diez y solía caminar hacia su casa por el Paseo de María Cristina, enfundado siempre, hiciese calor o cayesen chuzos de punta, en su capa española. Y como muchas otras noches, hasta la esquina donde estaban los almacenes de maderas de Piera, lo acompañaba el elegantón de Felipe, que se había hecho su asiduo e imprescindible amigo.

Cruzaban el descampado de Pacífico.

—Pero vamos a ver, Antonio... Usted, con tal de buscar el equilibrio de las cosas, es capaz de decir lo contrario de lo que piensa.

—El equilibrio tiene mucho que ver con lo que pienso.

—No me haga frasecitas. Y no me niegue que ha torcido el gesto cuando le he comentado lo de Pidal.

—¡Pidal, Pidal! A mí hábleme de Nietzsche. Yo estoy con él, el cristianismo es un mal.

—Ni pongo ni quito coma: «Todo el pensamiento moderno es un error, frente a la única verdad total, el tomismo.» ¡Un bárbaro, Pidal!

—Un bárbaro que no puede ser el causante de que usted deje de escribir.

—¡Es que no puedo con los obispos!

—Pero hablábamos de Pidal —se impacientaba Antonio.

—Me da igual. ¡Tanto monta! El Papa influye en Pidal, Pidal en los obispos o al revés, los obispos inspiran a Pidal y Pidal todo el mundo sabe que tiene mano con el Papa.

—¡No diga tonterías, Felipe! Usted es un hombre ilustrado.

—El caso es que yo no voy a aguantar que los obispos mojen en mi tintero, así que dejo de escribir y ya está. Bastantes líos tuve ya con lo del atentado del Rey, que si no acabé en la cárcel fue por mi madre, que intercedió. ¡Pero si don Salvador el otro día me llamó incendiario y dinamitero! ¡A mí! Y él se las da de socialista y dice que no traga a los censores, él que con la Inquisición no hubiera tenido precio. ¡Está bueno con el *trust* de la Prensa y la Ley de Terrorismo! Es un carca, un carca. ¡Los socialistas son unos carcas! Antes, no lo tenía tan claro, ¡pero ahora...! ¡Carcas!

—Si va cosa por cosa nos entenderemos mejor, Felipe.

—Yo lo que digo es que a mí no me cambia nadie una coma y que si lo que quieren es que deje de escribir, pues lo dejo y tan ricamente, porque yo lo que quería..., ¿se acuerda?, era una hoja literaria para publicar mis poemas y para hablar de Goethe, porque utilizar toda la artillería para hablar de políticos..., a eso no le veo yo la gracia.

—Es que los periódicos se han inventado para los políticos. Todo lo demás es adorno y disimulo.

—Por eso, lo dejo y me dedico a la poesía, aunque yo, con la poesía... ¡Ni a Manolita le gusta!

Estaban llegando a la esquina de los almacenes.

—No se olvide de saludarla en mi nombre.

—No me olvido nunca, Felipe.

—Estoy deseando que nazca lo que tenga que nacer para poderla visitar.

Carraspeó Antonio.

—¿Sabe, Felipe...? He estado hablando hoy con mi socio.

—Ya, ya.

—¡Es tan buen hombre! Se preocupa tanto por mí... Lo ha dejado todo en mis manos y...

—No era eso lo que me iba a decir, Antonio.

—No. Le iba a decir que parece que va a ser una niña.

—Ya.

—Y es que dice Baonza, que aunque fuera otra cosa, que él quiere ser el padrino de todas, todas. Dice que usted ya tendrá tiempo de serlo, que él... ¡Ya sabe cómo es de pesado! ¡Y como dice que se siente viejo!

—Baonza es verdad que se lo pidió primero, así que ¡para él la perra gorda!

Ya habían llegado. Se detuvieron.

Todas las noches igual. Bajo la luz de la farola, se despedían llevándose cada uno la mano al sombrero.

—Hasta mañana, Antonio.

—Hasta mañana, Felipe.

Antonio caminaba solo ahora, entre las sombras, disfrutando de la noche que refrescaba. Habían cambiado mucho los perfiles del Olivar de Atocha desde aquella noche que llegara a Madrid, aquella noche que le maullaron los gatos invitándole a quedarse, aquella noche en que los silbidos de las locomotoras le parecieron cantos de sirenas.

Donde entonces había árboles ahora había fábricas, naves, chimeneas y edificios. Y habían empezado a empedrarse algunas calles. Iba a ser un gran siglo éste, un siglo de paz y tranquilidad, un siglo que hubiera envidiado Goethe. Iba a ser un siglo donde «alegres podían cabalgar los poetas por los caminos del mundo con sólo las estrellas por encima de sus sombreros...».

Sereno el espíritu, Antonio comenzó a silbar las notas del *Chopin* de Schumann.

De pronto, en el suelo, vio una sombra que se deslizaba misteriosa. Se volvió. Nada. Siguió silbando. Quizás habían sonado unos pasos a la vuelta de Vandergoten. Sí, ahora estaba seguro. Una sombra se ocultaba. Suspiró hondo y se preparó. Siguió caminando, con pasos quedos, cautelosos, tensos los músculos.

Un hombre joven, de baja estatura, de barba crecida, descuidada, de mirada torva y asustada le salió al paso. Llevaba algo en la mano.

—Caballero..., ¿tiene usted fuego? —le temblaba la voz.

No era precisamente un pitillo lo que exhibía el canalla, sino la hoja de una navaja que había saltado de su resorte con una precisión asesina.

Antonio dio un paso atrás, controlando cada movimiento. El corazón se le salía por la boca, pero aparentaba tranquilidad.

Asintió.

Luego se abrió la capa de un golpe y sacando empuñada la pistolita de Baonza dijo con voz profunda y enérgica:

—¡No tengo más fuego que éste!

Se espantaron de terror los ojos del ladrón. Dejó caer la navaja del susto. Levantó los brazos. Los encogió. Los bajó. Abrió la boca y parecía que iba a implorar perdón.

Todo fue visto y no visto y ya estaba huyendo el novato salteador de caminos como alma que lleva el diablo.

Antonio quedó en medio de la calle. Su figura era imponente. La capa le rodeaba los hombros, cubriendo en parte el brazo estirado, amenazador, en cuyo extremo brillaban las cachas de nácar de la pistola que parecía de juguete.

Miró su sombra unos instantes Antonio y se sintió ridículo.

El patio estaba oscuro como boca de lobo, pues ni en la Real Fábrica había todavía luz de noche en la fachada y la farola más próxima estaba al final de la calle Gutenberg.

Algunas noches, tras la ventana del chiscón de Vicenta, ésta dejaba encendida una vela, que él creía era para alumbrarle cuando llegaba tan tarde, pero, hoy, ni eso.

La verdad es que si en vez de entrar por el portón del patio del taller, hubiera entrado directamente a la «casa grande», allí siempre dejaba Manolita una luz encendida en el vestíbulo y algún rayo se filtraba al porche por la mirilla de cristales.

Cruzó el patio. Abrió la puerta del despacho a la que se había puesto un candado provisional. Atravesó entre las mesas tanteando para llegar hasta el conmutador general. Y de pronto, tropezó con un cuerpo que estaba tendido en el suelo y estuvo a punto de caer sobre él.

—¡Demonio! —dijo por toda exclamación.

—¡Don Antonio!

Era Pepillo el que estaba tendido en tierra como un saco y el que de un brinco corrió a dar la luz.

—¿Pero es que el universo mundo se ha puesto de acuerdo para matarme de un susto? —exclamó Antonio.

—El susto me lo ha dado usted, don Antonio... ¡Y menuda patada! —Se dolía el escuchimizado del chico, que aunque ya iba para hombre, seguía tan delgaducho que se le podían contar las costillas.

—¿Qué hacías aquí tirado?

—De guardia..., pero me he quedado dormido. Hasta estuve un rato terminando una talla pero...

—¡Tú te has vuelto loco, chiquillo! Un tallista tiene que dormir diez horas, para que luego no le tiemble el pulso.

Se estaba quitando la capa Antonio. Aún llevaba la pistola en la mano. Pepillo al ver el arma dio un salto atrás, aterrado.

—¡Don Antonio! Yo no he hecho nada. —Se escondió detrás de un fichero—. ¡Me han mandado mis tíos!

—¿Y quién te ha dicho que hayas hecho algo?

Comenzó a reír Antonio, y se le saltaban las lágrimas de risa. Se sentó, después de dejar la pistola en el cajón. Miró a su protegido.

—Me ha salido un ladrón en la esquina de Vandergoten, y ahora tú.

—¿Un ladrón? ¿El mismo de ayer? —Se restregaba los ojos Pepepromete—. ¿Le ha matado usted?

—Yo no he matado a nadie.

—Vamos a por él, don Antonio. ¿Despierto a mi tío?

—Quieto, quieto... Vayamos por partes. Nosotros no vamos a ningún sitio. El ladrón, al galope que iba, ya andará por Vallecas. Explícame eso de que te han mandado tus tíos.

—Lo han decidido entre los dos, entre mi tía Vicenta y su marido.

—¿Qué han decidido, que duermas aquí como un perro?

—Me han pedido que me venga a vivir con ellos. En la portería hay sitio de sobra.

—¿De sobra?

—Si usted da su permiso, viviré con ellos. Por el día, trabajo en el taller y luego por la noche me quedo a dormir aquí, para vigilar.

—¡No sólo el Papa se ha vuelto loco!

—¿Qué tiene que ver el Papa? Mi tío está pasando un mal momento..., y si usted no tiene inconveniente...

—Mucho. Tengo mucho inconveniente. Si te quieres venir a vivir al chiscón eso es cosa tuya y de tus tíos, pero aquí no te quiero volver a ver de noche, ¡tirado como un perro!

—Yo pensaba pedirle permiso para meterme un colchón. Así, si viene alguien a robar...

—¿Qué? Si viene alguien a robar..., ¿qué?

—Tendrán que pasar por encima de mi cadáver.

—¡Ay...! Creo que son los ingleses los que dicen que el sentido común es el menos común de todos los sentidos.

Antonio había sacado de su cajón una tira larga de papel, donde estaba pintado el teclado de un piano. Lo desplegó, colocándolo y afianzándolo con unas puntas sobre su tablero de dibujo. Ahora sacó del cajón una partitura y la colocó frente a sus ojos utilizando como atril las molduras de una estantería.

Pepillo le miraba con ojos desorbitados.

—¿Qué hace usted ahora, don Antonio?

—Aprenderme esta melodía para tocarla cuando nazca lo que tiene que nacer. Es una sorpresa que le preparo a doña Manolita. Como el piano está en la casa y la señora no sale, no puedo ensayar de verdad.

No entendía bien Pepillo, pero miraba fascinado viendo al patrón colocar los dedos sobre las teclas dibujadas.

—Anda, Pepillo, baja la cama del despacho. Yo he dormido ahí muchos años. Dentro hay mantas y una almohada. A veces, cuando me quedo tarde a dibujar, me sigo tumbando ahí a descansar. Anda, duérmete y no molestes que tengo que estudiarme esto. Es una costumbre de la familia de mi mujer, ¿sabes?, tocar esta música cuando muere alguien o cuando nace. Anda, anda, obedece y abre la cama.

—¿Cómo voy a dormir yo en su cama, don Antonio?

—¡Como un ángel vas a dormir! Aunque será la primera y la última vez, no te hagas ilusiones, pero ahora no vas a ir al chiscón a despertar a todo el mundo.

—A mí no me importa dormir en el suelo, don Antonio. Estoy acostumbrado.

Eso le llegó al alma al patrón.

—Tú haces lo que yo te digo y a callar. ¡Dormir en el suelo! ¡Tirado como un perro! ¡A quien se le diga! Mira, a veces creo que los perros son mejores que los hombres. Sí, casi estoy seguro, un perro es mejor que un hombre, ¡pero no es un hombre!

Pepillo obedeció, abrió la cama plegable, se tumbó en la misma sin quitarse las alpargatas y aunque se moría de sueño, no podía quitarle al patrón la vista de encima.

Como si fuera el mismísimo Ricardo Viñas, con leves movimientos del cuerpo, inclinado y apartando la cintura del piano invisible, los pies sobre los hipotéticos pedales, cabeceando como el más inspirado de los artistas, Antonio canturreaba las notas tradicionales del *Chopin* de Schumann.

—Do, mi, re, mi, re...

IV

Milagros de la edad moderna. — El agua. — Petronila y sus pezoneras. — Guadalajara es muy fea. — El ladrón Paco no sabe quién es Valle-Inclán. — Errores del modernismo. — Nace lo que tenía que nacer.

Era guapaza, olorosa, de abundante vello y cabello, tenía anchas las caderas, abultado el escote y rezumaba humedad su mirada. Se llamaba nada menos que Petronila, pero doña Mariquita estableció que por respeto a la casa todos iban a llamarla Petri o «ama» a secas. Nadie sabía muy bien de dónde había salido, pero había presentado más papeles que un embajador plenipotenciario y, menos Baonza, todos hablaban de sus buenas cualidades. Venía recomendada por Carmen, una antigua amiga de Manolita y, arrinconadas sospechas y zonas oscuras, la versión oficial quedó en que el ama era de Colmenar, que se había quedado viuda y que su hijito había muerto a los pocos meses de nacer. Tanta desgracia acumulada, no parecía haber afectado a Petri, que desde que había llegado a la casa, había engordado varios kilos, según Mariquita, no a causa de la lactancia, sino a causa de la vagancia. Eso sí, limpia era muy limpia y traía a todas las mujeres del Olivar al retortero con exigencias varias y desde que llegó, todo era hablar de pezoneras y tetillas, de todo tipo de sacaleches y de amplios sujetadores cuyas cazoletas Mariquita se pasaba el día reforzando con pespuntes.

Era la mañana del 20 de setiembre. El ama estaba asomada a la ventana del recién estrenado cuarto de baño, inclinada sobre el alféizar, gritando órdenes a los obreros del agua que andaban entre motores por la zona del pozo.

—Vamos, dele usted ya… Dele a la palanca…, que no sube… No sube. Tengo los grifos abiertos y aquí no sube agua.

Mariquita y Vicenta entraban del patio a la cocina y salían de la cocina al patio, alternándose, intercambiando información.

—Del grifo de la pila no sale más que barro —informaba Mariquita—, se está atrancando la pila.

Vicenta sacaba entonces otro cubo de agua del pozo y entraba con él en la cocina.

—Eso sí que es ir del coro al caño —mangoneaba la doña—. ¡Eche, eche usted el agua!

A Manolita, que estaba asomada al mirador de arriba, nadie le hacía caso.

Antonio cruzaba el patio de un lado a otro, del grifo que se había colocado junto al almacén de maderas, a la pequeña cuadra de los caballejos que tiraban del elegante carro del reparto de muebles. Iba Antonio con el guardapolvos abierto y volaba de un lado a otro, controlando el paso de las llaves.

—Don Antonio, deje usted, no toque esas ruedas, primero hay que abrir aquí —le gritaba el capataz—. Hay que seguir el orden del croquis.

Antonio había entrado en la cocina y comprobaba las salpicaduras del barro.

—Cierre, cierre, doña Mariquita. Todavía no abra aquí abajo y dígale al ama que deje de gritar.

De pronto el agua empezó a manar por todos los grifos dando estallidos.

—Es como las cataratas del Niágara —reía Antonio, alegre como un niño.

—Es como un milagro… Como un milagro —gritaba el ama.

—Ya no tendrá usted que acarrear cubos, Vicenta —exclamaba Antonio.

Protestaba Mariquita, evidenciando la traición del patrón.

—Si estuviera aquí mi prima Eulalia, don Antonio… ¿Se acuerda? Usted se lo prometió a Eulalia, que pondría agua en la casa para que «ella» no tuviera que acarrear cubos del pozo. ¿Se acuerda?

Salió Antonio de la cocina, sin saber qué decir.

En el patio, Baonza estaba mirando hacia arriba, hacia el ama.

—Esa mujer, Antonio, el ama... No debería estar así, tirada sobre la ventana. Podría hacerse daño en los pechos.

—No se preocupe tanto del ama, socio.

—No sé, no sé, a mí me gustaba más aquella que nos recomendaron de Santander. A mí esta Petri, tan escandalosa...

—Déjele esas cosas a las mujeres, padrino.

—Es que yo la veo demasiado joven y la verdad es que no tenemos suficientes garantías. Después de todo no ha criado a nadie. Y esa mujer huele demasiado a hembra.

—Ande, ande... Vamos a ver si funciona el grifo de la sala de barnizadores.

Entraron Antonio y Baonza en el taller donde el revuelo del agua también los tenía a todos alborotados.

—Hoy es un gran día, ¿eh, socio? El agua es la vida. —Le brillaban los ojos a Antonio—. Le confieso que hoy estoy más emocionado que cuando metimos la luz.

Vicenta había entrado en el despacho del taller, detrás de los hombres.

—Don Antonio..., en la casa ya corre el agua que da gusto. En el baño, dice el ama que sale divinamente y abajo en la cocina también. —Bajaba la voz Vicenta—. Doña Mariquita dice que en el lavabo del dormitorio de ustedes, también sale bien.

—Pues que corra, que corra el agua, Vicenta. Vuelva y dígale a doña Mariquita que deje abiertos los grifos a medias y que los tenga así, con el agua corriendo un buen rato. Ahora iré yo... ¿Qué mira con esa cara?

Vicenta estaba mirando por los cristales del despacho hacia el patio y se volvió de pronto a Antonio, demudada.

—¡Don Antonio, mire! Ese hombre que está hablando con Pepillo... Deme la pistola, don Antonio. Señor Baonza..., coja la pistola... Ese hombre es el ladrón del otro día.

Le miraba Antonio y le reconoció.

—Calle, mujer... Viene hacia acá. Usted, váyase a la casa, Vicenta, haga lo que le digo. Y usted, socio, con los ebanistas. Déjenmelo a mí. Ya le conozco yo a ese hombre. Váyanse.

Pepillo golpeaba los cristales de la puerta.

—Pasa, Pepillo...

Entró el chaval seguido de un hombre que escondía la cabeza entre los hombros.

—Don Antonio... Este hombre quiere hablar con usted.

—Muy bien... —Se sentó Antonio ante su mesa y para tranquilizar a todos abrió ligeramente el cajón donde guardaba la pistola—. Llévate a tu tía, Pepillo, y al señor Baonza, que yo tengo que hablar con este señor.

Le obedecieron aunque Baonza y Pepillo quedaron pendientes detrás del ventanuco que daba a la nave de los ebanistas.

El ladrón estaba de pie frente a Antonio y tan nervioso que ni siquiera se quitó la gorra. Tragaba saliva.

—Usted dirá. —Estaba muy serio Antonio, sin quitarle el ojo de encima.

—Verá, don Antonio...

—¿Don Antonio? ¿Acaso me conoce usted?

—Usted sabe que le conozco, don Antonio. ¿Quién no le conoce a usted en Pacífico?

—Pues dígame.

El ladrón sacó del bolsillo un pañuelo en uno de cuyos extremos iban envueltos unos céntimos. Los puso sobre la mesa.

—Cuatro pesetas, don Antonio. Es todo lo que he podido reunir. Yo le quité..., no llegaban a quince. Quería devolvérselo todo, todo lo que me llevé el otro día del cesto, pero en el mercado no se saca nada. Y en la Estación, los mozos de cuerda se lían a correazos con todo el que quiere cargar un bulto. Anda mal el trabajo.

—Tiene usted valor en presentarse aquí.

No se sabía quién de los dos estaba más impresionado.

—Siéntese —ordenó Antonio.

El ladrón, ahora, se quitó la gorra.

—Siéntese, le digo —insistió Antonio.

Se sentó. Se llamaba Paco.

—Yo me llamo Paco, don Antonio, para servirle... —De pronto sonrió—. Menudo susto me pegó usted la otra noche, sacando la pistola... «No tengo más fuego que éste.» ¡Casi me cisco del susto! ¡Un canguelo me entró! Creía que me iba usted a matar.

—No fue manco el susto que me pegó usted a mí.

—Rompí la cerradura también. —Miraba hacia el suelo el ladrón, aparentemente compungido.

—Sí..., y la portera dando diente con diente.

—¡Muy valiente que estuvo! ¡A punto de cogerme! Si no llego a saltar, por poco me tira de la escalera. Tan delgaducha que parece, ¡una fuerza! Bien guapa que es.

Eso no le hizo gracia a Antonio.

—¿Qué quiere?

—Trabajo. Si usted me da trabajo, le devolveré lo que le robé hasta el último céntimo. Y si le sirvo y quiere luego seguir empleándome yo se lo agradeceré siempre..., pero, déjeme que le devuelva al menos lo que me llevé y que le pague el arreglo de la cerradura.

Aquel hombre, era sincero.

—¿Y si aviso a los guardias?

—Usted no hará eso. —Un color se le iba y otro se le venía—. ¡Don Antonio, no sirvo para robar!

Antonio le miró fijamente a los ojos. No iba a desaprovechar el pie.

—¡Habrá que ver si sirve usted para trabajar!

Se miraron. Le tembló unos instantes la barbilla al ladrón, de risa. También sonreía Antonio.

—¿Qué sabe usted hacer?

—Poca cosa, soy carretero. No he estado nunca preso. De Guadalajara puedo hacer que le manden una carta de la parroquia, aunque no sé si querrá el cura. Hace dos años le dije a mi padre que me iba al campo a recoger los aperos, pero como estaba harto de doblar el espinazo, cogí el carro y me vine para Madrid. Aún me estarán esperando. En Guadalajara me moría de asco y además no me llevaba bien con mi padre.

—Y Guadalajara es muy fea, ¿no?

—¡Qué sé yo!

—¿Sabe usted leer y escribir?

Paco, el ladrón, abrió unos ojos como platos.

—No, y no entiendo la pregunta.

Antonio sonrió. Se escuchaba el agua que caía en las piletas. Hoy era un gran día y el ladrón era una buena señal. Progresaba la humanidad a marchas forzadas hacia un destino justo y el Hombre era el «verdadero milagro de la vida innumerable». De muy buen humor, se pasó las dos manos por la barba, afilándosela.

—¿Sabe usted quién es Valle-Inclán?

—No.

—Pues verá. Valle es un escritor muy conocido. Yo le veo a veces en el café, con los suyos. No sabe dónde voy a parar, ¿verdad? Es que cuando ha dicho usted que no sabía leer ni escribir, lo ha dicho con una cara y de una forma que me ha recordado una anécdota.

El ladrón no era nada tonto y sabía que con su sinceridad había llevado al huerto al patrón. Se dispuso a escucharle con atención.

—Cuente, cuente, don Antonio.

—Pues verá, ese hombre que le digo, Valle-Inclán, es un gran escritor, el mejor para mi gusto. Escribe en los periódicos, para el teatro, en fin, es un hombre singular, y cuando le pinchan, muy alborotador. Bueno, pues el otro día, al parecer, hubo un incidente en el café y acabó Valle en la comisaría. Y el comisario, que le conoce, va y le pregunta: «Usted es don Ramón María del Valle-Inclán, ¿verdad?» «Sí», dice él. Y siguiendo la costumbre, le pregunta el comisario, por rutina: «¿Sabe usted leer y escribir?» Y contesta él, como ha contestado usted, «No». Y claro, el comisario no quiere que le tomen el pelo y se enfada. Le dice: «Me choca su respuesta, don Ramón.» Y va y dice Valle: «Más me choca a mí su pregunta.»

Reía Antonio abiertamente. Se le saltaban las lágrimas de risa.

—¡Qué hombre! ¡Qué chispa! ¡Qué genio! ¿Se da cuenta? «¡Más me choca a mí su pregunta...!»

Paco el ladrón no sabía si debía reírse. A él no le había hecho ninguna gracia el chiste y Antonio le parecía un estrafalario pero hizo una mueca incomprensible y luego soltó una carcajada hipócrita. Esperó.

—Bueno..., pues verá: usted dice que quiere trabajar aquí. Pues de momento le cojo de prueba, pero tendrá que amoldarse a todo. En esta fábrica hay una costumbre: los que no saben leer y escribir tienen que asistir a una hora de clase por la mañana, una hora, aquí, en el taller, fuera de la jornada. Y ésa es la norma para todos. Si le viene bien, mañana, aquí a las siete. ¡Ya le buscaremos algo!

Estaba tan enfrascado en su buena acción que fue el propio Paco el que tuvo que avisarle. Vicenta venía corriendo desde la casa y entró en el despacho como un tromba.

—¡Don Antonio! ¡La señora! ¡Que se ha adelantado! Hay que ir a avisar al médico. Dígale usted a Pepillo que vaya a la Casa de Socorro, que avise a la comadrona. Doña Mariquita quiere que vaya usted ahora mismo. El ama dice que vaya yo también a ayudar. El señor Baonza que vaya a la farmacia a por algodones. La señora quiere dar a luz en su cuarto de soltera, arriba. Habrá que subir la cuna de la niña y el agua del baño... Don Antonio, el calentador nadie sabe encenderlo. Lo primero, que alguien vaya a buscar ayuda médica, dice doña Mariquita.

Menos mal que había llegado al Olivar en el momento oportuno Paco el ladrón, y que se hizo cargo de la situación en seguida, cumpliendo los primeros recados porque ni Vicenta ni Antonio sabían por dónde empezar.

La sala del mirador de las rosas había sufrido ligeras transformaciones, casi ninguna digna de mención, pero para satisfacer a los que interesen estas cosas, diremos que el reloj de carillón seguía junto al secreter, el sofá de tapicería roja continuaba en el centro de la estancia y donde antes colgaba la estampa de la dorada Constantinopla ahora había un tapiz algo desvaído del que una vez se había encaprichado Manolita y que Felipe le había regalado. Representaba el tapiz a una dama antigua a la que columpiaban dos caballeros. La dama tenía cintas en el pelo y las cuerdas del columpio estaban trenzadas con flores. Los escarpines de la galanteada que andaba en vilo, columpiándose, eran de color amarillo.

Simétricamente colocado bajo el tapiz, el piano vertical que conocimos en el vestíbulo.

Eran las once de la noche, Manolita llevaba catorce horas de parto y la cosa parecía que iba para largo.

Antonio ya se había leído dos veces *El Imparcial*, de cabo a rabo, y ahora estaba metiéndole el diente a *El Universo* de doña Mariquita.

—¿Lo ve? «El maestro infalible de la verdad, Su Santidad Pío X, acaba de dirigir una carta Encíclica a todos los obispos del orbe católico, condenando el más reciente de los errores en materia dogmática: el modernismo.» Ya ve, Baonza, esto es lo que lee nuestra doña Mariquita. «La raíz de todos estos errores, es la filosofía agnóstica, así que el modernismo no es tanto un error especial, cuanto el conjunto de todas las herejías, siendo su causa, la curiosidad malsana...» ¿Me oye, Baonza?

Al bonachón de Baonza se le caían los párpados, le colgaba más que nunca la papada y no conseguía apasionarse por el tema.

—¿Qué quiere que le diga? A mí eso del Papa me suena a chino. ¡Allá se entiendan entre ellos!

—Pero es que hay una Iglesia más progresista y un día de éstos tenemos un cisma.

—Por mí, como si tenemos dos —seguía Baonza desentendido de la teología—. Además yo creo que los curas que se sublevan son siempre los más reaccionarios. Así que si hay un cisma, vendrá por parte de la derecha y no por los progresistas...

—¡Qué sinrazón! Pero fíjese, fíjese. Mire los remedios que dice el Papa que hay que poner: «Los modernistas deben ser apartados de la enseñanza, los obispos deben prohibir al clero y a los fieles la Prensa modernista, en todas las diócesis se establecerá un colegio de censores encargados de revisar las publicaciones católicas, siguiendo la que fue también doctrina de León XIII, los eclesiásticos no podrán dirigir un periódico sin permiso expreso del obispo y los colaboradores serán vigilados.» ¿Se da cuenta, Baonza? ¡Vigilados! Le digo que la Iglesia progresista no tolerará esto.

Baonza estaba pendiente de unos pasos que se escuchaban en el piso de arriba. Se sacaba el reloj del bolsillo del chaleco y comprobaba la hora con el de la sala.

—¿Ha oído? Ay..., esta ahijada mía no me quiere conocer todavía. —Le daba cuerda al reloj, se lo acercaba al oído y suspiraba—. Y eso que le voy a regalar el «Espasa» ese que acaba de salir. Lleva no sé cuántos volúmenes y es una obra de titanes. Sí señor, aunque sea una chica tendrá una buena enciclopedia. Creo que no hay otra igual en Europa.

—¡Si aquí la leyera alguien! —se quejaba Antonio—. Cincuenta por ciento de analfabetismo, Baonza, cincuenta por ciento.

Se escucharon ahora pasos apresurados por el piso alto.

—¿Salimos a ver? —Se levantaba Baonza y, como era presumido, se adecentaba las ropas que tras tantas horas de espera andaban desbaratadas.

—No, que le he prometido a doña Mariquita que no saldríamos a molestar.

—¡Qué antojos! —Y se volvía a sentar, ajustándose la pechera.

—Antojos los de Manolita, que se ha empeñado en dar a luz en su cuarto de soltera. Oiga, ¿por qué ha dicho usted «aunque sea una chica»? Las mujeres están avanzando mucho, hasta les han dado el voto.

—Sí, en Noruega. Aquí, déjelas usted tranquilas. Aquí es mejor que las atemos cortas, para que no se desmanden. ¡Voto a las mujeres! Sobre eso sí que tenía que pronunciarse el Papa. ¡Eso sí que es un modernismo que a mí no me va!

—Ahora entiendo que no le guste a usted el nombre de Libertad para la niña.

—Eso ya está suficientemente debatido. ¡Usted y sus nombrecitos masónicos! Germinal, Libertad... Ni hablar del peluquín. ¡Valiente extravagancia! ¡Pobre niña mía!

—Usted manda, que es el padrino. Pero mire, mire..., hoy es san Eustaquio. ¿Qué le parece Eustaquia? «Y sus hijos Agapito y Teopisto.» ¿Agapita? ¿Teopista? También es santa Felipa y su hijo Teodoro mártir y las santas, Cándida y Susana mártires...

—Se llamará como yo... y en recuerdo de don Guillermo, el mejor dramaturgo de todos los tiempos: Julieta, la dulce heroína.

—Tuvo un trágico destino.

—Mi ahijada, no; mi ahijada tendrá un destino de rechupete. ¿Oye? Ahora sí que se está armando arriba. Ésa ha sido la puerta de la alcoba. ¿No oye? ¿No ha oído como un maullidito de gata?

Se levantaron los dos hombres y se aproximaron a la puerta para escuchar mejor. Efectivamente, había ruidos y ahora bajaban unos pasos por la escalera. Abrió la puerta Antonio. Le corría el sudor por la frente.

El ama apareció sonriente. Traía entre los brazos a una criatura envuelta en varios kilos de toquillas y encajes.

—Es un niño —dijo el ama, y miraba a Baonza con picardía.

—¡Un niño! —No se lo podía creer Baonza y recibió el anuncio como si fuera una maldición del Apocalipsis—. ¡Un niño!

—Un niño y bien hermoso y muy completo que está. —Lo levantaba el ama como si fuera la hostia consagrada.

—¡Mi ahijada un niño! —Se desmoronaba Baonza, desilusionado.

Antonio miró a su hijo con aprensión. El recién nacido era un bultito engurruñado del que difícilmente se distinguían unos rasgos informes en un montoncito de arrugas descarnadas.

—Lo primero es lo primero —dijo Antonio y se apresuró a levantar la tapa del piano.

Manolita, fajada, repeinada, y con dos litros de colonia encima, estaba reclinada en los recién mudados almohadones de su antigua cama de soltera y con ojos febriles, feliz, escuchaba los acordes del *Chopin* de Schumann. A su lado estaba Vicenta y parecía a punto de llorar. Mariquita y la comadrona andaban entrando y saliendo del baño, atendiendo al médico.

—¡El carnaval de la vida! ¿Lo oye, Vicenta? Lo está tocando don Antonio.

—Sí, era una sorpresa que quería darle el señor. Lleva no sé cuántos meses aprendiéndoselo en el taller, de noche, con un papel.

Sólo unos instantes la miró Manolita de arriba abajo.

—Déjeme escuchar —entrecerraba los ojos—, yo lo toqué una vez, cuando murió mi hermano. Unos mueren y otros nacen. ¡El carnaval de la vida! Mariquita..., ¿lo oyes?

—Sí, hija, sí, lo oigo.

—Qué hubiera dicho mamá si me hubiera visto, ¿eh? Ella me creía una inútil... y la comadrona ha dicho que he estado muy valiente. Yo, Manolita, dando a luz a un niño, trayendo a la vida a un niño.

Vicenta la miraba con lágrimas en los ojos.

—No ha sido tan difícil, ¿verdad? —Se volvía, cruel, hacia la portera—. Ahora, ya lo sabe usted, Vicenta, si alguna vez tiene un hijo, ya sabe cómo es.

—Sí, señora. —Se disponía Vicenta a salir de la alcoba—. Voy a bajar a preparar algo para el doctor y para la señora comadrona. ¿La señora no quiere un caldito?

—No, no. Vicenta, ni caldito, ni queso de Villalón, no quiero nada. ¿Dónde está el ama? Que suba ya a mi hijo...

—No tenga prisa, señora —volvía a colocar Vicenta la colcha—, que el señor la vea a usted guapa.

—Yo no soy guapa, nunca lo he sido. Graciosa, eso decía mi madre que era yo, graciosa. ¡Usted sí que es guapa, Vicenta! Bien arreglada, sería usted muy guapa. Esos ojos tan azules, como los de mi marido...

Intervenía Mariquita.

—Hija, Manolita, para. Doctor, ordénela que calle. Se ha pasado todo el parto hablando, casi creía yo que desvariaba. «Parla que te parla», que hubiera dicho doña Trinidad.

Se encogía de hombros el doctor, sonriente, secándose las manos con toalla de hilo, dedo a dedo y desaparecía de nuevo en el baño.

—Y el niño... Es como un monito, como un monito del Retiro. —Se volvía a Vicenta, didáctica—. ¿Sabe usted, Vicenta, que hay mujeres que tienen a sus hijos ellas solas?

—Serán las salvajes de las tribus, señora —intervenía la comadrona que aún andaba con las mangas arremangadas.

—Y las gitanas —insistía la recién parida—, se agarran a los árboles y, hala, el niño al río, directamente al río, a lavarlo. ¿Verdad, doctor?

El médico había vuelto a entrar en la alcoba.

—¡Pero no callará esta mujer!

—Pues no, no callo, que aquí estoy yo, tan ricamente, con médico y todo, como la Reina. ¿Te acuerdas, Mariquita, de cómo hablaba Andrés en los últimos tiempos?

—Por los codos, hablaba por los codos, ¡pobre Andrés!

—Porque sabía que se iba a morir y quería dejarlo todo dicho.

¿Tú crees que me estoy muriendo, Mariquita?

—Anda, anda...

Vicenta había salido con el médico y la comadrona, quienes hacía rato que se declaraban hambrientos y desfallecidos.

—A esa mujer, a Vicenta, tienes que darle algo —le tiraba de la falda a Mariquita—, un regalo, lo que se te ocurra. Se porta muy bien y no es de la casa.

—Ya veremos. —Le ahuecaba otra vez los almohadones Mariquita.

Hay veces que en los partos hay que elegir entre la vida de la madre y la del niño. —Se ponía maquiavélica Manolita—. ¿Qué hubiera hecho Antonio? ¿Eh, Mariquita?

—¡Qué ideas de casquero! Ahora se lo preguntas a él. Voy a avisarle. Tú ya estás presentable.

—Que suba también Baonza, no me importa, que vengan todos. Hoy soy cabecera de cartel.

La rodeaban y ella sonreía con su niño en brazos.

—¿No lo quieres coger, Antonio?

—No, no sabría qué hacer con él.

—Y usted, señor Baonza, ¿no quiere coger a su ahijado? ¿O ya no quiere usted ser el padrino? Sabe que Felipe, si usted no quiere...

—No, no, aunque sea un chico, el padrino soy yo.

El niño fue finalmente entregado al ama que lo levantaba por los aires para lucirlo como un trofeo.

—¡Mi niño, mi niño! Y no le falta de nada, tiene todos los deditos, todo, lo tiene todo.

—¡Qué se le va a hacer! —decía con sonrisa picaruela Baonza.

—Lo importante es que el crío es precioso, un poco delgaducho pero ya se encargará el ama. —No le quitaba ojo Mariquita al ama.

—¿Delgaducho mi niño? ¡Ya verán dentro de unos días! La madre no tiene que hacer nada, ya me encargaré yo de mi niño. —Se lo apretaba contra el pecho, como si fuera un amante.

—¡De Julito! Porque se llamará Julito, como yo, claro.

—¡Julito, Julito! ¡Ajito, ajito, si no me comes bien, te daré en el culito! —Rimaba el ama.

—¡Vaya, el ama nos ha salido Espronceda! —Se levantaba las guías del bigote Baonza.

De pronto Mariquita pegó uno de sus suspiros.

—¡Pues nos equivocamos todos! El parto se ha adelantado y en vez de una Julieta nos ha salido un Julito. ¡Se ha equivocado hasta el Papa!

Antonio aprovechó la oportunidad para burlarse de Mariquita llamándola falso oráculo de Delfos y esta vez la doña, corrida, nada dijo de las zapatillas del Santo Padre. Para compensar su ataque a los griegos, Antonio lanzó un discurso sobre la Humanidad cuya tesis era que mejor gallo nos cantara de haber seguido los dictados de Grecia en vez de los papanatismos de Judea, y ya inmerso en el ataque a las nuevas doctrinas de Roma que condenaban los errores del modernismo, arremetió contra Pío X que había vaticinado el nacimiento de una niña en el Olivar de Atocha y anatematizó a Mariquita con el dedo en alto.

—La niña es niño, Mariquita, para que vea. ¡Son errores del modernismo!

Así, un veinte de setiembre de 1907, engrosando el empadronamiento municipal que daba como resultado quinientos noventa y cinco mil, quinientas ochenta y seis almas, a las once y cuarenta y seis minutos de la noche, mientras el orbe católico aplaudía la polémica encíclica papal, nació lo que tenía que nacer: Julio Antonio Manuel de los Ángeles Maldonado Barros Linares y Pérez, el primer hijo de Mamaíta y Papantonio.

V

**Estamos en 1911. — La Chacha Clara es un mirlo blanco. —
El empedrado de la calle Fuenterrabía. — Mariquita hace
promesas al Congreso Eucarístico. — Plegarias a la Virgen
de Atocha.**

Andrés Felipe Gregorio de todos los Santos nació catorce meses
después que Julito, un tres de octubre de 1909 y nació como un
fantasma, discretamente, sin alharacas, y aunque nos consta que a
él también le tocó Antonio los acordes del *Chopin* de Schumann,
hacía tanto ruido el primogénito que a su lado Andresito parecía una
sombra de niño, un apunte. En fin, que desde que nació ya parecía
destinado a ser un ángel. Felipe fue su padrino y compitiendo con
los volúmenes del «Espasa» que seguía trayendo a la casa Baonza
para su ruidoso y vital ahijado, Felipe regaló al «suyo» la colección
completa de *Blanco y Negro* del diario *ABC*, encuadernada en piel
de cerdo de primera calidad.

Estamos en 1911.

Tenía ya Julito cerca de cuatro años, cerca de tres Andrés y
Manolita estaba de nuevo embarazada.

—«Yo creo que en esta casa se trabaja más que en el taller.»
—Desde su cuarto se quejaba Mariquita que ya no tenía tiempo ni
de rizarse el pelo todas las semanas.

La Chacha Clara había venido de Berja para ayudar y con el
delantal atado todo el día, estaba clasificando ahora las verdu-

ras sobre el mármol de la mesa de la cocina.

Entraban por las ventanas abiertas, los martillazos del empedrado de la calle.

Mariquita, estaba terminando de hacerse la cama y seguía quejándose.

—«Doña Clara, ¿no se vuelve usted loca?»

—¿Por qué, doña Mariquita?

—«Ese paf, paf, paf... ¿Ha visto usted al ama?»

—Arriba estará, despertando a los niños.

—«¡Si no son los niños los que la despiertan a ella! Esa mujer es una pena, una holgazana. Además, ya no sé para qué la queremos desde que se le cortó la leche.»

—¡Doña Mariquita!

—«Mire, señora —se le oía a Mariquita pegarle golpes al colchón—, a mí lo que está pasando en esta casa no me parece bien. Esto no es plan. Aquí lo que necesitamos es una criada como Dios manda, todo lo demás son paños calientes. Tenía razón su nuera. Yo me encargo de la ropa, Vicenta ayuda con la compra y lava, el ama atiende a los niños, y todo manga por hombro. Esto no es apaño.»

—Yo he venido para ayudar.

—«Mire, doña Clara, ¡que no!»

Se levantó la Chacha Clara y fue hacia la despensa de donde sacó una botella de Málaga dulce.

—Usted lo que necesita es un poco de dulzura, Mariquita, una uvita de vino.

—«No, que he hecho una promesa.»

—¿Qué promesa?

—«Las promesas no se dicen, que luego no salen.»

—Bueno, pues nada. —Arrancaba las hebras de unas acelgas doña Clara, y echaba tientos al vasito pegajoso en el que ella sí se había servido.

—¿Y dónde está Vicenta? —emergía Mariquita de su cuarto.

—Ahí fuera está, en el patio, tendiendo. Esa mujer es una alhaja. No sé cuándo tiene tiempo de aviar su casa, porque se pasa aquí el día. Es muy fiel, muy fiel.

—¡Usted sí que es un mirlo blanco, doña Clara!

—Lo dirá usted por las canas. —No perdía el humor la Chacha Clara y nada se le hacía cuesta arriba. Ella se levantaba con los claritos del día, se lavaba «los bajos» como decía, «bajos» que, según ella también, incluían los «pinreles», se enroscaba el larguísi-

mo cabello blanco en un moño trenzado y ¡manos a la obra! A ella
le sobraba el tiempo.

Seguían escuchándose los trompazos del empedrado y Mariquita
se llevaba las manos a los oídos, taponándoselos.

—Loca, me voy a volver loca.

Entró Vicenta en ese momento con un barreño a la cadera.

—Doña Mariquita, voy a enjuagar otra vez la ropa, se ha llenado
de polvo. ¿Qué le parece si la tiendo en la leonera?

Reía doña Clara.

—¿En qué leonera?

—Es donde tendemos en invierno —aclaraba doña Mariquita—,
pero de poco va a servir. El ventanuco está sin cristal y entra el
mismo polvo.

—Le pongo un cartón. —Se enjugaba la frente Vicenta—. ¡Qué
calorina!

—Haga usted lo que quiera, Vicenta. —Últimamente estaba de-
sabrida con ella porque cada vez más le inquietaba aquella mujer
con su mirada tan azul y el cuerpo consumido de pasión como el de
los Santos—. Yo no doy más de sí.

—Pues habrá que hacer algo —se ofrecía Vicenta—, también le
puedo decir a Basilio que encargue el cristal y que lo ponga alguien del taller.

—Lo que quiera, haga lo que quiera.

—Sí, será mejor, Vicenta —le sonreía la Chacha Clara—, porque
el empedrado va para largo.

—¡Si van a empedrar todo el Olivar! No sólo Fuenterrabía, sino
Andrés Torrejón y Vandergoten. Y yo me volveré loca, loca con el
paf, paf, paf... Que si la luz, que si el agua, que si cegar los pozos
negros... ¡Hay que ver cuando el alcantarillado! Y ahora a empedrar la calle. Y paf, paf, paf...

—Ahora tengo que preparar el almuerzo de Basilio, pero la ro-
pita de los niños, si quiere, doña Mariquita, la plancho yo esta
tarde en el chiscón.

—No, eso es cosa mía, aunque debería ser del ama, pero como
ésa no hace nada...

—Le dan mucha guerra los niños, porque separarse de ellos,
no se separa —la defendió Vicenta, antes de volverse al patio.

—A mí lo que no me gusta es que los tenga tan sujetos —intervenía la andaluza—. No les deja ni rebullirse. Pero ayer planchó
las camisitas aquí abajo, que la vi yo, mientras merendaban los
niños. ¡Andrés no nos come nada!

—¿Que planchó las camisitas? Las chamuscaría como la última vez, que menudo pico le plantó a la más nueva, todo el pico de la plancha.

—Ay, doña Mariquita, qué día tiene usted hoy. ¡No eche los títeres a rodar!

—Dígame usted que no, pero, ¿qué hace el ama? Comer y darse importancia. Para lo único que está siempre lista es para irse de paseo. A mí no me da el pego. Yo no tengo una venda en los ojos, ni gasto pastillas de boca. Una vez amamantados Julito y Andrés, yo lo que hacía era ponerla de patitas en la calle. Además, habrá que buscar otra para cuando nazca lo que viene. Y cuanto antes, mejor. Ay, si convenciera yo a la Eulalia para que se viniera a Madrid...

—¿Ha sabido más de ella?

—No... Ésa es una de las promesas que he hecho. Más de dos años que no me escribe. Y con todo lo que ha pasado en Barcelona. ¿Sabe, doña Clara? La promesa no se la he hecho a la Virgen de Atocha, sino al Congreso Eucarístico.

—Huy, no sabía yo que también al Congreso se le podían hacer promesas.

—¡No se burle de mí, doña Clara!

—Es que se está usted volviendo beata, doña Mariquita...

—Hablando de beaterías, me va usted a perdonar, que tengo que acercarme a la Basílica. Sólo es un momento. Para cuando se levante la señora, ya estoy de vuelta.

—No se preocupe, mujer, vaya con sus rezos. Yo ahora pico la verdura de la noche y luego dejo hecha una pasta de croquetas.

—¡Y se las comerá todas el ama! —Ahora parecía preocupada Mariquita—. ¿Queda caldo para la noche, doña Clara? Porque la señora, tanta verdura, en su estado... Lo que necesita es sustancia.

—La verdura es muy buena y mi hijo antes de marcharse, recuerde que nos encomendó que tomase verdura, que está engordando mucho Manolita.

—¿Qué sabrá don Antonio, tan esquelético? En esta casa siempre hemos tomado buenos cocidos al mediodía, con sus buenos trozos de tocino, y para cenar, nada de verduras, ¡huevos fritos con mucho aceite para pringar y de postre un chocolatito espeso!

—Demasiada grasa, Mariquita, demasiada grasa para cenar.

—¡Bah! —Después de entrar y salir varias veces de su cuarto, aparecía ahora con un velo negro doblado en el que estaban pinchados en cruz unos alfileres de cabeza tan largos que más que alfileres parecían banderillas.

A esas horas, y a todas, el camarín de la Virgen de Atocha estaba tan oscuro como siempre o quizás es que Mariquita, por mucho que ella dijera, además de oído, estaba perdiendo vista.

Hizo un amago de reverencia, se santiguó la cara con gesto confuso, viciado por la costumbre, miró a derecha e izquierda y comprobando que estaba sola en la capilla, se sentó en el extremo de uno de los bancos de atrás, ajustándose las blondas del velo como si fueran anteojeras. Rezó a su manera.

«Virgencita de Atocha, traída por san Pedro desde Antioquía, Tehotecha, Madre de Dios. Tú que resucitaste a la esposa y a las hijas del alcaide Ramírez, Tú, protectora de san Isidro, verdadera patrona de Madrid, Tú y no la Almudena, que ella es Patrona de la Villa y Tú eres, Madre mía, Patrona de toda la Corte, Tú que guardas el estoque de don Juan de Austria que ganó la batalla de Lepanto, Tú que remedias pestes y calamidades y que curaste sin ayuda de sesos, hígados y riñones de ahorcados a nuestro Rey Don Carlos II, Tú, Virgencita que venciste a Murat, que casaste al Monarca enamorado con su prima María de las Mercedes, Tú que purificas a las reinas después de cada parto, que das tierra a Palafox y a fray Bartolomé de las Casas, Apóstol de los Indios, Tú, Virgencita de Atocha, Vecina y Madre mía, escúchame y atiende las plegarias de tu hija: primero, que Eulalia me escriba, que desde las matanzas de Barcelona no sé nada de ella ni de Luis. Si me escriben en esta semana, estaré otro mes sin echarme más que una cucharadita en el café. Dos. Vigila al ama, Virgencita de Pureza, que yo a esa mujer la veo que va por mal camino, tonteando todo el día con el padrino de Julito, que esa mujer es ligera de cascos y bastante tonta y él un viejo verde que ya chochea, que es muy bueno y se lo va a dejar todo a los niños, pero con las mujeres se pierde y el día menos pensado nos dan el espectáculo. Y si está de Dios que tenga que pasar, pues que se vaya antes de la casa, Virgencita, que ayuda muy poco y es muy respondona. Si consigues que se vaya, te pondré otra lamparita en la estampa. Tres. Que vuelva don Antonio antes de que la *Nena* se ponga de parto, que yo la veo muy mal a Manolita, Virgencita, muy mustia y muy abandonada, que vuelva don Antonio, que ya está bien de darse vueltas por el mundo por muchos sellos de correos que mande. Si vuelve a tiempo te rezaré un Avemaría antes de comer durante dos meses, a partir de que nazca lo que venga, que te pido que venga bien, como los otros dos que Tú me los has traído al mundo muy arregladitos y yo te he cumplido con todo lo que quedamos y no me habrás visto comerme ni una yema. Sigue manteniendo bajo tu manto de bondad a los niños que mira que Julito se pasa todo el día tocándose sus partes y el ama lo está estropeando de tanto metérselo en la cama y restregarse con él y a Andresito lo veo yo últimamente muy pálido a ese niño, Virgencita, que a ver si vamos a tener un disgusto, que desde que se le fue la leche al ama no nos come nada y anda por la casa con esos ojazos tan tristes que tiene que me recuerdan a mi Andresillo del alma, que tan ricamente te estará haciendo compañía y leyéndote los periódicos del cielo. Cuando venga don Antonio, Virgencita, que venga más cariñoso con la *Nena*, que aunque no se puede tener queja, que ya ha embarazado a la señora tres veces, yo sé y Tú lo sabes, Virgencita, que entre ellos no hay toda la simpatía conyugal que debiera y a la *Nena* no hay quien le enseñe sus deberes de alcoba y no se arregla, ni se cuida y engorda y adelgaza como un globo y así no hay forma de que le siente la ropa, y él sigue con ella cumpliendo, eso sí, pero sin simpatía y eso tampoco puede ser, Virgencita, que nos habéis traído al mundo con necesidades y miserias que hay que satisfacer para que el equilibrio de los matrimonios no se convierta en un mundo de tristeza que sólo pueden traer luego desarreglos y melancolías, y perdona Virgencita que te hable de estas cosas en tu templo, pero yo sé que aunque Divina, fuiste Humana y conocedora de todas las penas de este mundo. Virgencita de Atocha, te pido también por Basilio, el portero, que se reforme ese hombre, apártale del vino y de las malas compañías, que su mujer, tan retraída, sólo se casó con él, la pobre, que me lo ha dado a entender, para dejar de pasar hambre y con esos ojazos azules que tiene, tan igualitos a los de don Antonio, un día nos va a traer desgracias a la casa, que yo les he visto mirarse, Virgencita y se les nota que están llenos de malos pensamientos, aunque bien sé que el señor es incapaz de traicionar a la *Nena* pero cuídame de ellos y de sus miradas que yo he visto cómo a ella se le altera el pecho y respira mal cuando se encuentran en el patio y él se queda como sin sangre, parado, mirándola y van y se pasan toda la noche que si un cafetito del chiscón, que si él se queda a dormir en el despacho, y que no sé yo, Virgencita, por dónde pueden salir un día. Estas cosas, sólo entre Tú y yo, Madre mía, que no se entere nadie, que a lo mejor son imaginaciones de vieja que ya me van cayendo los años. También te pido por el señorito Felipe y por esa medio prima suya, Pilar, que aunque es muy redicha y lee demasiado,

yo creo que es buena y que debería casarse con don Felipe y ya
está, otros colocados, y que él, así, como tiene tanto dinero, pues
que se la lleve por ahí, a viajar y que no le vuelva más loca a Manolita la señorita Pilar con tanta teoría feminista, que mi *Nena*
no sabe nada de eso ni falta que hace que le caliente más la cabeza.
Ay, Virgencita, y que no se hable más del señorito Felipe y de las
bombas al Rey que yo sé que ha estado en un tris de ir a declarar,
y que siguen los rumores de que frecuenta cavernas anarquitas, qué
tendrá que ver que él sea el dueño de dos casas en la calle Mayor
para que sigan corriéndose las calumnias y los bulos de que estuvo
mezclado con el atentado a Don Alfonso, que siga nuestro Rey bajo
tu manto. El ladrón Paco se va morigerando bien y a ti se debe
todo y a mis sacrificios y cuando le veo y me acuerdo, ya sabes que
te rezo una Salve para que todo siga como está. Te pido también
Virgencita por la madre de don Antonio, que no se nos vaya, que
ella sí que ayuda mucho, tan callada y tan discreta. Acuérdate, Virgencita, de don Manuel y de su hija, ahora que no vengan, porque
tenemos la casa a tope, los niños en el cuarto de Andrés con el ama,
la Chacha Clara en el cuarto de mi pobrecito Perico que en paz
descanse, y sólo queda el cuarto de la *Nena* y ella lo tiene todo preparado para dar ahí a luz a lo que venga, que esta vez, Virgencita,
Tú me lo has prometido que va a ser por fin una niña, que ya se
me están picando todo el popelín de color rosa que compramos para
Julito y que las camisitas que bordé a pesar de que las tengo envueltas en papel de seda, están cogiendo olor. Así que don Manuel y
su hija, que de momento no vengan, que no tenemos donde meterlos
y ya sabes que la señorita Celia no se anda con medias tintas y aparece siempre que viene con dos baúles y una docena de sombre-
reras que no hay donde meter tanta ropa. También acuérdate, Virgencita, de Carmen y de Matildita, que vengan a ver a la *Nena*, que
ella ya no está para salir y aunque son muy bobitas las dos, a la
Nena la entretienen y hablan de sus cosas y ella comprueba que
para las otras tampoco el matrimonio es cosa de fantasía, que ni
Matildita ni Carmen hablan ya de caricias, besos y carantoñas, esas
dulzuras que tanto nos gustan a tus hijas y tanto nos reclama nuestra débil carne de mujer. Que no te olvides tampoco de los obreros del taller, que no sigan siendo revoltosos y que trabajen y que
les cunda para que este país nuestro como dice don Antonio vaya
para adelante y haya menos pobres y más trabajo y más pan nuestro de cada día. A nuestros difuntos, protégelos, Madre mía, a mi
señora doña Trinidad que os estará organizando el cielo; al señor

que en tu gloria esté; a mis niños queridos, Andresito, que ya habrás perdonado y sacado del Purgatorio por sus desviaciones masónicas, que ya sé que le bordé el mandil, Virgencita, pero él me decía que no había nada malo en las Logias, sólo deseos de justicia y otras cosas raras que a nadie hacían daño; al niño Perico, que siga cantándote motetes con tus angelitos, pobre alma de Dios. Para mí, Virgencita, no quiero nada, sólo que me escriba Eulalia. Y ahora, Madre de Dios, Virgen de Atocha Milagrosa, me voy, que tengo que ver cómo anda todo en el piso de arriba y te rezo las tres Avemarías y una Salve. Dios te salve María, llena eres de gracia, el señor es contigo y bendita Tú eres entre todas las mujeres y bendito es el fruto de tu vientre, Jesús. Santa María, Madre de Dios, ruega...»

A esa altura de la primera oración, tras tan prolija y extensa plegaria, Mariquita, que nadie se entere que rondaba ya los sesenta, inició una serie de cabezadas y no despertó hasta que dio la torre las campanadas del Ángelus.

VI

De cuando Basilio se pone romántico o de cómo un hombre
echa de su casa a una mujer. — El baño de los niños. —
Baonza juega a los barcos. — Bronca entre Su Majestad y
Canalejas. — «¡Ni el general Linares!» — Primera lección
sobre la pasta de las croquetas.

—Vengo a prepararte el almuerzo.

Había entrado Vicenta en su chiscón y nada más entrar ya le
echaba para atrás el olor rancio del vino que impregnaba toda la
pequeña estancia, que ésta sí que no había cambiado nada, porque
cambian poco las casas de los pobres. Eso sí, había luz eléctrica y
agua corriente en la pila.

—Basilio...

Se dirigió Vicenta hacia el pequeño fogón sobre el que ahumaba
el vapor de unas ollas.

—Basilio, he venido para prepararte el almuerzo.

No contestaba Basilio. Estaba tumbado en la cama y sus alpar-
gatones asomaban tras la cortina que separaba la alcoba de la
cocina, cortina que ya no era de esparto, sino de flores y que había
sido hecha con unas viejas que en tiempos pertenecieron a las del
comedor de la «casa grande».

—Basilio, no sé por qué no te quitas el calzado si te echas. Pones
la colcha perdida.

Levantó las tapaderas Vicenta y las volvió a colocar haciendo ruido para que el durmiente despertara.

—¡Basilio! ¡Es mediodía! No son éstas horas de siesta.

Se escucharon los muelles del somier.

Volvió la vista, Vicenta. Los pies habían desaparecido. Sólo tuvo que dar dos pasos para correr la cortina, enfadada.

Una vaharada caliente y agria se abalanzó hacia ella, agarrándola, tirándola sobre la cama.

—Ven, porterita del Olivar, ven. Claro que no es hora de siesta, pero sí es hora, como deberían ser todas las horas, de que atiendas de verdad a tu marido.

Ella se intentaba zafar de su abrazo.

—Estás loco, Basilio, déjame. Tengo que volver a la casa y se te va a quemar el almuerzo.

Él le había metido la rodilla entre las piernas y le sujetaba los brazos con su mano izquierda, mientras la aplastaba.

—Lo que se me quema es la sangre, cuando te veo. —Se podía poner muy romántico Basilio.

—Te huele el aliento.

—Pues no he tomado nada, para que veas, nada. Estoy aquí, esperándote y no he tomado nada.

Le apartaba ella.

—Apestas. Anda, déjame. Te voy a dar un caldito para que se te siente el estómago.

—¡Los calditos del Olivar de Atocha! —gruñía Basilio—. ¡Calditos en la «casa grande», calditos en el chiscón de los porteros! Calditos voy a darte yo a ti... ¡Los calditos del Basilio!

Le había subido las faldas más arriba de la cintura e inútilmente se debatían las piernas desnudas de Vicenta.

—Cualquiera diría que eres mi mujer. ¡Cualquiera lo diría! Maldita sea, todo el día estás trabajando para todos. Y yo, ¿quién soy?, ¿el último mono? Estáte quieta, o no, mejor, sigue, así, muévete... Sí, si crees que te voy a dejar escapar, estás lista. ¿O es que no sabes que hoy no te escapas?

Sí lo sabía Vicenta y cerraba los ojos e intentaba pensar en otra cosa, en que había que pasar un escobón por los rincones del techo, en que sería mejor cambiar la colcha por otra vieja que le había dado Mariquita, en que aún no había barrido el patio, en que aún tenía que hacer la comida de los perros...

Jadeaba Basilio encima de ella, y pasados todos los efectos del alcohol, acompasaba los empellones certeros a sus quejas y protestas que parecían darle más gozo que otra cosa.

—Quién te manda a ti lavar pañales todos los días, ¿eh? ¿Para qué te traje al Olivar? Para que dejases de lavar en el río y tuvieses más tiempo para mí. ¿Quién te obliga a ayudar en la «casa grande»? ¿Eh? ¿Te falta algo conmigo? ¿Qué más quieres? ¿No es esto lo que quieres? ¿Eh? Te revuelves, pero yo sé que te gusta. Te he dado una casa, ¿no? Y te doy lo que muchas darían la vida por tener. ¿Qué más quieres? ¿Eh? ¿Quieres más? ¿Qué se te ha perdido a ti en la «casa grande»? Esa bruja de doña Mariquita y esa Petri, que ya me voy enterando yo de cosas de ella..., hasta la madre del patrón..., hasta él, todos te tratan como a una criada y tú no eres criada de nadie.

Ella, a pesar suyo, se había entregado ya.

—Calla, Basilio.

—¿Me voy a callar yo en mi casa? A mí me gusta hablar y hablarte ahora, así, cuando te tengo con las piernas abiertas. Me sientes, ¿no? ¿Te parece que un borracho podría hacerte lo que yo te hago? ¿Eh? Como tienes tanto sueño por la noche, tengo que cogerte de sorpresa, así, pero no me importa. Cuando está el patrón dibujando por la noche, tú tienes que llevarle el café. Y ahora que no está resulta que tienes sueño de tanto trabajar en la casa. ¡Toma! ¿De qué te quejarás tú? Hay hombres que no quieren a sus mujeres... ¿Tú de qué te quejarás? Yo a ti te quiero siempre.

Calló Basilio. Se estremeció. Ella quedó mordida y arañada pero nada satisfecha.

Él no opuso resistencia cuando ella se escurrió bajo su peso, levantándose, estirándose las faldas, abotonándose la blusa.

—¿Dónde vas? —Parecía no importarle.

—Hazte tú el almuerzo. Ya te he dicho que tengo que hacer.

De pronto él se enfureció. Se asustó, porque la quería matar, verla muerta.

—Vete, vete ya. Vete, para el almuerzo yo no te necesito. —Quería reír, procaz—. Tú me sirves para otras cosas.

—Pero, ¿no comprendes? —Le miraba ella con ojos brillantes, acalorada.

—Comprendo más de lo que quiero comprender —gritaba—. ¡Vete! Soy yo el que te echo, que conste. A veces, cuando te veo salir por la puerta, me gustaría que no volvieses. —Su mirada también contenía fiereza y rabia—. ¡Vete de una vez de mi casa! ¡Vete!

—Estás loco. Si no fuera por mí, ya nos habrían echado.

—¿Echarte a ti don Antonio? —Vomitaba bilis y aún le quedaba deseo—. ¿A ti y a tu sobrino? ¿A Pepillo, que no le han subido el sueldo desde que empezó y que hace todo el trabajo que hacía Luis Márquez? ¿A ti, que friegas y lavas por cuatro? Anda ya. Nos querrá más baratos. —Se incorporó y la empujaba con el cuerpo, restregándose otra vez contra ella—. Yo sí que te echo a ti... ¡Fuera, fuera! Anda, vete, vuélvete a la «casa grande», vete, porque si no te vas ya sabes lo que te espera, que soy mucho hombre yo, mucho hombre... ¡Anda, vete!

No hacía falta que se lo dijeran dos veces.

En el antiguo cuarto de Andrés, donde tantas veces, en jóvenes tertulias apasionadas, se había arreglado España, había ahora dos camas idénticas destinadas a los hijos de la casa. En una de ellas dormía Julito y en la otra el ama Petri, que casi no cabía. Andresito aún dormía entre barrotes más altos que una catedral y estaba la cuna colocada junto a la acristalada galería de la habitación. Dos de los armarios que habían formado parte del viejo vestidor, aquellos que habían albergado el ajuar de Manolita, su aplastada caja de pañuelos y secretos y aquella pesadilla de cajita de conchas de Celia, ahora, sin puertas y convertidos en profundas estanterías, guardaban los juguetes de madera de los niños, piezas estas que deben andar subastándose entre coleccionistas porque dos niños, ambos simpáticos cada uno a su manera, y además hijos de patrón, dan mucho de sí junto a una fábrica de muebles en la que trabajaban más de cuarenta obreros, que por un sí o por un no, con cualquier banal motivo, les ofrecían mil trebejos de fantasía. Aquellos armatostes de armarios transformados estaban, entrando, a mano izquierda, y aunque unas cortinas ocultaban a veces sus tesoros, sabemos que allí dentro había de casi todo lo que un niño puede soñar: construcciones, caballitos, marionetas, boliches, castillos, locomotoras, patinetes plegables, aves picoteadoras y resumiendo, todo un circo infantil de «leones y tigres de Bengala juntos en la misma jaula».

El ama, tras hacerle cosquillas en los pies, había conseguido levantar a Julito y le estaba envolviendo en un albornoz.

—Julito, venga, mi rubiales, mi fortachón, mi niño, que el padrino ha subido unos barcos que os han hecho en el taller... Vamos, que los meteremos en el baño, que el agua se va a enfriar.

—Julito, Julito —le esperaba Baonza sentado en la cama aún deshecha del ama, regodeándose sobre las sábanas donde había dormido la mujer—, ven con tu padrino, niño.

Pegó Julito un salto y se plantó sobre las rodillas de Baonza, haciendo el animal.

—¡Al paso, al trote, al galope! —gritaba Julito.

Manolita, ojerosa, encorvada sobre su gran barriga, trataba de espabilar a Andresito que seguía hundido en la cuna.

—No haga usted esfuerzos, señora, que no le conviene —levantaba la voz el ama—. Estése quieta que ya voy yo a despertar a ese angelito, que hoy le toca lavarse la cabeza, que esos ricillos negros no hay quien los desenrede. Y dígale a Julito que no cabalgue sobre el señor Baonza, que el padrino no está para trotes.

—¡Sabrá el ama para qué está el padrino! —reía Baonza, hecho un abuelete.

Julito rivalizaba con Andrés, quien finalmente se había despertado.

—Mi padrino es más guapo que el tío Felipe. ¡Mi padrino es más guapo que el tuyo, Andresito!

Andrés le miraba, indiferente, abrazado a su madre.

—Tú deja al padrino, que no es un caballo —le regañaba el ama—, que no tiene edad para cabalgadas.

—Ama... —Manolita la reconvenía.

—Déjela, déjela, Manolita. Como le dé yo una coz al ama se va a enterar. —Abrazaba al ahijado—. Ven currucato, zalamero y no me llames guapo, que el hombre y el oso...

—¡Cuanto más feo más hermoso! —Se plantaba el ama frente a Baonza, las manos en la cintura y le provocaba, porque buen trajín de coqueteos que se traían el viejo Baonza y la jacarandosa del ama. El viejo verde le había pegado más de un pellizco en lugares y recovecos poco nombrables y a ella parecía no importarle.

—Ama, estése quieta, no me ponga delante la barandilla, que yo no soy de piedra.

—Don Julio... ¡los niños! —se escandalizaba Manolita.

—Más deprisa, más deprisa. —Saltaba Julio sobre una rodilla del padrino y Andrés que no quería ser menos, una vez envuelto en su albornoz, se había encaramado en la otra.

—Muy bien, caballeros... Nos vamos de paseo. Tú Julito eres Canalejas y tú Andresito, el Rey y tocotón, tocotón, a caballo por el Pardo... «Mire usted, Canalejas, que estas cosas no pueden ser, que se me alborotan los súbditos pudientes.» —Paseaba Baonza a los dos personajes—. «Pues le digo yo a usted, Majestad, que se acabó eso de pagar para no ir a la guerra. Aquí, al que le toque, va.» «Pues como usted haga esa ley, ya verá la que se arma, Canalejas.» «Pues como usted no la firme yo pongo al Santo Sacramento en el Salón del Trono...» Al paso, al trote, al galope...

—Las cosas que les dice a los niños. —Bostezaba Manolita, sujetándose discretamente el vientre, mientras miraba a los jinetes, distraída.

—Ama —decía Baonza de buen humor, pero sudando la gota gorda—, vaya usted a ver si el agua está tibia, que enseguida van el Rey y Canalejas a bañarse, que hoy tenemos batalla naval.

Se abrazaba Julito al padrino y le sacaba la lengua a su hermano.

—¡Mi padrino es más guapo que tío Felipe!

—No —decía escueto y serio Andresito.

—Más guapo, no sé yo —metía cizaña el ama—, pero nos lleva de paseo, y en berlina y todo. ¿Verdad niños?

—Porque cuando un hombre se ennovia no sabe qué hacer para llamar la atención —se justificaba Baonza—. Mira que después de todos estos años, Manolita, el bueno de Felipe, decir que se va a casar con su prima... ¡Ese ejemplar! ¡Si el día menos pensado se nos presenta con falda-pantalón!

Reía Manolita ahora.

—En La Granja ya se la ha puesto, para montar en bicicleta.

—Felipe tenía que haberse casado con su prima Celia, Manolita.

—No se entendían. Celia es muy suya y a mí, Pilar, me parece muy simpática. Están hechos el uno para la otra. Además, ya iba siendo hora. Si un hombre no se casa, ¿qué va a hacer?

—Yo llevo viudo toda la vida y no me ha pasado nada —se engallaba el viejo.

—¡A ver qué va a decir, que están los niños delante!

—Yo lo único que digo es que, en Madrid, las señoras están cada día más guapas. —Y soltaba una risita de zarzuela.

—¿A qué llamará usted señoras? ¿A las mujeres de la calle del Gato?

Ahora era Baonza el escandalizado.

—¡Manolita..., los niños!

A los niños se los había llevado el ama.

—Yo sólo digo, Manolita, que Madrid, en verano... Baden-Baden. No hace falta casarse para nada.

—¡Para usted la perra gorda!

—¿Y la niña para cuándo? —la miraba Baonza con cariño de padre.

—Ya no hago la cuenta, ¡como siempre me sale mal! Espero que sea para cuando Antonio haya vuelto.

—¡Ese hombre! —chasqueaba la lengua el socio—. Se quiere comer el mundo. ¿Ahora por dónde anda?

—Salía para Nueva York. No cuenta nada; bueno, que en París han robado a *La Gioconda*.

Volvía el ama, anunciando.

—La batalla naval a punto, don Julio.

—¿Viene usted a capitanear el Numancia, Manolita?

—No —dijo ella triste—, yo ya he quemado mis naves.

—¿Y el buque de guerra Cataluña, lo capitanea usted hoy, don Julio? —Volvía a agarrarse el ama de la cintura imitando a la Reverte torera.

—A usted la voy a capitanear yo, Petri... ¡Y se va a enterar!

Manolita se quedó sola en el cuarto y mirándose el anillo de casada, meditaba sobre la quema de sus naves. Le daba vueltas a la alianza mientras del baño le llegaban las voces de almirantes y contraalmirantes.

«Tenga cuidado, don Julio, póngase esa toalla debajo de las rodillas.

»Y usted... ¿qué se pone debajo, Petri?

»Mi barco conquista Melilla. ¡Viva el Gurugú! —gritaba Julito.

»A ver dónde está el jabón. ¿Dónde está el jabón?

»La pastilla es cosa mía, don Julio. Usted ocúpese de los barcos, que la semana pasada por poco se nos descalabra Andrés.

»¿Dónde dice usted, ama, que les llevó don Felipe?

»Por el Paseo de Coches.

»¡Pues vaya una cosa!

»Andrés, deja que te lave las orejas...

»¿Sabéis dónde os voy a llevar yo, niños?

»¿Dónde, padrino, dónde?

»A ver el caballo de Alfonso XII.

»¿El Rey?

»El padre del Rey. Le han hecho un caballo que es como esta casa de grande, la cabeza es como esta bañera. Lo han puesto en el estanque del Retiro, con una grúa lo han subido, en cuatro trozos. Por los aires iba el caballo del Rey. Primero, la pata de atrás con la cola y luego la otra pata y el lomo y luego la cabeza y por último las patas de delante. Y encimota el Rey, encimota el Rey.»

Manolita había abierto la puerta que daba a la galería y asomada a medias sobre el patio, observaba a Vicenta que en ese momento salía del chiscón, estirándose el delantal. Se perdió la portera en el almacén de maderas, seguramente buscando a los perros.

Entró Manolita de nuevo en el cuarto. Hoy estaba cansada. Se medio tumbó, indolente, en la cama de Julito. ¡Qué distintos eran sus hijos! ¿Cómo sería el próximo? ¿O iba a ser finalmente una niña? Si era niña, no sería como ella. No, nunca. Si tenía una hija, no iba a ser como ella.

No se había resuelto en el baño la batalla naval y se escuchaban los chapoteos y el entrechocar de los barcos.

«Niño…, ten cuidado con los azulejos de tu padre —gritaba el ama.

»¡Encimota el Rey, encimota el Rey! —berreaba Julito.

»Capitán Julito, serenidad, hay que abandonar el buque. ¡Como rompáis los baldosines granadinos que el Chache Emilio regaló a tu padre, aquí se arma la del Barranco del Lobo!»

De pronto se hizo un silencio y es que había llegado doña Mariquita, hecha una furia.

«¡Pero qué escandalera es ésta! ¡Desde el patio se oyen los gritos! ¡Vengo de la capilla y llego a la casa de tócame Roque! Vicenta, desaparecida. La pobre doña Clara es la única que cumple. Y usted ama, ¡se acabó! ¡Todo el pasillo chorreando de agua! ¡Señor Baonza, no le dará vergüenza! ¿Y la señora? ¡No habrá ni desayunado! ¡Menos mal que la Virgen de Atocha me protege! ¡Usted, ama, fuera con esos niños! Una cosa es que se bañen una vez por semana y otra que haya que remojarlos como si fueran garbanzos. ¡Desde que falta el señor en esta casa es que no hay autoridad!»

Manolita se levantó con más agilidad de la que era de esperar, se pellizcó las mejillas para que Mariquita no la viese pálida y se puso a hacer que ordenaba los juguetes.

Baonza entró en el cuarto, la camisa arremangada, chorreándole la cara y el bigote. Llevaba un barco en cada mano y los iba agitando, no se sabía si para achicarles el agua o para mostrar su admiración.

—¡Ni el general Linares! —dijo.

Un rato después, la Chacha Clara, impartía su primera lección magna sobre la pasta de las croquetas. Manolita, bajaba de las musarañas e iba apuntando la lección en un cuadernillo. Luego miraba hacia el patio del taller por la ventana de la cocina.

—Lo primero, hija, es que a mí, la pasta de las croquetas, me han enseñado que hay que hacerla en puchero pero nunca en sartén. Lo primero, la cebolla, bien picadita, que no se dore del todo, porque si no, sabe, pero eso, sí, muy picadita, para que no se note luego. Después, el bacalao o lo que sea, un poquito de jamón, aprovechando ahora que no está Antonio; si son de jamón, que no se fría mucho, o un picadillo de gallina...

—Yo creía que el jamón se echaba después. —Vicenta estaba bebiendo del botijo del taller, su cuello largo estirado al sol, la cabeza hacia atrás, la boca abierta.

—No hija, todo se refríe con la cebolla, porque si no, no sabrían a nada las croquetas. Se revuelve un poco y luego la harina, que no se tueste del todo, pero que tampoco se quede cruda. Y la leche, poquito a poco...

—Todo el mundo sabe hacer algo, menos yo. —Abrió un poco más la ventana—. Yo, cuando bebo en botijo, me atraganto.

—¿Qué dices? —La Chacha Clara removía la pasta con un cucharón de madera y estaba a sus fogones.

—Por eso quiero aprender, para cuando venga Antonio, ¡a Antonio le gustan tanto las croquetas! ¡Casi tanto como las puertas correderas! A todo le pone puertas correderas —filosofaba Manolita—. Soy, lo que diría Andrés, un parásito. Antonio dibuja, usted hace croquetas. Yo no sé hacer nada.

—Lo importante es que no salgan grumos, no hay que dejar de remover...

—Mariquita cose... —se quedó tensa, mirando hacia fuera—, Vicenta toca la campana. Chacha Clara, ¿cómo sería yo si fuera Vicenta?

—Serías Vicenta.

—Ella no tiene hijos, claro. Eso le da otra libertad. Está en todas partes y ha hecho tantas cosas... Llevó una fonda, lavó en el río, cuando la conoció Antonio, ella iba a lavar al río... Va al mercado ella sola y anda siempre charlando con unos y otros.

Efectivamente, Vicenta, ahora, estaba riendo con un grupo de obreros que daban cuenta de sus tarteras bajo la sombra del tejadillo del almacén de maderas, tentando las botas de vino. Paco, el ladrón, estaba cambiando las viejas ruedas de hierro del carro del reparto, por otras de goma.

Manolita se había olvidado de la pasta de las croquetas y abrió del todo la ventana.

—Habla mucho con los hombres... Hasta es amiga de Paco.

—¿Del ladrón?

—Ya no es ladrón, Chacha Clara, es un buen hombre, muy servicial. Miré, está cambiando las ruedas.

—Si miro se me hace grumos la pasta.

—Ahora las ruedas tienen que ser de goma, para que no se estropee la calle. Si todo esto lo viera Andrés, él que en el solar quería hacer un periódico...

Dejaba la Chacha Clara el cucharón en suspenso y miraba a Manolita.

—¡Si yo hubiera sido Andrés y Andrés hubiera sido yo!

—¡Qué mañana tienes de adivinanzas!

Dejó la ventana Manolita y se volvió a su suegra, brillándole los ojos de lágrimas.

—Lloro por la cebolla. —Nadie la había preguntado—. ¿Ya está la pasta?

—No, todavía no. Empieza a estar cuando se despega de las paredes del cazo.

En ese momento, Mariquita salió de su cuarto con un alba sacerdotal en las manos y las gafas caídas sobre la punta de la nariz.

—¡Ya casi la tengo!

Sacudía la cabeza Manolita, disgustada.

—Menuda ganga ha encontrado don José Luis contigo.

—¿Quién es don José Luis? —quería saber la Chacha Clara.

—El cura Gómez, un párroco de Huelva que puso un anuncio en el periódico pidiendo ropa de iglesia y que en doña Mariquita ha encontrado a la horma de su zapato.

—¿Qué daño le hago yo a nadie? El anuncio era tan bonito... «Las personas caritativas que puedan prestar este señalado favor proporcionando vestiduras sagradas de las que esta iglesia tiene tanta necesidad...»

Le asomaba una carta a Mariquita del bolsillo del delantal de costura.

—¿Esa carta? ¿No me digas que te ha escrito Eulalia?

—No, soy yo la que escribo. Es una carta para un cura de Barcelona que conoce el cura Gómez para ver si la encuentran...

La Chacha Clara estaba echando la pasta en una fuente y caía la masa aromática y espesa.

—La esperanza es lo último que se pierde, doña Mariquita.

Se miraba la barriga Manolita.

—Sí, quizá. Yo tengo toda mi esperanza puesta en esta croqueta.

VII

Santa Rosa de Lima. — Ni Pilar ni Felipe sudan en verano. — Sombrero y botas. — La independencia de la mujer. — Con una buena media y un buen zapato. — Cartas de América. — «¡Dejadme ser novelera!»

Era el 30 de agosto de 1911, Santa Rosa de Lima y caía sobre el Olivar un calor de muerte.

Manolita tenía los labios resecos y llagados, y pálida, se abanicaba con un pericón que había sido de su madre, llevándose el varillaje de carey a la frente, para enfriar sus calores.

—¿No estaríamos más frescos en la sala? —preguntaba Felipe, preocupado por ella.

Estaban Baonza, Manolita, Pilar y Felipe bajo la parra del pequeño cenador, viendo cómo no terminaba de oscurecer la tarde.

Sobre la mesa jardinera de rueda de molino, un gran azucarero de cristal; mediada, una jarra grande de limonada y los vasos vacíos, junto a las primorosas servilletas que tan bien planchaba Mariquita.

—Yo no sé qué me pasa, pero nunca he tenido ni frío ni calor.

La que así hablaba era la muy moderna de Pilar, una segoviana algo más joven que Manolita, grave, morenaza, de cara angulosa y bella nariz más larga que un día sin pan. No era ni demasiado alta, ni excesivamente baja. Reía poco pero cuando lo hacía arrastraba con ella al universo mundo. Era maestra escuchando a los demás y había algo en ella de imborrable, una gracia interna, una inquietud, una profunda bondad, sólida, campesina, con algo de retranca y una inteligencia curiosa, en permanente estudio de sí misma y de los demás que hacía que todos gustaran de su compañía. Como Felipe, amaba la buena ropa y la lucía con elegancia y también, como el supuesto primo, era de esa clase de humanos que ni sudan en verano ni tienen frío en la nieve. Tenía algo de rusa torturada.

Iban los primos de La Granja vestidos siempre a la última y hoy de lino color hueso y no les cruzaba los trajes ni una arruga.

—Pilar es que está hecha de otra pasta. —Estaba orgulloso de ella Felipe.

—La mujer moderna, la mujer independiente —apostillaba Baonza—, ¡ya se sabe!

—Se sabe, ¿qué? —le gustaba a Pilar discutir con el castizo de Baonza.

—¡Que no sé ustedes hasta dónde quieren llegar! —la pinchaba Baonza.

—A mí me hubiera gustado llegar hasta la Universidad. Ésa es mi pena, que ya es tarde para intentarlo.

—¡Ay…, qué cosas dice nuestra Pilar! —Le gustaba a Manolita escuchar a la amiga ilustrada.

—Doña Concepción ya lo dice. Una mujer puede ser reina, ¿no? Y sin embargo todos se escandalizan si decimos que debe ser universitaria, desempeñar un destino en Fomento o en Gobernación…

—¡Qué siglo loco! —Hojeaba Baonza *La Mujer del Porvenir* de Concepción Arenal y el volumen andaba de mano en mano—. Pero si esta señora ha escrito este libraco hace cincuenta años.

—Con más motivo, Baonza.

—Mire, Pilar, si en todos estos años las cosas no han cambiado por algo será.

—Porque ustedes los hombres no nos dejan, pero ya verá ahora que se ha roto la barrera y que las mujeres están empezando a asistir a la Universidad.

—Una docena y habrá que verlas. —No estaba dispuesto a apearse del burro Baonza.

—Doña Martina fue doctora en Medicina y bien guapísima que era.

—Sí…, pero «era», porque murió de parto. ¡Doctora en Medicina y muere en el pardo! ¡Ay, Manolita, perdone que haya dicho eso… en su estado!

—Por mí no se preocupe, señor Baonza, a mí me gusta mucho que discutan usted y Pilar.

—Yo no he terminado la escuela de Comercio porque la madre de Felipe se ha puesto tremenda, que si no..., pero sigo aprendiendo inglés.

Felipe se inclinaba hacia Baonza y le hacía confidencias.

—El profesor de inglés de Pilar es un joven muy curioso, dado a las cosas mágicas.

La que se interesaba era Manolita.

—¿Cosas mágicas? Cuente, cuente.

—Talismanes, ¿sabe, Manolita? —Se ponía muy suficiente Pilar—. Amuletos, misterios antiguos, espiritismo. Es inglés de verdad, de Inglaterra.

—Es muy entretenido —abundaba Felipe.

—Es de muy buena familia —estaba encantada Pilar—. Se llama Mr. Sharp.

Suspiró Manolita abriendo el abanico y ocultándose tras las fuentes y escalinatas de los jardines franceses de los dibujos.

—¡Si todos supiéramos inglés! —Lo dijo como si plantease una adivinanza.

—¿Qué quiere decir? —preguntó Felipe que conocía bien sus tonos.

—Pues que si Antonio supiera inglés no tendría las dificultades que está teniendo en este viaje.

—Tendría que haber sabido francés y alemán —estaba al quite Baonza.

—No, inglés, inglés, con el inglés se va a todas partes —insistía Manolita.

Ahora se inclinaba Baonza hacia Felipe, presumiendo de socio.

—Antonio se hace entender en todos sitios. Ha comprado él solito sin necesidad de inglés unas exclusivas, que van a ser la pera, entre ellas el buró americano. Ha visto nuevas maquinarias, ha conocido arquitectos interesados por el mueble...

—¿Dónde está ahora? —preguntaba Pilar por educación pero sin interés.

—Me escribe todas las semanas y me va contando. Como sabe que quiero que esté aquí para cuando nazca la criatura... Ahora iba a La Habana, después de haber estado en Chicago, en Washington y en Nueva York.

—Y estuvo antes en París y en Bruselas y en Londres y... En Alemania ha firmado nuevos contratos con nuestros proveedores de maderas.

—Con la ropa se las arregla mal. —Quería seguir Manolita con lo suyo—. ¿Quién le va a planchar ahora los chalecos de piqué y quién le va a almidonar los cuellos?

Se reía Baonza, recordando.

—Durante la travesía, contaba que tiraba las camisas al mar cuando estaban sucias y que se compraba otras cuando llegaba a puerto. Siempre ha sido un original.

—Eso lo contaba para hacerme rabiar —protestaba Manolita—. ¡Sería una vez!

—Me lo contó a mí. —Lo sabía todo Baonza—. En el barco trabajaban de camareras niñas muy pequeñitas y una vino a recogerle la ropa y él se enfadó. Y le dijo que él se podía lavar la ropa solo, que las menores no debían trabajar sino ir a la escuela. La camarerita se emperró y él tiró la camisa al mar. Y además le dijo a la niña que a quien había que tirar al mar era a las personas que permitían que trabajasen los niños.

Felipe lloraba de risa y a Manolita no le hacía gracia.

—Claro, por ahí que no le sirva nadie... ¡Una menor! Y las mayores, ¿qué?, ¿sí pueden servirle? En casa bien que acepta que se le lave y se le planche la ropa.

—Bien dicho —aplaudía Pilar.

—Pero diga usted lo que iba a decir, Manolita, lo del inglés —intervenía Felipe.

—Ah, pues que si supiera no tendría que ir pintando las cosas.

—¿Cómo que pintando? —salía en su defensa Baonza.

—Sí, pintando y diciendo tonterías, pidiendo ¡«sombrero y botas»!

—A ver, a ver, de eso no sé yo nada —estaba molesto Baonza y disimuló sirviéndose hasta los bordes otro vaso de limonada.

—¡Pues que va a un restaurante, quiere pollo, y pinta un pollo!

—¿Desde cuándo come Antonio pollo? —Creía haberla pillado, Baonza.

—Es un decir. Pinta zanahorias, tomates, huevos... y pide «sombrero y botas» que suena a «some bread and butter», «sambred an bater», «sombrero y botas»...

—¿Y eso qué diantre quiere decir? —se enfadaba de verdad Baonza.

—Pan y mantequilla, Baonza, pan y mantequilla —reía Pilar que conocía la anécdota.

Se sentía vencido el valedor viendo cómo los tres se burlaban de su admirado Antonio, así que se puso muy fijo a mirarle los tobillos a Pilar.

—Esta moda de ahora... ¿Eh, Felipe?

Pilar, a pesar de la independencia de la mujer, se estaba azorando.

—Es una tentación, ¿eh, compadre? Hay que ver, hay que ver...

Manolita se enfadaba y protegía a su amiga de las verdulerías de don Julio.

—Va a hacer que se sonroje.

—A ver qué dice doña Concepción Arenal de los tobillos al aire. Mucho pasarle a Manolita libritos de la buena señora, que habría que ver si era un marimacho con más bigotes que yo y...

—¡Baonza! —le amonestaba Manolita.

—Yo lo que digo es que ahora, las señoras, enseñando los tobillos de esa forma, pues...

—¡Baonza! —repetía Manolita y le colocaba el abanico delante de los ojos.

—Perdone, compadre, ofender yo no quiero. Yo sólo miro. Yo estoy con los sabios: «Lo que se han de comer los gusanos, que lo vean los cristianos.» Lo que yo digo...

Pilar se estaba enfadando.

—A ver..., ¿qué dice?

—Lo que yo digo es que: «¡Con una buena media y un buen zapato hace la madrileña pecar a un Santo!»

Se habían ido las visitas y Manolita estaba en el comedor, cenando con la Chacha Clara. Una fuente de croquetas deformes sobre la mesa de siempre, bajo el quinqué de toda la vida que había sido adaptado para encasquillarle bombillas. La Chacha Clara se servía media docena de croquetas disimulando su repugnancia mientras Manolita, muy mustia, le leía en alto la última carta de Antonio.

«... *los hombres van todos en mangas de camisa y las mujeres poco menos. Y la vida es muy cara. Con decirte que en Londres, una camisa que me costó tres chelines y medio, que es equivalente a cuatro pesetas y veinticinco céntimos, aquí, la misma, en Nueva York, me ha costado un dólar ochenta centavos, que representan nueve pesetas cincuenta céntimos en España. El Metropolitano aquí es más complicado que en Londres que hasta ahora es la capital que más me ha complacido por la seriedad y la honradez con la que proceden los londinenses... De Londres, londinenses, Manolita, y de Gerona, gerundenses.*»

La Chacha Clara había partido un trozo de croqueta y le daba vueltas en la boca a un grumo de harina cruda. Se atragantó.

—¡Siempre me da lecciones! Mire, Chacha Clara, lo que dice. No sabe cuándo vuelve: «*Ahora sí que salgo para La Habana y volveré aquí dentro de dos semanas para embarcar para Europa. No sé aún para qué puerto, porque eso depende de los vapores que salgan. Bien pudieran ser ingleses, franceses o alemanes y según en el que salga de aquí arribaré a El Havre, Amberes o Hamburgo...*»

Vio Manolita que su suegra volvía a beber agua.

—No le gustan mis croquetas. Déjelas. Parecen de engrudo. Yo he probado la pasta al hacerla y están mal, rancias. Y, además, no me han salido bien de forma.

—No, hija, no, están buenas de sabor. Sólo algún grumillo que otro. ¡Para ser la primera vez que las haces! Anda, sigue.

—Dice poco más. Verá, sí, se lo voy a leer: «*De lo que me dices que encuentras frialdad en mis cartas...*»

Se alarmó la suegra.

—De vuestras cosas, hija, no tienes por qué contarme nada.

—No, escuche... «*Lo que me dices de que encuentras frialdad en mis cartas, no lo veo justo este cargo, que tú sabes que yo soy poco expansivo y además como el viaje es tan rápido todo pasa como en una película cinematográfica. Pero no dudes que deseo llegar para cuando nazca...*»

Se había puesto a hacer pucheros Manolita y la Chacha Clara aprovechó para dejar el resto de las croquetas en el plato. Se levantó a consolarla.

—Hija...

—¡Con alguien tengo que hablar!

—Conmigo puedes hablar todo lo que quieras, Manolita, que yo soy mujer y te entiendo.

Manolita parecía sufrir realmente y se tapaba los ojos, llorando.

—¡Su hijo no me ha querido nunca! —a veces se le entendía todo a Manolita.

—¿Pero qué dices, mujer?

—Nunca. Dice que él es poco expansivo. ¡Si usted le hubiera visto con mi hermano Andrés! ¡Expansivo es poco! Se ponían a hablar y no paraban. ¡A Andrés sí que le quería! Por eso se casó conmigo, porque yo era su hermana, por eso.

—Tú estás boba, mujer, melancólica por el embarazo.

—Sí, soy boba y no sé muy bien lo que digo, pero algo me sé. Su hijo se casó conmigo por la memoria de Andrés o porque a mí me imaginaba como a él o porque Antonio quería ser Andrés y que yo fuera su hermana. No sé, de verdad, no sé explicarlo, Chacha Clara. Su hijo, no sé, quizás él quería ser Andrés, al Andrés morirse. ¡Estaban tan unidos! ¡Lo he pensado tantas veces!

La miraba sin querer entender la Chacha Clara y se preocupaba al verla tan convulsa, tan apenada.

—Manolita, Manolita, no te tortures, hija. A los hombres no hay quien los entienda. Mira Emilio. Mi otro hijo es tan distinto a Antonio... ¡Hay hombres que valen más para el matrimonio, pero a ninguno hay quien los entienda!

—Usted no debería decir eso —se revolvía Manolita—. Usted no. Eso, que lo diga Mariquita, que se va por los cerros de Úbeda, pero usted es un sabio de Atenas, eso decía mi hermano.

—¿Y esas cosas no las hablas con mi hijo? —Se ponía muy seria la suegra.

—¿Yo? ¿Acaso me habla su hijo a mí? Ahora me cuenta cosas, por carta, porque está lejos. Nunca me había contado tantas cosas como ahora por carta. Cuando me escribía, que yo estaba en Corcubión, también me hablaba de sus sueños, de sus ambiciones, eran cosas, así, en el aire, que contaba él... o se ponía que no había quien le entendiera o se ponía muy práctico. Enigmático, emblemático, carismático, le llamaba Andrés.

—Manolita, piensa en los hijos. Julito es un ángel, tan sano, tan alegre. Andresito es tan recatado, tan dulce... y ahora, lo que venga. Piensa en tus hijos. El matrimonio no siempre es un camino de rosas. ¿No será que eres un poco novelera?

Saltó Manolita ahora, echando chiribitas, perdidos los estribos, retorciéndose como alma poseída por mil demonios.

—¿Novelera? —gritó—. ¡No me llame novelera! Eso lo decía mi madre. Lo dice Mariquita. ¿Qué quiere que sea? ¡Su hijo no me quiere! ¡Mis padres y mis hermanos han muerto! ¡No sé hacer croquetas! ¡Déjeme ser novelera!

Y se puso a dar alaridos.

—Manolita, Manolita...

—¡Dejadme ser novelera! —volvió a aullar Manolita.

La Chacha Clara se abalanzó sobre la campanilla de plata y tocó a rebato. A continuación abrió la puerta y llamó a voces a Mariquita.

Seguía gritando Manolita, en pleno ataque, revolviéndose en la silla.

—¡Dejadme ser novelera!

No había forma de apaciguarla. Se había agarrado al mantel y ahora estaba a mordiscos con una servilleta.

—Hija mía, te has puesto de los nervios hablando de estas cosas, anda, tranquilízate, no llores.

—No. —Crispada Manolita, arrancó a sudar—. Si no es que llore. Llevo toda la tarde aguantándome, pero ya estoy segura, y creo que está a punto de nacer... ¡Ay!

Con grandes dificultades y apoyándose en la suegra y en doña Mariquita, subió la escalera Manolita porque, al igual que las veces anteriores, se empeñó que tenía que parir en su cuarto de soltera.

Y ni tiempo dio a que llegara la comadrona y menos, el médico, porque cinco minutos antes de que dieran las doce de la noche, todavía bajo el amparo de la Santa de Lima, nació la niña Rosita, berreando y con los ojos abiertos, y los tenía azules, azules, como el cielo que se veía en el mar de la leonera.

VIII

Antonio se despide del mundo en un malecón. — Lo que dice el Libro de los Destinos. — La última travesía. — Antonio entra al Olivar con su llavín. — Amundsen ha llegado al Polo Sur. — Cerrojazo al dormitorio conyugal. — Vicenta abre la cama.

Había partido Antonio de Madrid a últimos de marzo y como, siguiendo hábito de siglos, seguía volando el Tiempo, ya estábamos en setiembre. Más de cinco meses de un viaje que le había abierto, aún más, al conocimiento del universo. Al menos, eso creía él. Pues ya no era Antonio aquel paletillo idealista que llegara andando a la capital desde las Alpujarras, en busca de simbólicas sonrisas hospitalarias, sino que era don Antonio Maldonado, fabricante de muebles de estilo y uno de los pocos españoles que a principios del xx podía vanagloriarse de haberle dado media vuelta al mundo.

Había salido de Madrid vía París y tras visitar varias capitales europeas, cruzar el charco y patearse el continente americano, volvía, contra todo pronóstico, vía Marsella y Gibraltar.

Había iniciado el viaje con capa española y chambergo de poeta y ambas prendas las había dejado de regalo a un importador de maderas alemán y ahora le tenemos volviendo a la patria con gabán inglés azul marino, paraguas, y negro bombín.

Lo vemos ahora en un malecón, algo apartado del puerto francés, antes de embarcar y a sus pies chocan aguas tan sucias y tan grises como el presagio de un amanecer que no llega.

Lleva un maletín de cuero en el que ha pegado las etiquetas más elegantes de los hoteles que lo han albergado, y piensa, también, aquí, ahora, en Shushtari, el Viajero.

«Entre el cielo y la tierra, se oyen Palabras Perdidas. Me has pasado la mano por el rostro y me ha quemado el ardor, Poeta, Maestro y Bebedor. Adiós mundo, que me has enseñado tus tesoros, libertades y tolerancias. Me desvanezco en la luz. Que venga el joven copero y sirva el vino del adiós. No olvidaré la mirada cálida del norte y el frío vértigo de las tentaciones del sur. Blancos tendré los cabellos, y, sin embargo, te amaré, porque tuyo es el Oriente, tuyo el Occidente, todas las tierras, el norte y el sur, reposan en tus manos. Peregrino soy que voy hacia el mar mientras las olas me escupen tierra adentro, pero el brillo de las estrellas no desviará mi camino, que es camino de lealtad.»

Muy próximo comenzó a ulular un vapor.

«...aunque Pilar dice que el Libro de los Destinos era de Napoleón y Felipe se enfada y la corrige, asegurando que es un antiguo manuscrito egipcio. Total, que tu hija Rosita, según este oráculo, será mujer bondadosa, sincera y aseada, prudente, dulce y modesta, de modales señoriales y de carácter generoso. Por todas estas virtudes espero que te perdone algún día no haber estado presente en su nacimiento. Nadie le ha tocado a ella el Carnaval de Schumann. ¿Será por eso que nació con unos pelazos negros de punta y que lloró más que Julito o Andrés juntos? ¿No será, también porque tú, su padre, no estabas para recibirla en el mundo? Tu madre ya se ha vuelto a Berja, después de ayudarnos mucho en la casa. Y te diré que no he tenido más remedio que echar al ama, bueno, no he sido yo, sino Baonza, que se peleaban últimamente como el perro y el gato y ella se puso muy grosera con él una tarde y dijo unas barbaridades que no veas, que no son para contarlas por carta. La asistenta viene todos los días y con Mariquita y la portera del taller nos arreglamos, pero estoy que no vivo esperando que tu madre nos mande una chica de Adra que al parecer es una mocosa pero que es de toda confianza. Antonio, tengo ganas de que vengas porque quiero hablar contigo de muchas cosas, sobre todo de Rosita. Julito sigue tan burrillo como siempre. Este año hay que man-

*darle al colegio. A Mariquita le han hablado muy bien del de los
frailes de aquí al lado, pero como tú eres como eres, espero que
llegues para decidir. Andresito, a pesar de que va a cumplir los
tres dentro de nada, sigue hablando muy poco y está igual que
cuando tú te fuiste, tristón, mohíno, agarrado todo el día a mis
faldas y mirándome con esos ojitos que tiene que me asustan de
tanto como se parece nuestro hijo a mi difunto hermano Andrés.
A veces creo que es su espíritu, como además tuvimos la boba ocurrencia de llamarle igual, a veces creo que es Andrés que ha vuelto
a nacer y que yo soy mi madre que le ha traído al mundo y que
todo vuelve a empezar. No me dirás que no es casualidad. Nosotros
éramos también tres, Andrés, Perico y yo y ahora vamos nosotros
y tenemos también dos chicos y una niña. Mr. Sharp dice que esas
cosas pasan en la vida todo el rato, sólo que no reparamos en
ellas. Avisa de cuándo llegas y desde dónde, que quiero irte a buscar
a la estación con los niños y hasta con Rosita si puede ser. Me he
quedado algo gruesa después de este último embarazo. Ya verás
que no me vas a conocer. Ahora parezco una mujer, eso dice Mariquita, que está encantada diciendo que llevaba esperando años a
verme tan hermosa. Tengo más cosas que contarte pero esperaré
a que estés aquí. Ya no te recriminaré más por ser poco cariñoso
en tus cartas y te diré sin embargo que he disfrutado mucho con
los detalles que me cuentas del mundo que has visto y que yo me
imagino muy bien porque en el Mundo Gráfico vienen muchas foto-
grafías de esos países y yo con las mismas y tus descripciones, me
lo imagino todo. El taller, ya sabrás todos los detalles por Baonza,
va bien, viento en popa a toda vela, eso dice él, que sabe llevar
mejor que tú a los obreros y que los pedidos salen puntualmente.
El señor Juan, como encargado del taller, vino a saludarme después de que naciera Rosita. Estuvo muy atento y en nombre de los
ebanistas le trajeron a la niña una casa de muñecas que es todo
un primor, igualita que nuestra casa, con los muebles chiquitos, a
escala. Una preciosidad. Las puertas de los armarios se abren y
todo y dentro hasta hay perchas con los mangos muy largos. Han
copiado igualito nuestro dormitorio con las puertas correderas de
los armarios empotrados que a ti tanto te gustan. El comedor es
de otra forma y me contó el señor Juan que fue cosa de Baonza,
que éste le dijo que el comedor mejor modernizarlo, que tú tenías
idea de cambiar los muebles de mi madre. ¡Cómo eres tan misterioso y no me has dicho nada! ¡Que me tenga que enterar que quieres cambiar el comedor por una casa de muñecas! Bueno, hay que*

ver cómo te quiere Baonza. Más que un socio parece para ti un padre y la verdad es que los niños le tratan como si fuera su abuelo. No se me ocurre nada más que decirte. Pilar y Felipe siguen hablando de casarse el año que viene pero a mí me da un pálpito que no se casan, que los veo yo muy amigos para casarse y muy mayores ya, todo hay que decirlo, que ella ha cumplico los veinticinco y él los treinta y seis. A Felipe le ha dado ahora por el Rastro y está dejando la pluma porque dice que no soporta ya al director ese del que hablaba tanto Andrés, al don Salvador aquel de marras que dice Felipe que cada día está peor de la cabeza y lo confunde todo y dice que no le ha encargado el artículo que le encargó y cosas así. Sobre todo está Felipe muy enfadado con él y contó el otro día que el vaso de su paciencia estaba colmado porque no le quiso publicar don Salvador un poema que había escrito muy sentido, un poema a Madrid, ya te puedes imaginar, que es siempre el tema de Felipe. Te lo incluyo en la carta, me lo pidió él que lo hiciera, para que te vayas acostumbrando a la idea de que vuelves a tu casa y a la ciudad donde han nacido tus hijos. A mí los versos me resultan tan raros como aquellos otros que hacía del carnaval, que eran modernistas, decía. Estas manchas de grasa las ha hecho Julito en la carta. Me he enfadado con él porque yo quería que te pintase el olivo y el pozo y no ha querido. Las ha coloreado Andrés. Todos te esperamos. Sobre todo, yo, tu esposa, Manolita.»

Estaba tumbado Antonio en una de las hamacas de cubierta y el vapor parecía parado en medio de la nada del mar, entre el agua y el cielo. Ni siquiera sabía Antonio a qué altura de las costas estaría el barco, qué centro del mundo estaría marcando él. A veces, su mente se vaciaba y no sabía nada, ni quién era, ni qué hacía, ni qué quería. No sabía nada. Y se dejaba ir. ¿Qué otros navegantes habían cruzado estos mares, estas geografías? ¿Qué habían pensado ellos mientras flotaban sobre este mismo mar? ¿Cuántos años hacía que habían muerto? Y los que aún no habían nacido... ¿Qué sueños tendrían dentro de cien años, menos, en el 2000? ¿Quién navegaría en este mismo barco, quién pensaría sobre esta hamaca, o en este espacio, qué ave volaría, qué pez nadaría kilómetros abajo, qué corales, qué castillos bajo el agua, qué naufragios, qué secretos escondería este punto de la Tierra? No sabía nada. Se cubrió con la manta. Con los ojos cerrados dobló la carta de Manolita que ésa sí que se la sabía de memoria y la guardó en el sobre junto a la cuartilla que encerraba los versos de Felipe, que superado el modernismo, ya abiertamente apuntaban a un estilo surrealista.

Ni remota idea tenía de por dónde andaba el buque. Ni le importaba. Consideró este desinterés una mala señal, él que siempre conocía los paralelos y los meridianos de las cosas. Abrió los ojos, miró hacia el azul del cielo que, piadoso, no caía sobre él, aplastándole, y se dejó mecer por aquel continuo movimiento, aquel lento trepidar.

Respiró profundamente la pura, salada brisa y se lamentó en voz alta, diciendo: «ésta es mi última travesía».

Manolita cambió a Rosita de pecho de forma automática y, sorprendida, levantó ahora la vista hacia Mariquita que se sobaba las manos, nerviosa.

—¡Está loco, *Nena*, loco!

Rosita, seguía mamando, tan tranquila.

—Por poco acaba conmigo del susto. Tan tranquila que estaba yo leyendo en la cama cuando oigo que alguien entra en la cocina y enciende la luz. Creía que eras tú y te llamé, porque claro, la puerta de la calle no la oí, ¡cómo ha entrado con su llavín! Y menuda risa que le ha dado al ver la cara de espanto que he debido poner cuando he salido de mi cuarto y le he visto en medio de la cocina con un paraguas en la mano y un sombrero bien raro. ¡Creía que era un fantasma! Porque no te creas que me contestó claro, ¿por qué me iba a contestar si te llamaba a ti? Ya sabes cómo es. Te digo que está loco. Ni equipaje ni nada, hija. Ha llegado por la de Mediodía y se ha venido andando tan ricamente. Lo ha dejado todo en consigna. ¡Loco! «Vaya usted avisando a la señora, Mariquita, que son ustedes muy impresionables.»

—¿Y se está tomando un caldo, dices? —Manolita no sabía qué pensar.

—Se lo quería calentar hasta él. Anda, Manolita, termina ya de darle el pecho a Rosita y arréglate un poco.

—¿Yo? ¿Arreglarme? —Bastante hacía con no gritar.

—Claro. Si vieras él, cómo llega de elegante.

En ese momento, apareció Antonio en la puerta. Sonreía.

—¿Se puede? ¿Se puede, Manolita?

Manolita le miró con cara asesina. Reculó Mariquita y se escurrió hacia la puerta.

—Si desean algo los señores...

No la contestaron. Antonio y Manolita se estaban mirando fijamente; sonriente él, seguro; muy seria ella, aplomada y furiosa.

Mariquita salió de la alcoba y cerró la puerta.

Antonio se inclinó y besó a Manolita en la frente. Ella, cerró los ojos y apretó las mandíbulas. Cuando los abrió, Antonio estaba de cuclillas frente a ella, mirando a la niña como quien estudia trigonometría y los secretos de la letra Pi.

—Es muy guapa la *Nena* —dictaminó Antonio—. Una carita de porcelana.

—Tu hija tiene un nombre. No quiero que nadie la llame *Nena*, como me llamaban a mí. Tiene un nombre.

—El que tú has querido y a mí me parece bien —seguía sonriendo Antonio, sin acritud.

—Tan bien te parece, que te da igual. —Ella estaba enfureciéndose por momentos.

—Parece que tiene apetito la *Nena*.

—¡Rosita! —Casi le chilló Manolita.

Se levantó Antonio y se metió las manos en los bolsillos. Quería dulcificar la situación pero se encontraba, él también, raro, extranjero en su casa.

—Manolita, te he traído una colección de elefantitos de nácar y... ¡vaya un recibimiento!

Manolita apartó a la hija del pecho, y se cubrió con una toquilla, molesta ante la presencia del marido.

—El recibimiento que tú te has buscado. Pensaba ir con Pilar y con los niños a la estación, hasta me había encargado un sombrero. ¡Si hubieras avisado! Yo te lo decía en la última carta.

—Y te he avisado. Pero si no has recibido la carta aún, ¿qué le voy a hacer yo? La carta se ha retrasado y yo, sin embargo, me he adelantado. Tenía que llegar mañana. Si quieres, me vuelvo a la estación, hasta que llegue la carta y espero en el andén a que vengas a buscarme.

Resopló Manolita, vencida. Estaba colocando a la niña en la cuna.

—Nació el día de Santa Rosa de Lima, por eso se llama así.

—Ya me lo dijiste. No me hables con tanto mal genio.

—¡Pero es que yo quería irte a buscar! —Se había vuelto hacia él con brusquedad y al hacerlo se habían descubierto sus pechos desnudos, marcados de venas azules, cargados de leche.

—¿Tanto te enfada no haber podido estrenar un sombrero? —La estaba mirando los pechos y ahora le vencía la ternura—. ¿Por qué la estás alimentando tú? ¿No podías haber buscado un ama?

—A Rosita no la va a alimentar nadie que no sea yo. Eso está decidido.

—Está bien, mujer, como quieras. ¿Llamo a Mariquita?

—¿Para qué?

—Para que se lleve a la *Nena*.

Ella le estaba mirando con ira.

—¡Rosita! Me gustó el nombre, además, porque me acordé de aquel dibujo que me hiciste cuando nos conocimos...

—¿Qué dibujo? —Fue la gota de agua que colma el vaso, el mayor error, no acordarse en aquel momento del dibujo.

—¿No te acuerdas? —Mejor. Era mucho mejor así, que ni siquiera se acordase del dibujo que le hiciera en el mirador de las rosas.

—¿Qué dibujo?

—Da igual.

Se empezaba a impacientar Antonio.

—Llevo dos días de tren. ¿Llamo a Mariquita? Me ha dicho que ella puede subir aquí y quedarse con la *Nena* hasta que te toque darle el pecho otra vez.

Manolita miró hacia la cama que estaba revuelta. Había llegado el momento de plantarle cara al asunto.

—Ya me ha dicho Mariquita que desde que nació la niña tú también has subido a dormir aquí, a tu viejo cuarto de soltera, pero...

—Pues ya lo sabes todo.

—No te entiendo.

—Rosita, cuando sea mayor, va a estudiar en la Escuela de Institutrices, hasta puede que vaya a la Universidad.

—Me parece bien —bostezaba él.

—No me des la razón como a los locos. ¡*Amudsen* ha llegado al Polo Sur!

—Amundsen —la corrigió Antonio.

—Y ya se ha hecho el trayecto de avión de Madrid a París.

—Manolita. Por favor, ya lo sé, pero son más de las doce. Vamos abajo, a nuestro dormitorio, quisiera descansar.

—Rosita tendrá un destino propio y su primer deber moral será consigo misma.

—Mejor que mejor. Anda, pero ahora, déjala..., ya está dormida.

—No. No la quiero dejar sola.

—¿Quieres entonces que nos quedemos a dormir aquí? Manolita, por Dios, no seas caprichosa... Ya sé que las mujeres, después de dar a luz, quedáis algo trastornadas, pero...

Manolita estaba tranquila ahora, mirándole, como si le viera por primera vez.

—Y los hombres, los tratamundos..., ¿no os trastornáis nunca?

—Ya me ha escrito Baonza que Pilar te está enseñando las teorías del feminismo radical. ¡Dios mío, Manolita!

—Y a ti, ¿quién te ha enseñado a decir «Dios mío»?

—Sólo es una exclamación.

Contó hasta diez Manolita, aprovechando que había ganado el primer round y se lo soltó todo de sopetón.

—Verás, Antonio, llevas cinco meses fuera. Y he tenido mucho tiempo para pensarlo.

—Ahora no son horas de discutir pensamientos, mujer... Anda, vamos a acostarnos. Estoy muy cansado.

—Sí, enseguida me acuesto, enseguida. Las niñas nos acostamos cuando nos mandan, como buenas chicas que somos. Los hombres nos mandáis acostar y nos acostamos, pero deja que te diga una cosa...

—¡No quiero discutir!

—No estoy discutiendo. Sólo quiero que me escuches. Antonio... —Se acercó ahora a él sin dejar de mirarle a los ojos y le dijo—: ¡No quiero tener más hijos!

Él la miró y tardó algo en comprender el alcance de su declaración. Al fin comprendió, y antes de calibrar las ventajas posibles que ofrecían aquellas palabras, como era, por ejemplo, que él podría dormir con la ventana abierta, cosa que ella aborrecía, quiso limar cualquier posible aspereza a la situación.

—Como tú quieras, Manolita. Ya hablaremos de eso, podemos consultarlo y, bueno, mientras dure la crianza de la niña, para no molestarte, si quieres, me iré a dormir a mi despacho del taller.

—La crianza de la niña va a durar tres años.

Ahora comprendió Antonio el alcance real de las palabras.

—¿Por eso echaste al ama? ¿Era de eso de lo que querías hablar conmigo a mi llegada...? ¡Vaya! Pues no te has andado con rodeos. ¿Quieres que me vaya ya?

No lo dudó un instante Manolita.

—Puedes irte cuando quieras. Me gustaría hablar más de la niña y de los planes que tengo para ella, pero puedes irte ya si quieres.

—Tenemos toda la vida por delante para hablar de la niña.

—Antonio..., te acuerdas de Andrés, ¿verdad? Recuerdo que un día me dijo que esperaba que yo no me engañase nunca. No me quiero engañar y si te engaño a ti me estoy engañando a mí misma. No sé cómo decírtelo. Me gustaría saber llamar a las cosas por su nombre, pero no sé.

—Dime lo que quieras.

—Creo que no lo lamentas, ¿sabes? Creo que los dos estaremos mejor si olvidamos lo de los hijos.

—«¡Lo de los hijos!» Conque al pan pan y al vino vino, ¿eh?

—Mariquita lo llamaría «la simpatía conyugal». Pues bueno, creo que es mejor que olvidemos nuestra simpatía conyugal.

—¿Quieres decir que lo que me planteas es que renunciemos a cualquier intercambio carnal?

Se volvió Manolita y le dio la espalda.

—Me gusta más como lo dice Mariquita, pero sí, eso es lo que te planteo.

Hubo unos instantes de silencio que tardarían muchos años en olvidar. Unos instantes de algo muy parecido al rencor, donde ambos se sintieron burlados por la vida y se odiaron.

—¿Eso es todo, Manolita? ¿Tienes algo más que decir?

—Quiero que Rosita, de mayor, vaya a una escuela bisexual y que estudie inglés, quiero que...

—¿Quieres que cace los osos que tú no has cazado y que vaya en piragua entre los caimanes, que viva con los esquimales...?

Se volvió Manolita hacia él.

—Exactamente. Quiero que dé la vuelta al mundo entera. No media vuelta, como has dado tú, ¡la vuelta entera! Y quiero que aprenda inglés para que no tenga que ir por el mundo pidiendo «sombrero y botas».

Eso sí que le sentó mal a Antonio. Tragó saliva, dudó una décima de segundo y salió de la alcoba sin mirarla ni a ella, su mujer, ni a Rosita, su hija.

Tras él, Manolita cerró la puerta con llave. Rosita había empezado a llorar.

—Calla, Rosita, hija, calla. Tu padre ahora hace como si le importara, es el amor propio, ¿sabes?, pero no le importa. No le importa que yo le haya echado cerrojazo a la simpatía conyugal, le ha fastidiado que le diga lo del inglés. Ahora, lo que hará será irse corriendo al dormitorio de abajo y empezar a medirlo para ver cómo se construye allí un cuarto de dibujo.

Rosita lloró más fuerte y Manolita, sin un suspiro, como si fuera una de aquellas salvajes de las tribus, levantó a la niña y se la volvió a colgar del pecho.

Le conocía muy bien Manolita, porque Antonio, fue bajar la escalera, entrar en el dormitorio principal, y medirlo de cabo a rabo. Subiría al cuarto de Manolita la cama matrimonial. Sí, este nuevo arreglo no sería motivo de escándalo para nadie. Él utilizaría la cama del gabinete y lo que era antes dormitorio, sería ahora una estantería de arriba abajo y un tablero que cruzase la estancia de punta a punta. Al fin iba a tener en la casa el estudio que tantos años había soñado. Se buscó en el fondo de la chaqueta el pequeño bloc de notas que se había comprado en Londres y apoyándolo en las rodillas, aboceto la estantería... hasta que se dio cuenta que estaba llorando de rabia. Apretó la punta del lápiz hasta romperla.

No tenía sueño. Salió, cruzó el pasillo y entró en la sala. El péndulo del reloj brillaba tras su caja de cristal. Desde el mirador, miró hacia el patio. ¿Dónde estarían los perros? ¡Ni los perros le habían dado la bienvenida!

Salió de la sala, cruzó el vestíbulo, abrió la puerta y ya en el porche, miró hacia arriba. En la habitación de Manolita la luz acababa de apagarse. Dio la vuelta hasta el patio de la cocina. Tampoco había luz en la habitación de doña Mariquita. La «casa grande» estaba en total oscuridad. Cruzó el patio, entró en su despacho y pasó a la nave. Encendió una a una todas las luces del taller y se puso a comprobar los trabajos.

Estaba en la zona de los tapiceros, cuando apareció Vicenta. Llevaba sobre los hombros, como el que no quiere la cosa, el mantoncito que él le había regalado cuando empezó el siglo.

—Don Antonio.

Era la misma Vicenta y le estaba sonriendo, aunque la sonrisa no era aquella que le había tenido soñando durante años, sino un gesto tímido, lejano, suspicaz. Pero era una sonrisa.

—Don Antonio. Estaba dormida y de pronto he visto una luz que entraba por todas partes...

—Buenas noches, Vicenta. Usted siempre, como una aparición.

Ya no le latía el corazón al verla. Se alegró. Ya casi le irritaba su presencia, su renuncia.

—La encuentro a usted muy bien, Vicenta.

—A usted también parece que le ha probado el viaje, don Antonio. ¿Cuándo ha llegado?

—Hace un momento y sin avisar, ya ve.

Se alarmaba Vicenta.

—Ya ha estado en la casa, ¿no?

—Sí, ya he estado.

—¿Ha visto a la *Nena*?

—Su madre quiere que la llamen Rosita.

—Perdone, don Antonio.

—No tenemos nada que perdonarnos, Vicenta, nadie está capacitado para perdonar a nadie.

Ya estaba él, con sus frases, escurriendo el bulto con sus frases.

—No sabíamos cuándo volvía.

—Tampoco yo lo sabía.

—Ha estado fuera mucho tiempo. ¿Le han ido bien las cosas? —Él estaba mirando unos patrones.

—Estos patrones no están bien encajados. Cuando yo empecé, un trabajo así no se toleraría.

—Ya se dice que el ojo del amo engorda el caballo.

—No es eso.

—Voy a traerle un cafetito..., ¿quiere?

—¿Y los perros?

—En la puerta del chiscón, dormidos.

—Ni se han acercado a saludarme.

—¡Qué raro! ¿Le traigo un café?

—No, Vicenta, no quiero que se vaya. Siéntese.

—¿Yo?

La cogió de las manos y la obligó a sentarse en un tresillo que estaba a medio tapizar.

—Siéntese.

Él se sentó frente a ella, en una silla ya terminada y toda envuelta en mantas. Apoyó la cabeza en sus manos y la miró.

—¿Un cafetito? —insistió la portera.

—No, Vicenta, esta noche, no. No se vaya, ni siquiera para traerme un café —miró a su alrededor—. Todo sigue igual.

—Igual, no sé. El tiempo pasa para todos.

—Usted y yo tenemos la misma edad, Vicenta, estamos a punto de cumplir los cuarenta, bueno, yo la llevo seis meses. —Ella cada vez se sentía más clavada al tresillo—. Hoy me siento como si tuviera el doble..., ochenta años por lo menos.

—Yo no reparo en la edad, don Antonio.

—Parece que fue ayer y sin embargo he estado fuera casi seis meses, 175 días, para ser exactos.

—Exactos, sí. Y por esos países tan lejos...

—No están lejos, están muy cerca, aquí al lado. Tenía tantas ganas de volver. No he visto a los niños, estaban dormidos, sólo a la *Nena*.

—Ahora duermen con la chica nueva, con Carmela, muy apañada que es. Ya sabe que el ama...

—Sí, lo sé, Vicenta, la echó doña Manolita.

—Por culpa del señor Baonza.

—Y pensar que yo le había comprado un reloj de pulsera para .que supiera bien las horas... Cuando daba de mamar a Julito siempre se equivocaba..., ¿se acuerda?

—¡Ha tenido cada trifulca con el señor Baonza!

—Lo que tenía que haber hecho mi socio es casarse con ella.

—¿Qué cosas dice? ¿Con el ama?

—Una mujer buena, valerosa...

—Esas cosas pasarán en los países de los que viene usted, pero aquí...

—¿Quiere decir que aquí, los hombres, necesariamente tenemos que equivocarnos? —La miraba fijamente y se había inclinado hacia ella.

—¿Usted se ha equivocado, don Antonio? —Jamás se había atrevido a tanto.

—¿Yo? —Le cogió desprevenido a Antonio.

—Sí, usted. —De perdidos al río—. ¿Usted se ha equivocado?

Él se iría por la tangente, como siempre. A ver qué decía. Él saldría con una de sus frases. Y salió.

—¿Equivocarme yo? Equivocarse es fácil, Vicenta. Lo difícil es vivir en la equivocación.

Suspiró ella.

—¡Pachasco!

—¿Y Pepillo?

—Muy formal. Se ha buscado una pensión y no siempre duerme aquí.

—¿Sabe lo que gana un tallista como él en América?

—No.

—Diez veces más, Vicenta. Diez veces más. ¿No le parece mentira que exista el mundo? Pues existe. Todo parece que está aquí, en el Olivar, ¿verdad?

—Yo que no salgo...

—Pues esto no es más que una gotita en el mar, una gotita, la casa, el taller, su chiscón y toda la Basílica y la Estación. Todo esto, que es nuestro mundo, no es más que una gotita. Y es que como no lo vemos, parece que el mundo no existe. ¡En América, no saben ni dónde está España!

—¿Será posible? Un país tan grande, tan, tan...

—¡Tan atrasado!

—¿Tienen ellos luz en la calle? —Se ponía en jarras Vicenta.

—Sí...

—¿Igual que en la Puerta del Sol? ¿Tanta luz?

—Más.

—Pero hay negros.

—Hay negros y blancos. ¿Qué quiere decir con eso?

—Pues que dicen que huelen mal.

—Huy, huy, huy, Vicenta. Ya hablaremos de eso. No vea la música que tienen esos negros, no vea la música...

—Nunca le había oído hablar así, don Antonio, de música.

—¡Hay tantas cosas que no sabe de mí, Vicenta! Ni usted, ni nadie..., ni yo mismo.

A ella quizá le podía hablar de las cosas, con palabras veladas, pero a ella le podía hablar. Después de todo no estaba tan mal haber vuelto, poderle enseñar a Vicenta lo que era el mundo, enseñarles a todos lo que ignoraban, hacerles pensar, instarlos a reflexionar, a vivir pensando, analizando el mundo. Y la noche era suya y Vicenta también, de alguna forma era suya, como una vez había dicho Baonza, porque él la había enseñado a leer y muchas más cosas y el Olivar era suyo y la música de la que ahora podía hablarle a Vicenta, descubriéndole un mundo nuevo..., la música que le revelaba a veces, quién era él.

—No, yo no me conozco, Vicenta. ¡Hay tantas cosas que no conocemos! Unas, porque no nos atrevemos, porque permanecen en lo más profundo de nuestras conciencias y ni siquiera llegamos a imaginárnoslas en sueños. La música de los negros, ¿sabe? Un día, paseaba por un barrio de Nueva York y de un sótano salió una música tan triste que me quise quedar a morir allí, allí mismo. Por lo menos, quedarme hasta ver por qué me estaba llamando la muerte, qué parte de mi ser necesitaba morirse, qué parte de mí necesitaba averiguar qué verdad. No me mire así, Vicenta. Ya sé que no sabe de qué hablo y yo tampoco lo quiero saber, pero dígame..., ¿a usted le han echado alguna vez de algún sitio?

Ella nunca le había visto así, tan serio, tan sincero, tan imposible de penetrar.

—Basilio a veces me dice que me vaya, si se refiere a eso, pero es una forma de decirme que me quede. Me dice. «Vamos, Vicenta, vete, vete.» El otro día...

—No, no hablamos de lo mismo. Yo siento que me rechazan de todas partes, que me rechaza la vida toda, lo que tiene la vida de amorosa y hospitalaria. Usted hablaba de los negros... A los negros, en América, los rechazan, y a los que buscan el amor de forma desordenada también, pero, ¿no es necesariamente desordenado el amor, los apetitos? ¿Acaso nacen con orden? Quizá, sí, no sé. En América, a los negros, y a los hombres de apetitos raros, desordenados, los rechazan, pero hasta cierto punto los quieren, no sé, los negros tienen esa música que es toda una cultura... como muchas otras cosas que los ignorantes rechazan, también son otra forma de cultura... En América no están mal vistos ni los negros ni los hombres de apetitos desordenados, ni nadie. ¡La tolerancia! ¡La tolerancia de América!

Ella no sabía de qué estaba hablando.

—Vicenta, perdone, no sé por qué le hablo de todo esto, son cosas de otros países. Pero yo a veces siento que es como cuando un barco quiere entrar en el mar. Uno quiere entrar en el mar y llegar al fondo y recorrer las simas profundas y... pero, ¿qué hace el mar? Como la vida, las olas te escupen, playa afuera... fuera, fuera... Yo siento que la vida, Vicenta, a mí me ha echado del mar.

Vicenta lo miró como si realmente hubiera vuelto trastornado. ¿Estaba llorando?

—Don Antonio...

Se estremeció él y gimió.

—Quizá debería haberme quedado allí y no volver.

—Don Antonio...

Y dijo Vicenta lo único que se le ocurrió en aquel momento.

—¿Quiere que le abra la cama?

SEGUNDA PARTE

I

A Vicenta se le empieza a notar la barriga. — 1914. — La vergüenza nacional. — Sarajevo. — Basilio y el Monte de Piedad. — A Manolita cada vez le salen mejor las croquetas. — La «nueva». — Ofensas con hache. — Los duelistas.

A Vicenta, que estaba de cinco meses, no se le empezó a notar la barriga hasta unos días antes de declararse la Primera Guerra Mundial y ambos acontecimientos levantarían ronchas, dividirían opiniones, provocarían luchas intestinas entre montescos y capuletos y desencadenían múltiples desgracias tanto en Europa como en el Olivar de Atocha.

A pesar de tan funestos presagios, se seguía leyendo el periódico en el taller, en voz alta y en rueda, una hora antes de que sonara la campana y hoy le había tocado empezar a Mariano, que iba deletreando el editorial que era lo que a él más le gustaba. Leía el barnizador con dificultad y, agavillados en grupos, le prestaban relativa atención los demás.

—«... la plaga antisocial del duelo debe prohibirse. El ministro de la Guerra debe ordenar a sus subordinados la abstención de estos lances. Asimismo, la Prensa debe poner coto a la publicidad de los mismos, no publicando las actas con las que terminan estos incidentes, evitando así que las noticias relativas a estos desafíos reclamen y cautiven el interés de los lectores...»

Se detenía Mariano y se secaba el sudor de la frente, pasándole el periódico a Pepillo.

—Ahora, tú, Pepe, que yo ya he leído bastante.

Pepillo, a su vez, le pasó el periódico a Blas.

—Yo sé leer de corrillo. Le toca a éste.

Porque estaba pendiente Pepillo de su tía Vicenta y de las miradas que algunos del taller lanzaban a la portera.

—Que lea Vicenta —decía un ebanista de cara roja y abollada.

—Eso, que lea la Vicenta, que así no nos toca la campana. Ella sabe leer mejor que ninguno porque a ella le ha enseñado el patrón.

—Ponía el dedo en la llaga un dolador que tenía fama de fanfarrón y siniestro y había más que mala idea en el tono de sus palabras.

Hubo carraspeos y risitas malintencionadas.

Mariano volvió a coger el periódico.

—Si no quiere leer Blas, ya sigo yo.

El señor Juan, el encargado, su calva cada vez más parecida a una bola de billar, miraba a unos y a otros, deseando que el reloj diera la hora. Si por él fuera, Vicenta no estaría allí presente todas las mañanas, enredada con el grupillo de las tapiceras.

En defensa de la portera salió una mujer pequeña, una oficiala. Se plantó delante del de la cara abollada.

—¡Habría que cortaros la lengua! ¡O meteros las tijeras por donde yo me sé!

Paco, el ladrón, se metió por medio.

—Venga ya, señá Agustina, tengamos la fiesta en paz. Usted, señor Mariano, ¿a nosotros qué nos va o qué nos viene de los duelos? Pase a otra cosa. ¿Qué más dice el periódico?

—Que los duelos son la mayor vergüenza nacional —insistía Mariano—, aunque yo estoy de acuerdo. Hay cosas por las que un hombre debe estar dispuesto a morir y a matar.

—¿Dónde está Basilio? —preguntó con mala uva el de la cara roja—. Aquí, si hay que matar a alguien, que venga Basilio con su pistola.

Vicenta sabía por dónde iban los tiros pero no pensaba entrar al trapo.

Pepillo se le acercó.

—Tía Vicenta, creo que será mejor que vaya a tocar la campana. Ya va a dar la hora.

—No, todavía falta y ya leeré yo, si nadie quiere. Hasta las ocho aquí se hace lo que dice don Antonio y además, a mí me gusta enterarme.

Pero Blas era ahora el depositario del periódico y ya estaba leyendo.

—«El doble asesinato de Sarajevo.»

—¿Y eso qué es, Sarajevo? —preguntaba Paco.

—¡Yo qué sé! —seguía Blas—. «Cuando se dirigían el Archiduque Francisco Fernando y su esposa la Condesa Choteck de Chotkowa...»

—¿Qué? ¿Qué dice ése? ¿Chocho chocho, choqué, «cho-choto-qué...»?

—¡Callarse, animales! —cortó la señá Agustina, que era de armas tomar.

—«Cuando se dirigían a una recepción en el Ayuntamiento de la ciudad de Sarajevo, un anarquista lanzó una bomba sobre el coche de los príncipes. El Archiduque la desvió con el brazo.»

—¡Qué tío! —Se admiraba Paco, haciendo volatines como si fuera él el príncipe aludido.

—«Y entonces la bomba cayó al suelo, hiriendo a los ayudantes de campo. Detenido el asesino, se celebró la recepción, pero a la salida de la misma, los príncipes sufrieron un segundo atentado. Un joven, empuñando una pistola Browning llegó hasta el automóvil e hizo cinco disparos, primero sobre el Archiduque y luego sobre la Princesa. Ambos fallecieron en el acto.»

A Paco se le había abierto la boca de admiración.

—¡Qué gachó! ¡Hay que ver el gachó! Pero esos Archiduques, ¿quiénes son?

Mariano, ensimismado, rebuscaba en su caletre linajes e hidalguías, blasones y pergaminos de realeza pero terminó por confesar.

—Ni idea. A la hora de la comida, le preguntamos a don Antonio, que para eso ha viajado. Anda, Blas, lee los pasatiempos.

No hubo ocasión. Basilio, junto al chiscón, estaba tocando la campana.

Vicenta cruzó el patio y fue hacia su marido.

—¿Has desayunado?

—No.

—Has tocado antes de la hora.

—Yo toco a la hora que me sale.

—Bonita contestación.

—¡Y estoy de dónde me sale de verte en el taller, con todos!

—Como siempre —replicó Vicenta y entró al chiscón.

Entró Basilio tras ella.

—¿Te parece bonito?

—¿Qué?

—Pasarte la vida en el taller, o en la «casa grande».

—A la casa grande ya no voy desde que tienen a Carmela.

—No vas porque doña Mariquita se te ha quitado de en medio, que te han echado con cajas destempladas.

—A mí no me ha echado nadie de ningún sitio —se revolvía Vicenta y comenzaba a tirar de las sábanas para adecentar la cama—. Vergüenza te debería dar levantarte a estas horas y salir al patio con esas trazas, sin afeitar.

—Vaya…, no sabía yo que para tocar la campana hubiera que afeitarse.

—Y meterse los pantalones, que vas hecho un guarro. Sólo para irte a la calle te lavas.

—Tú no. Tú cada día te arreglas más para pasearte por el patio y que te vean todos.

—¿Por qué no me han de ver?

—Porque ya se te nota la barriga. Si yo fuera mujer, andaría…

—¿Andarías cómo?

—Más recatada, más…

—Voy a tener un hijo y no veo yo por qué he de taparme. Te has pasado toda la vida queriendo tener un hijo y ahora…

Basilio se tocaba la barba, fruncía el ceño y se cerraba como la ostra regada por el limón.

—Ya no tenemos edad para hijos.

—Tengo cuarenta y dos años —decía Vicenta, que no los había cumplido.

—Los de don Antonio.

—¿Qué tendrá que ver don Antonio?

—Eso digo yo…, ¿qué tendrá que ver? Don Antonio y los demás. Pero es como si ese hijo fuera de todos. Vicenta…, ¡un día de éstos me pierdo!

Ella no solía hacerle caso cuando se ponía así, pero hoy estaba dispuesta a plantarle cara.

—¿Más perdido que estás?

—¡Sí, más perdido!

—¿Por qué no hablas claro?

—¿Más claro que las coplas? ¿No sabes que andas en coplas? De la «a» a la «zeta», van, «*que si Antonio, que si Blas, si Carlos, si*

Demetrio, si Eduardo, que si Fernando, si Juan, si Jenaro, si Lorenzo, si Paco, si Sebastián, que si Tomás, si Mariano...» ¿No las has oído? Todos los nombres del abecedario, menos Basilio. ¡Te juro que un día de éstos prendo fuego al taller!

—Si no paras en el Olivar, no sé cómo vas a prender fuego a nada. Si no hay quien te eche un galgo, si te pasas el día fuera. —Terminó de hacer la cama—. ¿Ahora sí te estás afeitando?

Efectivamente se estaba enjabonando la cara Basilio y sobre las espumas del jabón le brillaban los ojos tristes, furiosos y acusadores.

—Yo soy muy hombre, Vicenta, y no aguanto esas bromas.

—Será que no las has gastado tú parecidas. Será que no sois brutos, todos.

Él tenía la navaja barbera en la mano. Se acercó a su mujer. Ella no se dio cuenta de la súplica que había en su pregunta, de la tortura que lo reconcomía.

—¿Ese hijo es mío, Vicenta?

Ella, huraña, le miró sólo unos instantes. No tenía día de templar gaitas, así que dándole la espalda salió del chiscón, sin decir esta boca es mía.

Estaba en la puerta del almacén de maderas, echándole la comida a los perros cuando le vio salir. Iba más acicalado que otras mañanas. Llevaba, como todos los días, algo envuelto en un pañuelo y Vicenta se preguntó qué iría a empeñar hoy al Monte de Piedad.

Ese mismo día, por la noche, cenaban mano a mano Mamaíta y Papantonio, sentados uno frente a la otra como nobles de un castillo medieval.

En el centro de la mesa, dos fuentes, una de acelgas con patatas y otra con croquetas perfectamente colocadas, una hilera de una docena en medio y, rodeando éstas, otra docena, como los rayos de un sol. Cada uno de los dos únicos comensales tenía su propia jarra de agua ya que la mesa seguía siendo el mismo amplísimo armatoste de ocho asientos que tanto gustaba a doña Trinidad.

Sobre el aparador, el frutero de tres pisos; en el de abajo, naranjas y manzanas, en el segundo, plátanos cortados uno a uno, formando lo que parecía una corona de espinas y en el piso alto, frutos secos, el postre de músico favorito de Antonio, almendras, avellanas, piñones y pasas.

—Las croquetas de bacalao, cada día te salen mejor, Mamaíta.

—La pasta la he hecho yo, pero las ha frito la «nueva».

—¡La «nueva»! Pero si lleva más de tres años en la casa. ¡Qué forma de hablar, mujer! ¡Pobre Carmela! Aunque desde luego es bien «nueva». Yo creo que nos mintió y que cuando vino no tenía más de catorce años, pero es tan grandota... ¡Pobre Carmela, con su uniforme! Parece una gitanilla con esos pelos tan rizados. Y no me extrañaría que tuviera sangre gitana. Adra...

Se llevaba la mano a la frente Mamaíta. Le miraba, aburrida.

—Perdona, es que no está bien que la llames así.

—¡Tú siempre corrigiéndome!

—Tienes razón, no soy quién para corregirte.

—Ahora no te hagas el humilde —estaba de pésimo humor Manolita.

—Bueno..., ¿y dónde está tu «nueva»?

Ella le miró, impasible, pero bajo la mesa, golpeaba los pies, nerviosa, irritada.

—Está arriba, acostando a los niños —respondió de forma cortante, antipática.

Se hizo un silencio.

Desde que Mamaíta, tres años antes, cerrara con siete llaves su corazón a la simpatía conyugal, su humor había cambiado considerablemente. Para los demás, se había convertido en una pequeña déspota y su actitud hacia Antonio era la de una esposa tensa y quejosa, preocupada sobre todo por la economía familiar.

Papantonio, sin embargo, cada vez mostraba más paciencia. Él, según pasaba el tiempo, iba desvelando los aspectos más dulces de su carácter. Seguía siendo un gran maniático dado a las frases, quería que fuera la suya la última y sacra palabra, pero ya no era tan exigente ni consigo mismo ni con los demás. Hasta podíamos decir que se había hecho un glotón.

—¿Has escrito a mi madre? —Se relamía con las croquetas.

—No, aún no. Pero ya le contaré a la Chacha Clara que su recomendada se ha hecho totalmente a la casa y que es muy buena. La verdad, sobre todo con Andrés. Le sabe llevar muy bien. Andresito es tan raro...

—¿Y doña Mariquita? ¿Por qué no baja a cenar?

—Está con Rosita. A Rosita, la única que la entiende es doña

Mariquita. Se llevan como el perro y el gato, pero la entiende. Tú hija es una rebelde.

—Nuestra hija. ¿Te das cuenta, Mamaíta? **Carmela con los niños,** doña Mariquita con Rosita... ¡Una nueva generación! ¡El Olivar se está llenando de niños!

—Vicenta con lo que venga... —dijo con mala idea Manolita.

—Es verdad. —No quiso darse por enterado Antonio y se sirvió un par de croquetas más—. ¡Están buenísimas!

—Mariquita me ha dicho que un día va a correr la sangre en el taller por culpa de esa mujer.

—¿Por culpa de Vicenta? ¡Qué tontería!

—Mariquita se entera de todo. Yo no, porque yo no salgo de la puerta de mi casa, pero Mariquita habla con las tapiceras que andan murmurando que si Basilio la quiere matar, que si por el taller andan haciendo apuestas sobre quién es el padre de la criatura... Claro, llevaban no sé cuántos años de casados sin hijos y ahora...

—Son cosas que pasan.

—Mariquita dice que si será el padre, Paco, el ladrón, que anda todo el día detrás de ella haciéndole recados y yo digo que vete a saber Pepillo, su sobrino, que viviendo en la casa y como ya es un hombre...

Se sirvió agua Antonio.

—Me avergüenzas, Mamaíta...

—¿Yo te avergüenzo? ¿Por qué? ¿O es que no podemos hablar de nuestros empleados? Pilar dice que lo normal en un negocio como el nuestro es que yo intervenga también. Hasta dice que yo podría encargarme de la tienda de muebles de Barquillo, ahora que Baonza cada vez está más viejo y casi no se ocupa. Después de todo...

Entró en esos momentos Carmela y los esposos enmudecieron. La recibió Antonio como agua de mayo.

—Vaya, Carmela, habláblamos antes de ti.

Se los quedó mirando la criadita andaluza, sonriente.

—Señora, los niños quieren que vaya a darles un beso. Ya les he dicho que si no se duermen, usted no sube, pero...

—¿Y Rosita?

Protestando como siempre, señora, diciendo que no se quiere dormir. Doña Mariquita no consigue que se tome el vaso de leche.

Estaba retirando Carmela los platos y las fuentes, colocando el frutero y poniendo los platos de postre. Se hizo un silencio espeso que finalmente Antonio rompió.

—¿Sabes, Manolita? Tenemos un pedido que me está volviendo

loco. Estoy pensando en introducir cambios en la maquinaria.

—Yo de eso no entiendo.

—¿No decías que te interesaban los negocios? Tengo que escribir al tío Manuel. A ver si a él le parece bien que me haga inventor porque tengo en la cabeza dos ideas que me rondan que pueden revolucionar el mercado.

Manolita se llevó una mano a la sien y boqueaba como un pez. Si había algo que a ella no le interesaba eran sus inventos.

—¿Te encuentras bien, Manolita?

—Voy a ver a los niños. —Salía del comedor arrastrando los pies, haciéndose la víctima—. No quiero postre. Me duele la cabeza.

Carmela se hizo a un lado para que pasara y cuando se hubo marchado miró a Antonio, preocupada.

—No es nada, Carmela. La señora tiene muchas jaquecas. —Antonio pelaba almendras con fruición y caían las cascarillas en el plato—. ¿Te acuerdas mucho de Adra, Carmela?

—Ah, sí, señor. —Sonreía ahora Carmela, feliz en cuanto le nombraban Andalucía—. Claro que me acuerdo. Su señora madre ya me lo dijo, que al principio me deslumbraría Madrid, pero que luego... ¡Claro que echo de menos mi tierra, señor! Ustedes son muy buenos y los niños a mí siempre me han gustado mucho, pero claro, Adra es otra cosa, el mar... —Se le abrían los agujeros de la nariz ancha y hermosa como si quisiera recibir el olor del mar en aquel comedor tan lúgubre y encortinado—. Andalucía es mucha Andalucía, ¿verdad, señor?

—Sí, Carmela, sí.

—Es lo que yo digo, señor, que el sur, está en el sur.

—Sí, Carmela, sí. Tú lo has dicho. El sur está en el sur.

Se levantó Antonio suspirando y abandonó el comedor, no sin antes coger del platillo alto del frutero un puñadito de pasas.

Doña Mariquita andaba rezongando en la cocina cuando bajó Carmela con las fuentes y los platos.

—¿Dónde estabas metida? —La tenía tomada con la chiquilla.

—¿Cuándo, doña Mariquita?

—Pues ahora. —Estaba friendo una tanda de croquetas y contaba las de la fuente—. ¿Han quedado tantas? ¿No ha comido la señora?

—Le dolía la cabeza, doña Mariquita. Así que si quiere, no hace falta que fría más. Aquí hay bastantes para nosotras.

La miró doña Mariquita, fulminándola.

—¡A mí no me gustan frías! Así que si tú quieres te tomas las que han quedado, y yo picaré de éstas.

—Sí, doña Mariquita.

—¿Dónde estabas?

—Acostando a los niños. ¡Si me ha visto usted con ellos!

—No me contestes. ¿Así que le dolía la cabeza a la señora? Cuando no como yo con ella, es que no prueba bocado. Le dolía la cabeza... ¡Cuento! Mucho cuento. Yo la he visto nacer y la conozco. —Carmela la miraba con sus grandes ojos abiertos—. Tú a callar, ¡eh! Tú a callar.

—¡Si no he dicho nada, doña Mariquita!

—No, tú no dices nada, tú mucho sonreír, pero cuando miras se te entiende todo. ¿Se ha dormido Andresito?

—Parecía que sí. Nunca llego a terminarle los cuentos, aunque vaya usted a saber. Ha aprendido a hacerse el dormido mejor que Julito.

—En esta casa todo el mundo se hace el dormido cuando le conviene. Hasta la niña Rosita está aprendiendo a hacerse la dormida y tiene tres años. ¡Valiente pieza! Es igual que mi antigua señora, que doña Trinidad... ¡Tiene un carácter! Nos va a traer a todos de cabeza y si no, al tiempo. Pero tu favorito es Andrés, ¿no?

—Es tan bueno... —Se le caía la baba a la andaluza con Andresito.

—Fíate y no le consientas tanto, que con tanto mimo no se puede criar a los niños. Anda, chica, no te quedes ahí parada y termina de recoger la mesa. Luego cenas, y si quieres, mañana friegas los cacharros. Ahora terminas todo y te subes a dormir con los niños, no vayan a alborotarse.

Había terminado de sacar las croquetas con la espumadera y se las había puesto en un plato.

—Voy a meterme la cena en mi cuarto, que estoy cansada.

En el Olivar se estaba empezando a establecer la costumbre de que cada mochuelo se fuera a su olivo con la bandeja de la cena.

Subía Carmela los ocho peldaños de la cocina hacia la planta principal y al desaparecer, quedó oscilando la puerta batiente, cuando, como si le hubiera dado la entrada el regidor, del patio, con su llave, irrumpió en escena Vicenta.

Venía llorando, sin ruido. Mariquita dio un respingo.

—¡Vicenta! ¡A estas horas!

—Siento haberla asustado, doña Mariquita.

—¿Qué pasa?

Vicenta llevaba en las manos un sobre grande, marrón. Lo abrió y colocó sobre el mármol un montón de billetes de Banco.

—¿Qué es eso?

Las lágrimas le corrían a Vicenta mejillas abajo, pero en su rostro no se puede decir que hubiera dolor. Había confusión y asombro.

—Basilio, ¡se ha ido! Se ha ido para siempre. Y no volverá, lo sé que no volverá.

—¿Qué dice? ¿Y ese dinero? Aquí hay una fortuna. —Se puso a contar los billetes Mariquita, como si fuesen croquetas—. ¡Una fortuna!

—No lo he contado. Basilio llevaba unos meses de trapicheo, comprando y vendiendo cosas en el Rastro, empeñándolas, todo para comprar lotería y ya ve, le ha tocado, eso dice en la nota. —La mostraba—. Me lo ha dejado todo en la olla donde hago la sopa. Ahora sí que me quedo sola, doña Mariquita. Se ha ido a París, seguro. Él quería poner una puerta de joyería, igual consigue instalarse en París.

—¿Pero se ha vuelto loca, Vicenta? ¿Qué dice?

—Basilio ha dicho siempre que cuando nos tocara la lotería nos íbamos a ir a París, igual que don Antonio, y que nos íbamos a dar la vuelta al mundo... ¡Cosas del vino! Y ahora va y le toca la lotería de verdad y me abandona.

Se derrumbó en una silla Vicenta y sin enjugarse las lágrimas, leyó: «*Me voy para siempre. Te he querido mucho, Vicenta, pero hay "hofensas" que un hombre no puede soportar. Me ha tocado la lotería. Me llevo algo y lo demás, esto, es para ti, sólo para ti. El que ha sido tu marido, Basilio.*»

Se miraron a través de la mesa doña Mariquita y Vicenta. No necesitaban palabras, pero la doña hurgó en la herida.

—¿De qué ofensas habla, Vicenta?

La portera se llevó las manos al vientre.

—Nunca ha creído que esto fuera suyo.

Mariquita se puso a sacudir sus bucles y se movía su cabeza con el vaivén de una muñeca de cuerda.

—¿Cómo voy a contarle esto a la señora? —dijo, en un aparte, Mariquita.

—¡Todos estos años enseñándole y Basilio ha escrito ofensas con hache —dijo, para la galería, Vicenta.

Una noche, varias semanas después, cuando el escándalo de la huida de Basilio a París había tomado sus justas proporciones, Antonio andaba estrujándose el cerebro, vencido sobre los planos de las máquinas ensambladoras que quería inventar, cuando oyó que entraba Pepillo a hacer la última ronda del taller.

—«Don Antonio» —repiqueteaba los nudillos Pepepromete, llamando a la puerta del despacho.

—Por aquí todo está bien, Pepillo; ya puedes marcharte a dormir.

—Con permiso, ¿puedo pasar? —Estaba en el quicio de la puerta, pálido como un muerto.

—Pasa, Pepepromete, pasa, pero ten cuidado y no me muevas el papel, que ando loco con estos cálculos.

Pepillo se había puesto frente a él y le tapaba la luz.

—¿Quieres algo, Pepillo?

—Quiero hablar con usted de hombre a hombre.

—¡Qué grandilocuencia, Pepillo! Que se sepa, siempre que hemos hablado tú y yo hemos hablado de hombre a hombre. ¿A qué viene tanta rimbombancia? Anda, hijo, apártate que me voy a torcer.

—Don Antonio, escúcheme. —Había levantado la voz que era ronca, efectivamente, de hombre—. No se lo tome a chirigota.

—¡Pepillo! Perdona, José, se me olvida siempre. Bueno, no me mires con esa cara. Habla de una vez.

—Usted sabe lo que es un duelo, ¿verdad?

—Claro que lo sé, es una pena muy grande, una tristeza, una pérdida...

—Me refiero a un duelo a muerte.

Levantó la vista Antonio. No era posible que Pepillo...

—¿Un duelo a muerte? Claro que sé lo que es: ¡una estupidez!

—Pero usted sabe cómo se hace todo, ¿no? Sin padrinos, ni elección de armas, ni médico, ni nada...

—Hombre —se lo quería tomar a broma Antonio—, eso que cuentas no parece muy reglamentario.

—Un duelo —parecía Borrás—, para salvar el honor de un hombre y de su familia.

—¡La vergüenza nacional! Eso son los duelos, y parece mentira, pero también se dan en países más civilizados.

—Cada uno con su pistola. Nada de una sola bala, sino todo el cargador. Uno dispara primero a una señal y luego el otro. Una vez cada uno. Los contrincantes dándose la espalda comienzan a contar los diez pasos, se dan la vuelta, levantan el arma...

—¡Qué truculento estás, Pepillo! ¡Me vas a poner los pelos de punta! ¿Es que piensas retarle a duelo a alguien?

No hacía falta que lo dijera el muchacho, porque Antonio hacía rato que se lo imaginaba.

—Voy a retarle a duelo a usted, don Antonio..., ¡a usted!

Pepepromete tenía los puños cerrados y todo él temblaba.

Era noche cerrada cuando Vicenta entró con su llave desde el patio a la cocina y se puso a llamar con insistencia a la puerta del cuarto de doña Mariquita.

—¡Doña Mariquita! Abra, abra. Soy yo, Vicenta. Abra, doña Mariquita, por Dios.

Tardó un rato en abrir la doña y tenía todo el sueño prendido en las pestañas.

—¿Qué pasa? ¿Qué pasa? —Salió a la cocina.

Vicenta estaba totalmente vestida y había alarma grande en su cara.

—¡Dios mío, doña Mariquita! ¿Por qué se cierra usted con llave?

—¿Qué le pasa? —Iba doña Mariquita hacia la pila y se bebía un vaso de agua para despertarse—. ¿Se encuentra mal? Dios mío...

—A mí no me pasa nada.

—¿Entonces?

—A don Antonio.

—¿Qué le pasa a don Antonio?

—Estaba trabajando en el despacho y ahora no está. Anoche me dijo que le abriera la cama, que se quedaría en el taller a echar una cabezada... y no está. No están ni él, ni Pepillo.

—No entiendo.

—Mi sobrino... Yo no le tomaba en serio... Desde que se marchó Basilio, lo viene diciendo, que un día va a matar a alguien. El domingo, en la taberna, que a saber por qué habrán vuelto a dejar que abran las tabernas los domingos, unos del taller se ve que hicieron una apuesta, idea de los barnizadores y de las tapiceras, que son las peores. Les dio por decir que cuando naciera lo que tenga que nacer se iba a parecer a don Antonio. Lo hacen para molestar a Pepillo que Blas le tiene envidia. Y, bueno, me he despertado de pronto y estaba el cajón de la mesa abierto y el pistolón de Basilio no está..., y me ha dado un pálpito y he ido al taller y la pistolita de don Antonio tampoco está en su sitio y... doña Mariquita, ande,

suba a ver, quizá don Antonio haya entrado en la casa y esté durmiendo tan ricamente y es que yo, yo... —Se mordía los labios y
parecía que se los iba a partir en dos.

Doña Mariquita se había despertado del todo.

—Dice usted que por qué me cierro con llave en mi cuarto...
—La miraba como un Tribunal de la Inquisición condenando a la
hoguera a una hueste de herejes—. Usted sí que se tenía que haber
cerrado con llave, Vicenta, ¡usted!

La miseria de los Madriles, al sur, en Cambroneras...

Partían sombras siniestras desde la tapia del Paseo de los Melan-
cólicos...

Era «mañana de niebla, tarde de paseo»...

Por el petril del puente de la Segoviana, las huertas...

Se había abierto el cielo y atravesaban los rayos del primer sol
las espesas copas de los árboles...

Fue en el Campo del Moro...

Fuera como fuese, el caso es que la escena contenía todo el dra-
matismo exigido por los cánones.

«... cuatro, cinco, seis, siete, ocho, nueve, diez», se les oía contar
a los duelistas.

Antonio levantó la pistolita y la apartó del cuerpo, sujetándola
con ambas manos. Apuntó, guiñando un ojo, como si no hubiera hecho otra cosa en su vida. No hizo nada. Esperó.

Pepillo, con el pistolón de Basilio en una sola mano, miró a su
patrón, cerró los ojos y disparó, tumbando la rama de un árbol y
cayendo él hacia atrás, como un ridículo guiñapo.

Antonio corrió hacia él.

—Chiquillo, ¿qué te ha pasado? ¿Te has caído? ¡Vaya una forma
de disparar! Lo habrás visto en la verbena.

Pepillo, descompuesto, se incorporó y quedó arrodillado, los
ojos cerrados. Abrió los brazos y ofreció su pecho, valiente.

—¡Máteme, don Antonio! ¡Máteme! Ahora le toca a usted, vamos, dispare.

Antonio, ¿se estaba riendo?

Abrió los ojos Pepillo y, efectivamente, Antonio lloraba de risa.

—¡Qué ridículos podemos ser los hombres! ¡Qué ridículos!

—Dispare, dispare, don Antonio, vamos. Acabe con mi vida de
una vez, son las reglas. Y me lo merezco, porque le he podido matar,
a usted, que ha sido un padre para mí, a usted, que me sacó de

aprendiz y me elevó al rango de tallista. ¡Máteme! ¡Que mi sangre lave mi corazón desagradecido y el honor de mi familia!

Se desternillaba Antonio, doblado de risa.

—La sangre no lava nada, Pepillo, nada; más bien ensucia. Anda, levántate. —Le ayudó a él a levantarse y le enseñaba la pistolita, accionando el gatillo—. Mira, ¿ves? Aunque quisiera matarte, no podría. No le he puesto balas.

—¡Está usted loco! —No le cabía el corazón en el pecho a Pepillo de tan conmovido que estaba—. ¡Usted no le ha puesto balas a su pistola cuando yo le quería matar!

—Tú me querrías matar, pero yo te quería dar una lección. Anda, levanta, muchacho, vamos a llegar tarde al trabajo.

Se levantó Pepillo dando traspiés y se abrazó a Antonio, llorando.

—Usted ha venido sin balas, oh, don Antonio...

Le sacudía la ropa Antonio, cariñosamente, como a una criatura.

—¿Cómo piensas que te iba a matar yo? ¿A ti, que eres un tallista tan bueno? ¿A ti, que te conozco desde niño? ¿A Pepepromete iba a matar yo? Bastante tenemos ya con la Guerra Europea, para que nos andemos matando tú y yo.

Gimoteaba el pobre, emocionado, y no había forma de pararle.

—¿Tú quieres preguntarme algo, Pepillo? ¿Tú quieres que yo te dé alguna explicación?

Negaba Pepillo, sacudiendo la cabeza.

—Si usted no tiene nada que decirme, yo no tengo nada que preguntarle, don Antonio.

—Yo no tengo nada especial que decirte, muchacho, nada que tenga que ver con el honor de tu familia tal como yo lo entiendo. —Lloraba más el muchacho—. Anda, tranquilízate, aquí no ha pasado nada y nadie tiene que enterarse de esto, nadie, ¿de acuerdo? No llores más.

Se sorbió los mocos Pepillo, avergonzado.

—Tiene razón, don Antonio; un hombre no tiene derecho a llorar.

Aprovechó para darle otra lección magna Antonio.

—Sí, Pepillo, sí; un hombre tiene derecho a llorar y también tiene un hombre derecho a equivocarse. Lo que no tiene derecho ningún hombre bien nacido es a quitarle la vida a otro hombre.

Pepillo, cuentan, que aún estuvo un buen rato llorando. Y cuentan además que antes de volver al taller, los duelistas se tomaron en San Ginés dos buenas tazas de chocolate bien espeso.

II

Regalos de cumpleaños. — Ermita. — Antonio y su socio
hablan de mujeres. — La maqueta del taller. — Manolita prefiere «Fornos» pero acaba en «La Bombilla». — «El Viajero
del Sur». — La última jornada hasta Teza.

Baonza, los fines de semana, vivía de noche y dormía de día, al
menos eso decía él, así que Antonio se extrañó cuando, aquel domingo por la mañana, recibió recado de su viejo socio reclamán-
dole para que fuera a visitarlo a la Tienda-Exposición de la calle
Barquillo.

Recorrió Antonio el Paseo del Prado, deteniéndose unos instantes, como hacía siempre, ante la fuente de Las Cuatro Estaciones
que desde que llegara a Madrid había declarado como su fuente
favorita y alrededor de la cual estaban jugando muy serios una ca-
mada de niños elegantes con aros y nodriza. Subió Los Madrazo,
cruzó por las silenciosas callejas del Banco de España hasta el
Círculo y atravesando Alcalá, por la que transitaban a estas horas
fieles cumplidores y cumplidoras del precepto religioso encami-
nando sus pasos hacia Las Calatravas y hacia la iglesia de San
José, se adentró en la tranquilidad de la calle Barquillo.

Estaban echados, y no era lógico, los cierres del escaparate de
la tienda cuyo frontis anunciaba ahora: «Maldonado y Baonza.
Tienda-Exposición de la Fábrica de Muebles Maldonado — Casa fun-

dada en 1840, Piezas de arte y tapicería antigua.» Entró en el portal y desde el mismo abrió la puerta interior que daba al local y volvió a extrañarse al ver que las luces de la exposición estaban todas encendidas.

—Baonza, Baonza... ¡Don Julio!

Entró primero en el pequeño despacho y no había nadie. Quizá Baonza había subido un momento al piso. Se adentró por la tienda, apagando luces. El pequeño taller donde él había empezado a trabajar hacía dieciséis años era ahora parte de la exposición donde se exhibían muebles lujosos, excesivamente amontonados para su gusto.

En la parte interior de la tienda es donde se exponían las camas y la pieza más valiosa era aquélla, que él mismo había diseñado, llena de columnitas y flores de loto, en cuya cabecera figuraba la talla de un fauno de largas barbas y abierta sonrisa.

—Baonza...

Se detuvo Antonio en el umbral de esta sala. No se lo podía creer.

Sobre la cama, encima de su rica colcha de raso, había, hecha un ocho, una jovencita preciosa a la que asomaban bajo las faldas las medias negras de liga. Parecía un pobre pajarillo de colores muerto de frío, pero era una niña pintarrajeada que dormía como una bendita, sin soltar un gran bolso de tela rameada. Estaba poniendo la almohada perdida de colorete barato.

Carraspeó Antonio, pero el ángel caído no despertó.

Miró Antonio hacia todos lados, muy sorprendido, aterrado, casi diríamos, ante la visión de aquella muchacha tan atractiva, perdida en el sueño, que llevaba atado a un tobillo dos grandes lazos.

Retrocedió Antonio de puntillas y volvió al despacho alterado. De detrás de un biombo, aguantándose la risa, le salió Baonza.

—Buenos días, Antonio. ¡Felicidades!

—Pero ¿qué es esto? ¿Qué quiere decir esto? ¿Qué hace esa señorita ahí dentro? ¡Es usted el colmo! ¿Cómo se atreve a traerse a esa clase de chicas aquí? No tiene usted arreglo, Julio, ¡a su edad!

—A mi edad, a mi edad... —se retorcía Baonza de risa.

—Pero esa señorita...

—Se llama Emilita. —Le estaba golpeando las espaldas Baonza—. ¡Feliz cumpleaños, Antonio! ¿No se acuerda de que hoy es su cumpleaños? Como desde que estuvo usted en Londres, se ha vuelto tan inglés, hemos decidido todos celebrar su cumpleaños, ¡Emilita es su regalo!

—No sé qué hacer con usted, Baonza.

—Conmigo no tiene usted que hacer nada, Antonio. Es con ella, con quien puede lucirse. ¿Ha visto qué boca? Emilita tiene una boca, que despierta es una tentación, pero dormida..., ¡ay!, dormida tiene unos morritos que son una provocación. Ande, ande, socio, yo me subo al piso y le espero. Vaya a despertarla, hombre, acépteme este obsequio.

—¡Usted está loco! ¡Chiflado! ¡Es usted un botarate, un mequetrefe! —se subía a la parra Antonio.

—Es una buena chica, no vaya usted a creerse que es una descarada.

—¡No parece muy grande! —Estaba escandalizadísimo Antonio.

—Ya es mayor de edad. Y es muy limpia y si viera, ¡es de graciosa! ¡Muy monina! No se crea que se dedica a nada malo, aunque vive a salto de mata. Yo la conozco de siempre y de vez en cuando me la traigo por la noche y le regalo algún retal, para que se haga un bolso.

—Es usted un sinvergüenza, amigo. Es usted...

—Ah, eso no, eso no se lo consiento; un sinvergüenza, no. —Lloraba de risa Baonza y no sabía cómo ponerse serio—. Usted sabe que entre nosotros las cuentas siempre han estado muy claras y que todo lo tenemos más que arreglado.

—Me dan ganas de llevarle al taller y colgarle del olivo, Baonza, por corruptor.

—¡Pero no sea puritano, hombre! Si fuera usted creyente, sería calvinista.

—No es eso, pero esas mujeres, de verdad... Usted siempre ha querido arrastrarme a sus correteos, antes de casarme, ¿se acuerda?

—Sí y no había forma. Nunca ha habido manera de tentar a san Antonio, pero esto no se lo tome usted como una falta de respeto a Manolita, que yo la respeto mucho... Si no tiene usted por qué..., en fin, no sé cómo decirle, lo único que tiene que hacer, si quiere, es charlar un rato con ella, si le apetece, además —ahora sí se puso serio—, yo quería que usted la conociera.

—¿Por qué?

—Por si me muero de reuma, que cada día estoy peor de las goteras. —Calló de pronto, serio—. En fin, que ya no cumplo los setenta, Antonio, y si me muero quiero que usted se ocupe de Emilita.

—¿Pero qué dice? Ande, vámonos de aquí, bueno, yo me voy y usted se las arregla... Y si quiere esta tarde, merendando, hablamos de cualquier locura que se le haya ocurrido.

—Ya sé que Felipe nos ha invitado a todos a «Fornos» a merendar, pero se suponía que usted no lo sabía...

—Me lo ha contado Carmela cuando han venido con su recado, que los niños me querían dar una sorpresa. Bueno, en «Fornos», luego...

—No, no... Luego no podemos hablar de nada. Yo quiero que conozca a Emilita ahora mismo, si es que la conseguimos despertar, y que hablemos los tres...

—¡Ni hablar del peluquín! ¡Me voy! ¡Yo ahora mismo me voy!

Estando en ésas, sonó el timbre de la puerta.

—¿Y ahora quién es? —Se tensaba Antonio temiéndose lo peor—. Igual me trae usted a todas las cupletistas de la «cuarta» de «Apolo».

Baonza no le hizo caso. Fue a abrir y apareció al minuto con un recadero que traía un gran paquetón que casi no cabía por la puerta.

—Póngalo aquí, en la mesa, con cuidado —recomendaba Baonza mientras se rebuscaba en los bolsillos unas monedas.

—Tome, maestro, para que se tome usted unos chatos a nuestra salud.

Cogió las monedas el hombre y dando un bufido desapareció por donde había venido.

Antonio iba del paquetón al socio sin saber qué decir. Dijo:

—¿Y ahora, esta extravagancia? ¿No será otra chica enroscada?

Baonza estaba molesto con el recadero. Rezongaba.

—Le habrá parecido poco. ¡Ni las gracias!

—La propina es una humillación —aprovechaba Antonio.

—Sí, y una falta de respeto; pero ayuda.

Antonio estaba leyendo la nota que acompañaba el envoltorio.

—«*Para Antonio, el mejor socio, mi más querido amigo, en el día de su cumpleaños. Baonza.*» En fin, veamos. —Desenvolvía el paquete con cuidado.

Apareció una escribanía elaboradísima, una maqueta que representaba en hierro y madera todo el actual taller con sus diferentes naves, y giraban las ruedas de las sierras y colgaban patrones recortados en finísimas láminas de madera. Y a los bancos de la sala de ebanistas no les faltaba detalle y los rollos de tela del taller de tapiceras estaban en su armario, tras la escalera móvil que subía y bajaba al altillo de los tallistas y se veía la mesa del encargado y el ventanuco que daba al despacho. Las distintas puertas se abrían y cerraban y había, igual que en la realidad, muchas poleas. Era un verdadero juguete.

—¡Qué maravilla, Baonza! ¡Qué maravilla! ¡Qué asombro!

—La encargué hace tiempo, ¿le gusta?

—¡Es un prodigio! ¡Nunca había visto una cosa tan bien hecha! Es un portento. La vida va a resultar corta para corresponderle a usted. Nunca podré pagarle como se merece el afecto que me demuestra. —Estaba emocionado de verdad—. Ya hablaremos de todo lo que usted quiera, y usted ya sabe que yo haré todo lo que usted me mande, siempre... Gracias, gracias.

Se golpeteaban las espaldas.

—No se exceda, Antonio; sólo es un detalle. Parece mentira que le guste más una maqueta que Emilita, pero... si de dos regalos acepta usted uno, bien está. No, no diga usted nada, yo sé que es más raro que un perro verde, pero yo también le respeto, no se crea, yo también le respeto.

Manolita había quedado con Pilar y Felipe que irían a «Fornos» donde en sus gabinetes particulares se servían helados de colores en un ambiente de gran lujo, pero por complejas razones de reservas equivocadas que no vienen al caso, terminaron merendando todos en «La Bombilla», en un chiringuito destartalado cerca del río, donde se iban a pasar toda la tarde espantando moscas.

—Pero, ¿por qué hemos venido a parar aquí, por qué hemos venido a parar aquí? —no dejaba de protestar Manolita.

—Creo que la culpa ha sido mía, que he liado a Felipe con las reservas —aclaraba Pilar—, y es que yo estoy de «Fornos» hasta la coronilla. ¡Donde haya un buen merendero popular con vino, pan y queso...! En «Fornos» se te ponen los camareros pegaditos al lado y no hay quien hable y ni puede una encenderse el cigarrillo sin que se te caigan veinte camareros encima.

—Aquí no se le ocurra a usted fumar, ¡eh!, señorita Pilar —le advertía muy seria Mariquita—, que aunque no me conocen, nunca se sabe si va a pasar alguien. El año pasado, en la verbena, cuando menos nos lo esperábamos, apareció una amiga de doña Trinidad, que en paz descanse...

Arrugó el ceño Manolita.

—Agh..., doña María, es verdad, ¡qué plomo de señora!

Antonio estaba pendiente de que Andrés, con su traje de marinerito y todo, no se tirara, cabeza abajo, al río.

—¡Carmela, ese niño, ese niño!

Julito, por su lado, le estaba retorciendo el brazo a Rosita, y la niña soportaba el dolor, estoica.

—¡Julito, no seas bruto! Que haces daño a tu hermana —regañaba Carmela—. ¡A que te quito el molinillo!

—No, no me hacer daño Julito a mí —decía Rosita que siempre habló como un indio, destrozando la sintaxis, utilizándola de forma goyesca, impresionista, a su manera—. Daño a mí no hacerme nada Julito. —Pero se la entendía todo mientras se aguantaba las lágrimas, pues tenía a gala no llorar.

—¿Cómo es que no ha venido Baonza? —preguntaba Antonio, mordisqueando la rosca de pan.

—Espero que no haya ido a «Fornos», que es donde le dije yo que íbamos —apuntaba Felipe.

—Huy, espero que no; yo le mandé recado —informaba Pilar.

—Esta mañana se me quejaba del reuma —discurrió Antonio—, espero que no se encuentre peor.

—Reuma —reía Felipe—, a cualquier cosa le llama reuma. Le vi yo el otro día por el Rastro con dos reumas, que bueno...

—¡Chist! —mandaba callar Mariquita—. ¡Los niños! ¡Y Carmela, que también es una cría!

—Bueno·—suspiró Antonio—, pues ha sido un día precioso. Los niños me han regalado un dibujo; Baonza, la escribanía; Manolita me ha comprado el lápiz que hace juego con la pluma que me compró hace unos años; Mariquita me ha bordado media caja de pañuelos; Carmela me ha hecho tarta de almendras, como sólo la saben hacer en su pueblo...

—Faltamos nosotros —dijo Pilar.

—Ustedes...

—Sí, nosotros. —Y tras levantarse fueron al simón que habían alquilado para toda la tarde y volvieron, Pilar, con un paquetito envuelto en papel, y Felipe, con una caja que parecía, y era, de zapatos.

Antonio abrió primero el regalo de Pilar.

—¡Un abrecartas de plata! Es demasiado, Pilar. ¡Y qué hermosos relieves!

—Es oro blanco —dijo, muy experta, Manolita, después de mirarlo un rato.

—Y ahora, yo —le entregó muy solemne la caja Felipe.

Dentro de la misma, había un montón de papeles y sobre los mismos, un libro encuadernado en piel. Tenía el tamaño de una cuartilla. A Antonio se le nublaron los ojos.

—¡Felipe!

—Sí... *El Viajero del Sur*, de Andrés; ya sabe que lo encuaderné... Y los demás papeles también son manuscritos de nuestro amigo. Hasta el día de hoy, esa caja ha sido mi mayor tesoro; pero... ¡para usted, Antonio, en su cumpleaños!

—No, no, no puedo aceptar.

—Debe quedar en la familia de ustedes, Antonio, compréndalo. Es lógico que lo tenga usted como recuerdo de familia.

—Claro, es lógico —asentía Manolita—, como Felipe y Pilar se casan...

Antonio miraba el interior de la caja sin atreverse a sacar ninguno de aquellos papeles sagrados.

—¡*El Viajero del Sur*! ¡Los artículos que escribió Andrés sobre Shushtari!

—Sí, y las jornadas dialogadas que titula «Una historia antigua». Son páginas mejores que las de Alejandro Sawa.

Mariquita se había puesto a llorar.

Antonio finalmente había abierto el libro al buen tuntún y leyó en alto lo primero con lo que tropezó su mirada: «... el beduino se ofrecía para ser admirado. Ofrecía a la hembra amada el hueco oloroso de sus brazos...»

—¡Don Antonio! —chilló Mariquita—. ¡Los niños!

—¿Qué es eso que lees, Papantonio? —preguntaba Rosita con su lengua de trapo—. ¿Qué ez ezo de loz brazoz?

Por la noche, en el taller, pasadas las emociones del cumpleaños, Antonio había optado por estrujarse el cerebro un rato, dándole vueltas a los planos de sus dichosas máquinas ensambladoras. Vicenta se estaba llevando la bandeja con la taza de malta vacía.

—¿Se va a quedar hasta muy tarde, don Antonio? Yo aún tengo ropa que repasar. Si quiere, dentro de una hora le traigo otra taza.

—Usted no está para traerme tazas a mí, Vicenta.

—Me encuentro muy bien, don Antonio; por mí no se preocupe.

—Pero, mujer, si luego se levanta usted pronto para tocar la campana.

—No, se levanta antes Pepillo, y si a mí se me pegan las sábanas, toca él.

—¿Seguimos sin noticias de Basilio? —comentó él, por decir algo.

—Ya sabe usted que no las tendré.

—Bah, el día menos pensado aparece, ya verá. Seguro que fue un pronto, pero... Los hombres cambian, Vicenta, una locura no es para toda la vida.

—Hay locuras que sí son para toda la vida.

—Si yo hubiera sabido que las cosas estaban así, yo...

—Déjelo ya, don Antonio; eso ya lo tenemos hablado.

—Aunque Basilio no volviera nunca, usted, aquí en el Olivar, tendrá siempre todo lo que necesite, Vicenta, usted, Pepillo y... lo que venga.

—Sí, no hablemos más de eso. El que esté Basilio o no esté no cambia nada. Yo soy la portera y mientras cumpla no veo por qué...

—Vicenta, no hable así. Usted tiene su jornal de portera, ya lo sé, y ahora, cuando nazca su hijo, se le subirá el sueldo, como se les sube un tanto a los demás cuando aumentan de familia.

—Las tapiceras me han dicho que no es obligación.

—La ley la interpreta cada uno como quiere, ¿no?

—Sí..., todo se interpreta como uno quiere.

—Usted no tiene que preocuparse de nada, Vicenta. —Últimamente no se atrevía a mirarla y le asustaba su vientre—. ¿Se acuerda? Yo vine a Madrid y fui a parar a la fonda de ustedes y ustedes casi me prohijaron. Dieciséis años nada menos..., tres niños en la «casa grande» y ahora...

—Otro aquí. Va a ser una niña.

—Huy..., acuérdese de lo que se decía de Julito, que hasta opinó el Papa y se equivocó.

—Yo no me equivoco.

—Bueno, pues otra porterita en el Olivar.

No le gustó el comentario a Vicenta.

—Igual no es porterita.

—Bueno, pero del Olivar sí, ¿no?

—Sí, hija del Olivar.

Se miraron unos segundos y esta vez bajaron ambos los ojos al mismo tiempo.

—Hoy es su cumpleaños, don Antonio, y no le he hecho ningún regalo.

—¡Qué ocurrencia...!

—Lo he pensado todo el día, y cuando han venido los niños a enseñarme el dibujo que le iban a regalar...

—Vicenta —ella estaba a punto de marcharse con la bandeja—, no se marche. Usted siempre me ha hecho el mejor regalo, el regalo de su compañía. Si no tiene sueño, quédese un rato.

—¿Y qué voy a hacer yo?

Él ya lo sabía. Abandonó el tablero de dibujo y fue hacia el buró americano, modelo de mueble de oficina cuya patente había conseguido en el último viaje. Levantó la curvada persiana de madera, y de un cajón sacó un libro encuadernado en piel. Lo abrió como quien abre la Biblia, por una página cualquiera.

—Es *El Viajero del Sur*, Vicenta. Usted lee ya muy bien, pero éste es un manuscrito enrevesado. Hágame este regalo. Mientras yo trabajo, usted me puede leer y... ¡hágame siempre, siempre, compañía, sea mi cumpleaños o no!

Ella dejó la bandeja y se sentó a su lado, recogiendo el libro abierto, como quien recoge un secreto.

Él se sentó otra vez ante el tablero e hizo como si se perdiera en cálculos matemáticos y geométricos.

Ella empezó a leer, despacio, porque no era fácil enterarse de aquel galimatías oriental.

—«Jornada tercera. Alabanza sea dada al Amor que enseña a los hombres a salir de la ignorancia. Alabanza al Amor, que nos guía hasta el término de la peregrinación. Vuela tanta arena que las dunas cambian de lugar extraviando los horizontes, nublando la visión del viajero. No hay huellas. Levantas el pie y el viento borra tu pisada. ¡Camello al siervo y gaviotas al mar, no hay otro Dios sino Dios! Confieso la existencia de la balanza donde se pesan las buenas y las malas acciones. Afnou, Tafilalat, Mahbrouk, Tauden, cegándose con las minas de sal de Aroan. ¡Quedan aún tantas jornadas hasta llegar hasta Teza! Y cada jornada, el viajero reclama una historia. Y su siervo del desierto cuenta, cual Schahrasad, la historia antigua del beduino que ofrecía a la hembra enferma de soledad los huecos olorosos de sus brazos. "Recházame como yo te rechazo para que luego nos encontremos como extraños auténticos y nos reclinemos uno en el otro, descubriéndonos los cuerpos verdaderos, las manos, las bocas, las sangres. Deja que corra sobre el llano de tu espalda, como una yegua cortando el viento, que, bajando a las cumbres de tus rodillas tropiece en el cielo y me hunda en el fondo de tu océano... ¡Quedan aún tantas jornadas para llegar a Teza!"»

Estuvo leyendo Vicenta hasta muy tarde y él dejó su trabajo y la escuchaba.

Al día siguiente supieron que, mientras ellos castigaban su sed con los espejismos del desierto de Mahbrouk, Julio Baonza, en su piso de Barquillo, gozaba su última jornada entre los brazos de Emilita, entregando al clementísimo Alá su carne mortal y su inmenso y definitivo homenaje.

¡Quedan aún tantas jornadas hasta llegar a Teza!

III

La Virgen de Atocha no falla. — «Muerto, morido y calavera.» — La vuelta de una «chirula». — Eulalia cuenta su
semana trágica. — La puerta del estudio. — Visita al cementerio. — Julito se casará con muchas princesas. — Andresito rinde homenaje a doña Blanca Eizegaray.

Remetía maniática Mariquita las sábanas de su cama y gorjea-
ba letanías ya que, últimamente, imitando a don Antonio, le había
dado por hablar sola. Estaba más alegre que unas castañuelas.

—Ay, Virgencita de Atocha, Virgencita de Atocha... A ti te lo
debo, que lo sé yo, sólo a ti, aunque la promesa se la hice al
Congreso Eucarístico, ¡a ti te lo debo!

Al dar la tercera vuelta a la cama, reparó en la estampa de la
Virgen de Atocha. Parecía que la miraba a ella, a Mariquita, y que
la sonreía. Se quedó pasmada.

—Ay, si hasta creo que veo visiones, Virgencita.

Cogió la estampa, cuyos bordes calados de filigranas se estaban
deshaciendo y le plantó tal besazo que se le rompió otro pico.

—¡Ay, ay! —exclamó Mariquita.

Devolvió a la Virgen al altarcito que le tenía hecho sobre su
mesilla de noche y siguió con la cama, extendiendo ahora una colcha
de seda que se había fabricado con un viejo mantón de Manila.

La reclamaba el olor del café con leche que había puesto a calentar, que se había vuelto a salir y andaba quemándose en el fogón con chisporroteos.

—Vaya, otra vez se me ha salido el café. ¡Si tendré que aparecer sin desayunar!

Salió a la cocina, retiró el cazo, pasó un trapo sobre el fogón y lo metió todo en el barreño que había dentro de la pila.

—Bueno, pues otro sacrificio, Virgencita, hala, no desayuno. Tú te lo mereces todo, Madre de Dios.

Sintiéndose mártir digna de ser subida a los altares en cualquier momento, volvió a su cuarto y repartió sabios golpecitos acá y acullá sobre la colcha, estirando de un lado y otro, metiéndola con el canto de la mano bajo la almohada, tironeando de los cuatro picos hasta conseguir la exacta simetría.

—Ay, Virgencita, ¡quién me ha visto y quién me ve! Yo estirando la cama sin levantarla, pero no se nota… Ay, ay…

Estaba admirando la perfección que resultaba de su trajín, cuando un bulto de pelos, lazos y camisones cayó sobre la cama como si fuera un obús.

—¡Rosita! —empezó a manotear Mariquita, queriéndola alcanzar, pero la niña saltaba como una pulga de una punta a otra de la cama, deshaciéndola toda, dando alaridos con toda la fuerza de sus pulmones, como si fuera Tarzán de los Monos.

—¡Nena!

—Péiname tú. Mamaíta, tirones… Péiname tú. —Y se colocaba la colcha arrancada como si fuera un manto—. ¡Soy la Reina de los Mares! ¡Soy la Virgen de Atocha! —gritaba Rosita como una energúmena.

—Niña, hereje… Bájate de ahí o te doy un azote. Hoy te peina tu madre, yo no puedo.

—Mamaíta, no… Mamaíta, no —chillaba Rosita.

La cogió Mariquita al vuelo y la sentó en sus rodillas, blandiendo con una mano un peine de gruesas púas.

—Ven aquí, calamidad. Te hago una trenza y vas que chutas. ¿A quién habrás salido tú con este pelazo tan negro y estos ojos azules, que pareces una india…?

—No, trenza no. Rosita, trenza no querer. —Se revolvía la niña como una lagartija, destrozando la lengua de Cervantes—. ¡Trenza, no, Rosita!

—¡Una trenza o nada! —Sabía ponerse categórica Mariquita.

—Bueno. —Se calmaba la niña de pronto y se dejaba hacer—. ¿Por qué tienes prisa tú?

—Es un secreto.

—Dímelo.

—Los secretos no se dicen.

—Al oído. —Y ponía el suyo Rosita.

—Ay, qué niña... ¿No se lo vas a decir a nadie?

—Palabrita Niño Jesús.

—Me ha escrito Eulalia y he quedado con ella en el Botánico

—¿Eulalia es quién?

—Mi prima.

—¿Tú tienes prima? —El mundo era realmente asombroso.

—¿Por qué no voy yo a tener prima, vamos a ver?

—No sé.

—¿Tú no tienes primos?

—Sí, en Berja. Los hijos del Chache Emilio son mis primos —dijo esta vez de un tirón y en perfecto orden castellano la niña—. Fernando, Gregorio, Rocío y Estrellita...

—Pues yo tengo esta prima que se llama Eulalia y que es muy guapa y muy salada y que yo la quiero mucho.

—¿Dónde?

—Hoy vuelve a Madrid, estaba en Barcelona. Se casó con un tallista del taller y se fueron a Barcelona. Ahora él se ha muerto y ella vuelve a Madrid.

—¿Muerto, «morido», calavera?

—¿Qué dices, *Nena*? No hay quien te entienda.

—¿Por qué muerto?

—Porque sí.

—Como el padrino de Julito, ¿de viejo?

—No, de viejo, no. Mira, niña, deja de hacer preguntas y súbete a tu cuarto, anda, con tu mamá. Además, has bajado descalza y vas a coger calentura de pollo. Lo que nos faltaba, anda, anda, súbete de una vez. Ve a despertar a tus hermanos y a Carmela.

—¿Qué me das si me voy yo?

—Un beso si te vas y un azote si te quedas.

Lo pensó unos segundos Rosita, puso la mejilla para ser besada y después de dar un salto que dio al traste con la trenza, desapareció como por ensalmo.

Caminaba a paso vivo Mariquita por los desniveles y ramblas del Jardín Botánico sin fijarse ni en el *Koelreuteria paniculata* de la Terraza de los Cuadros ni en el *Celtis australis*, porque Eulalia estaba ya esperándola, al fondo del paseo, sentada en un banco bajo un *Cedro del Líbano*. A sus pies, tenía la «chirula» pródiga, una maletita de cartón, muy estropeada.

Corrió Mariquita hacia ella.

Eulalia se levantó al verla y al sentirse abrazada comenzó a lloriquear.

—Ay, Mariquita, Mariquita, primucha...

Eulalia vestía de luto, y tan mal aspecto tenía que difícil era reconocer en ella a la toledana vehemente y jacarandosa que escapó del Olivar por amor. No aparentaba los treinta y cinco cumplidos, sino que parecía un esqueleto viejo, ojeroso, cubierto por harapos que hubiera desechado *Madama Pimentón*.

—Hija mía, deja que te vea, qué pena da verte, qué delgada estás.

—Pues tú estás como siempre, Mariquita.

—Calla, calla, zalamera; por ti sí que ha pasado el tiempo.

—El tiempo, sí. Ocho años desde que nos marchamos de Madrid.

—Desde que os escapasteis, querrás decir.

—Sí, ocho años... Y cinco desde que se murió mi pobre Luis.

—Los cinco años que has estado sin escribirme. A quien se le diga que eres la única familia que tengo... —Y lloraba la buena de Mariquita también—. Pobre Luis, pobre Luis, que en paz descanse. ¿Cómo fue, hija? En la carta no decías casi nada.

—Si no lloras te lo cuento; pero deja de llorar, doña prima, que yo ya he llorado bastante y no me quedan lágrimas.

Lloraba más Mariquita, emocionándose con las palabras tan sentidas de la joven y trágica viuda.

—Anda, vámonos a casa.

—A casa..., ¿qué dices?

—Sí, al Olivar, porque tú te vienes al Olivar, eso lo primero. Ya he hablado con la señora. Tú te quedas en casa de momento. Anda, si tenía que haber ido a buscarte a la estación..., si hasta don Antonio quería ir.

—No, espera, prima, escucha. Yo no pienso ir a ninguna parte y menos al Olivar.

—Pero...

—No quería que vinieses a la estación porque antes quería hacer unas cosas, pero lo que pasa es que el tren ha traído no una hora de retraso, sino cuatro, y no me ha dado tiempo a pasar por casa.

—¿Qué casa? ¿Qué dices? —Ya la estaba liando—. Yo pensaba

que no querías que fuera a la estación porque te estaría esperando la madre de Luis. ¿No me habías dicho que se había venido de Andalucía?

Eulalia sacudía la cabeza de un lado a otro, negándolo todo.

—No sabes de la misa la mitad.

—Eulalia, no me vuelvas loca, que no entiendo nada. Anda, vamos a casa. Volveremos a dormir en la misma cama que dormíamos antes, con tal de que no me des muchas patadas...

—No te voy a dar ninguna. Y te digo que no vuelvo al Olivar mientras siga ese hombre ahí. Lo juré y lo mantengo.

—¿Qué hombre? ¿El señor Juan? ¿El encargado?

—Sí, el mismo que viste y calza, ese mal bicho. Si el señor Juan no hubiera denunciado a Luis cuando lo del atentado del Rey, no nos hubiéramos tenido que ir a Barcelona huyendo y a Luis no le hubieran fusilado en la cárcel, como a un asesino.

—¿De eso qué culpa tenía el bueno del señor Juan? Ay, si Luis no se hubiera metido en líos en Barcelona... Pero, oye, de eso ni una palabra, ¿eh? De los líos de aquella semana de Barcelona, ni una palabra, que yo le he dicho a los señores que Luis sufrió un accidente en la calle y que tú has estado tan trastornada que por eso no has escrito. ¡De líos, nada, ni mus!

—¡Líos! Todos nos metimos en líos. Éramos miles los que estuvimos en el puerto impidiendo que las tropas subieran a los barcos, miles. Y yo estaba allí con Luis, para que te enteres, y con estas manos no veas la de piedras que pudo tirar tu prima a los guardias... ¡Maldita semana!

—Eulalia —suspiraba Mariquita—, olvídalo ya, ya no tiene arreglo.

—No, olvidar, no; olvidar, nunca lo voy a olvidar. Una cosa así no se olvida. Más de cien muertos, miles de heridos... Nos disparaban, ¿sabes? Nos disparaban.

—También vosotros hicisteis lo vuestro. Los conventos ardiendo, las tumbas profanadas...

—Ya... Y los hombres, ¿qué? Los hombres muriendo como moscas en Marruecos.

—Ay, hija, qué pena, pero déjalo; las cosas de política ni nos van ni nos vienen... Qué pena, tú también, viuda, como yo.

—Viuda, no.

—¿Qué dices?

—Que Luis y yo nunca nos casamos, para que te enteres. No pongas esa cara. Te mentí. Y para que lo sepas todo, no hay ni madre de Luis a la que ver, ni nada. Ella no sabe nada de mí.

—¡Pero Eulalia!

—¡Si él ni me quería!

—Eso sí que no me lo puedes decir a mí, que el cariño es algo que se ve tan claro como el agua. Él, quererte, te quería; eso se notaba a la legua.

—Para ti la perra gorda.

—¿Pero cómo que no os casasteis?

—No. Ni llegamos a vivir juntos, ni nada. Llegamos a Barcelona. Al principio, muy bien, él en una pensión y yo en otra. Ni el tren, cuando nos escapamos, dejé yo que se propasase. Todo muy bien, como a ti te hubiera gustado. Yo me puse a servir y él, nada, de vagabundo, entre gentuza todo el día, a él lo único que le importaban eran sus ideas —suspiró.

—Pero si te dio «palabra y mano», si te robó como un gitano. —Estaba asombrada Mariquita con las nuevas revelaciones.

—Las mujeres nos lo creemos todo.

Ante verdad tan aplastante, ambas guardaron silencio unos instantes. Mariquita estaba abrumada.

—¿Así que todo mentira, todo? Que os habíais casado, que ganabais bien, que tú estabas como una reina, que él no quería que tuvieras hijos para que no te estropeases... ¡Todo mentira!

—Todo. Nos veíamos de Pascuas a Ramos, y cuando lo de la semana del jaleo, pues, ahí sí, ahí estuvimos juntos, ¡como nunca!

—Pero...

Se levantó Eulalia de pronto.

—Pero nada. Que vamos a dejarlo, Mariquita. Es lo mejor, no quiero hablar más de él.

—¿Y dónde vas a ir? ¿Al pueblo? Tus padres no saben nada.

—No, al pueblo tampoco voy. ¿Me has traído el dinero?

—No. Te lo pensaba dar en casa, en el Olivar.

—He apalabrado un cuarto en Santa Isabel, al salir de la estación, antes de venir aquí, en una corrala.

—Pero...

—Y para un café, ¿llevas? ¿Para media tostada? ¿Para unos buñuelos? Mañana hablaré con una mujer que me va a dar trabajo y me dejará para ir tirando. ¿Sabes? Voy a trabajar de planchadora en el «Hotel Ritz».

—¿El «Hotel Ritz»? ¿El que acaban de abrir? No me digas.

—Sí, por eso he vuelto. Planchadora...

Fue en ese momento cuando Mariquita empezó a sospechar que

alguna mentirijilla debía estarle colando su prima.

—¿Planchar? ¡Pero si tú nunca has sabido planchar!

—Aprendí en Barcelona, con esa mujer que te digo que es una verdadera artista, la que me va a colocar.

Mariquita la miraba de arriba abajo y sospechas de todo tipo empezaron a llenar su cabeza.

—Hija, me dejas...

—Bueno..., pues dame lo que tengas. —Cogía la maleta Eulalia y parecía que tenía prisa.

No era tonta Mariquita y todo le empezó a oler a chamusquina.

—Te lo llevaré luego a la casa esa que dices, a Santa Isabel.

—No me he fijado bien qué número era.

—Pues a ver cómo hacemos... —Se levantó también Mariquita y no pensaba dar su brazo a torcer—. Luego te puedo llevar lo que me has pedido.

Entonces Eulalia recordó de pronto y le dio las señas completas.

Al convertir Papantonio el antiguo dormitorio principal en su estudio de trabajo y llenarlo todo de estanterías y grandes muebles donde archivaba todo tipo de proyectos, planos de inventos y dibujos, el espacio se había quedado bastante reducido y una de las cosas que más irritaba a Manolita era que un gran armario de tres cuerpos tapaba casi la puerta e impedía el acceso al estudio, con lo que ella, que había engordado considerablemente después del nacimiento de Rosita, difícilmente podía entrar en el sanctasanctórum de él.

En la zona del antiguo gabinete todo eran cartapacios y rollos de papel que casi cubrían la cama turca donde dormía nuestro inventor y donde antes había estado la cama matrimonial ahora presidía la estancia su majestad el buró americano, que también se lo había metido Antonio en su estudio, y frente a él se pasaba el día, ante la persiana subida, abriendo y cerrando los treinta y dos cajoncitos que había dentro del buró y sacaba la parte del escritorio donde se incrustaba el secante, levantaba unas bisagras y lo convertía en atril y le daba a una palanquita y rotaban las lapiceras y empujaba hacia abajo y salían de los extremos del mueble dos varillas sobre las que se colocaba un soporte donde se podía enchufar una lámpara y... también tenía, ¿cómo no?, un mecanismo escondido que, al accionarlo, abría el cajón secreto donde Antonio guardaba el anillo masónico de Andrés, los restos de la cerradura de Shushtari, papeles y poemas y desde luego, el tantas veces nombrado manuscrito de *El Viajero del Sur*.

Sin embargo, y a pesar del maremágnum descrito, todo estaba perfectamente ordenado.

Manolita, a la puerta, tableteaba con los nudillos «una copita de ojén». Su voz, aunque lo disimulaba, traducía una crispación exigente.

—Antonio, Papantonio...

Él se reclinó en su butaca giratoria, clavándose contra la rejilla del respaldo. Se relajó.

—¿Sí?

—Ni sí, ni no. —Ahora sí que no disimulaba Manolita su enfado—. ¿Quieres hacer el favor de salir?

Se volvió Antonio. Ella había abierto la puerta, pero a pesar de que la moda había cambiado considerablemente y que las ropas de las mujeres habían perdido su antiguo volumen, Manolita estaba comprobando que no podría entrar sin engancharse el vestido.

—No puedo entrar. —Asomaba sólo la cabeza—. Lo que no entiendo es cómo puedes entrar tú. Debe ser que entras primero y que una vez dentro pones todos estos armatostes, para que yo no pase. —Golpeaba el armario con su puñito, como quien maja un ajo.

—¡Manolita! —protestaba Antonio, paciente, levantándose y yendo a su encuentro.

—Es que quiero hablar contigo —se acaloraba ella.

—Ya estás hablando.

—No. Así, no. Yo aquí, de pie, y tú al fondo de tu garita, ¡no! No sé cómo ves con la poca luz que hay.

—Veo perfectamente. Ya sabes que me molesta la luz para trabajar. ¿Quieres pasar? ¿Quieres que retire un poco este...?

—No, yo no tengo ningún interés en pasar a tu ratonera. ¡Mira que hacer de nuestro dormitorio una ratonera! Claro, nos comerán los ratones, como metes todo tipo de cochinadas...

—Manolita... —Se estaba poniendo Antonio la chaqueta, porque no le parecía bien hablar con ella en mangas de camisa.

—Por mí, si no quieres hablar conmigo, no tienes más que decirlo y me voy. ¡He dicho!

Cerró Manolita de golpe. Y se oyeron sus pasos nerviosos por el pasillo, dirigiéndose a la sala.

Antonio, después de contar hasta diez, salió tras ella.

Mientras esto ocurría en la «casa grande» del Olivar, Felipe Buenaventura y los niños Julito y Andresito visitaban como casi todos los domingos la Sacramental de San Justo.

Corrían los niños entre las adornadísimas tumbas y Felipe, enfundado en elegantísimo terno, luciendo guantes amarillos, jugando con su peligrosísimo estoque-bastón, compraba flores a un jardinero del cementerio y las repartía luego entre los niños.

—Éstas, Julito, para el padrino; éstas, Andresito, para quien quieras; estas otras para mí, que se las voy a poner a vuestro tío Andrés.

Pasaron, al poco, por una tumba sin nombre.

—¿Por qué no pone nada? —preguntó Julito.

—Sí pone, lo que pasa es que se ha borrado —replicó el hermano chico.

Le pasaba la mano Andresito a la piedra, y efectivamente, bajo una gran capa de tierra leyó con gran sentido y mesura:

—«... Senador del reino, consejero de Instrucción Pública, arcipreste de El Pilar en la santa iglesia de Zaragoza. Auditor del Tribunal de la Rota Romana, presidente de la Real Academia de Nobles Artes de San Fernando, secretario perpetuo de la Española, hombre de bien y poeta esclarecido, afable, discreto, piadoso, modelo de amigos, lustre y amparo de su familia, poeta insigne, oráculo del buen gusto en letras y artes. RIP. Nació en Zamora, el día 14 de diciembre de 1777, murió en Madrid, día 9 de enero de 1853.»

Se le caía la baba a Felipe oyendo cómo leía Andresito de bien.

—Hijo, tú vas para orador, ¡qué entonación, qué comprensión!

Protestaba Julito y le tiraba de la chaqueta.

—Yo leo mejor que Andresito, para eso soy mayor.

—Los dos leéis de corrido desde los cuatro años, hijos. Con el padre que tenéis ¡no ibais a leer bien! Pero Andrés le da una cosa a la lectura, una intención, una...

Julito hacía méritos y se inclinaba sobre la lápida.

—Mucho decir cosas, pero no se sabe quién es.

—Nicasio Gallego —decía Andrés muy repipi.

—¿Y ése quién es?

—¿Te parece poco? Andad, niños, vamos, vamos a buscar tumbas desconocidas que son las buenas para los cuentos.

Encontraron una estupenda, toda roída por el tiempo, sin inscripción. Los niños miraban hacia Felipe, reclamando la historia.

—Aquí, debajo de este ciprés, está enterrado un explorador —empezaba Felipe entonando el «érase que era». Y era un hombre que medía tres metros, como dos veces más que yo, algo más. Era tan alto como este árbol. Mató a veinticinco leones y a cuatrocientos leopardos y descubrió unos hongos con los que hacía una medicina que sabía muy mal.

Los niños le escuchaban con la boca abierta.

—Era una medicina con la que el explorador se hacía invisible.

—¡Oh! —dijeron los niños a dúo, como en las zarzuelas

—Se tomaba la medicina y, ¡zas!, ya no le veía nadie, ni los leones con sus melenas, ni los leopardos con sus manchas, ni los tigres con sus rayas. Por eso cazaba tantos. Iba por la selva, se tomaba la pócima, se hacía invisible y, ¡zas!, pasaba un león y lo mataba.

Arrugaba el hociquito Andrés, a punto de llorar.

—¡Qué malo! ¡Qué malo!

—Bah —decía Julito, práctico—. ¿No ves que es un cuento, tonto?

—Pero luego los resucitaba. —Arreglaba la narración para dar gusto a su ahijado que así se quedaba más tranquilo.

—¿Cómo que los resucitaba, padrino?

—El explorador llevaba a las fieras al Retiro, les daba la pócima y, ¡zas!, los resucitaba.

—¿Y las balas? —No lo tenía claro Andresito.

—¿Qué balas? —preguntaba Julito.

—Los mataba con balas, ¿no?

—Los mataba con balas, sí, pero eran proyectiles de chocolate que se deshacían en la tripita y no les pasaba nada.

—¿Pero no les agujereaba la piel al matarles? —quería saber Andrés.

—Mira, niño, Andresito, ya vale; no, no les agujereaba la piel, les metía las balas de chocolate por la boca y no les hacían ningún daño.

No le parecía del todo verosímil la historia a Andresito, pero al fin y al cabo sabía que era un cuento. Su hermano se había puesto a hacer el bestia entre las tumbas.

—Anda, Andresito, tú haces de leopardo y yo te disparo en la boca, ¡anda!

Andresito estaba agarrado de la mano de Felipe y no estaba por secundar ninguna de las brutalidades de su hermano.

—Sigue contando la historia del explorador, padrino.

—Bueno, pues verás, cuando se cansó de selvas, el explorador se casó con una princesa china que se llamaba Chu-Chu-Chu...

—¿Como tú que te vas a casar con Pilar?

—Pilar no se llama Chu-Chu-Chu.

—Sigue, padrino.

—Bueno, pues la princesa china tenía una trenza muy larga y unos pies muy pequeños, tan pequeños como los de vuestra madre, y...

Se acercaba Julito al oír que la cosa ahora iba de princesas.

—Cuando yo sea mayor me voy a casar con muchas princesas, con una china, con una rusa, con una inglesa...

—Para, para. Andad, vamos a llevarle las flores a don Julio.

Se dirigieron hacia la lápida que guardaban los restos de Julio Baonza y Julito, muy serio ahora, puso las flores sobre la tumba.

—Aquí está el padrino. ¡Pobrecito! —dijo—. Está todo entero, ¿verdad, tío Felipe?

—Sí, hijo, todo entero.

—¿Y cabe? —Lo preguntaba siempre.

—Claro que cabe. Está debajo de la lápida, dentro de una caja y cabe muy bien, está muy cómodo, tumbadito.

—Cuando yo me muera, ¿me meterán en una caja o me iré al cielo?

—Lo cortés no quita lo valiente, Andresito.

—¿Por las noches sale de la tumba y se come las flores? —Quería saber Julito.

—¡Qué cosas dices, niño!, no.

—Los faraones, me han dicho en el colegio, que...

—A los faraones les ponían comida en las tumbas, sí, pero era una cosa simbólica, para que hiciera bonito.

—Pues si no se las come, ¿para qué quiere las flores? ¿Qué hace con ellas?

—No hace nada con ellas. No hace nada, porque está muerto y los muertos no hacen nada. Se les traen flores como homenaje, para que haga bonito también, para que sepan que nos acordamos de ellos.

—¿Y les gusta que nos acordemos de ellos?

Resopló Felipe.

—Sí, mucho, les gusta mucho que nos acordemos de ellos. Venga, vamos, que no estoy dispuesto a pasarme toda la mañana contestando preguntas, que os conozco.

—¿Y yo mis flores a quién se las doy?

—A mi padrino no, dáselas al tuyo.

—Mi padrino no está muerto.

—¿Tú de qué te vas a morir Felipe? Porque el padrino de Julito se murió de viejo, ¿verdad?

—No sé, hijo, de lo que tú quieras.

—Entonces, de viejo.

—Gracias, hijo.

—¿Morirse de viejo, es una enfermedad? —Quería saber Julito.

—Morirse de viejo es natural.

—¿Y la enfermedad no es natural? —inquiría Andresito.

—Os he dicho que basta ya, niños.

—¿Rosita se va a morir? ¿Y mamá? Mira, padrino, Rosita me mordió aquí en la mano.

—La harías rabiar.

—Pues que no se muera hasta que yo la pegue otro mordisco.

—Está bien, hijo, sí, que no se muera nadie.

Aún seguía Andrés con sus flores en la mano.

—Ponlas en una tumba que te guste, hijo.

Siguieron andando y casualmente, al pasar por un panteón sereno y florido, Andresito le puso sus flores a la tumba de una tal doña Blanca Eizegaray.

IV

De ofendidos y ratones. — A Papantonio no le hace gracia
que Mamaíta le llame de usted. — De la utilidad de guardar
los periódicos. — Eulalia lo cuenta todo «c» por «b». — Del
Lunar del Cuello de la Eulalia.

Desde el día en que Mamaíta echara a Papantonio de su dormitorio, realmente, a lo que más dedicaba su tiempo la abnegada
madre y relativa esposa era a acumular ofensas, casi siempre las
mismas, que «necesitaba discutir», así que una vez que había sacado al oso de su madriguera y que le tenía, manso, de pie, apoyado
en la chimenea, se dispuso a emplear parte de esta buena mañana
de domingo en ponerle los puntos sobre las íes.

—Pero Mamaíta... —Le daba cuerda a su reloj Antonio, calcu-
lando cuándo acabaría hoy la bronca.

Mamaíta resoplaba con dificultad dentro de su corsé y mano-
seaba muy nerviosa las borlas del tapete de la mesita de té que
había sustituido al «velocípedo».

Estaban en plena faena.

—En tu estudio, los niños y los ratones sí que entran.

—Son más pequeños —decía Antonio con una sonrisa.

—Ahora me vuelves a ofender, llamándome gruesa.

—Yo no te he llamado nada, pero si quieres que hablemos de

tu dieta, hablamos y te puedo demostrar que no te alimentas más que de disparates.

—Peso setenta y seis kilos, que me pesé el otro día con Pilar en la farmacia de Castellanos.

—Pesas doce más que yo y...

—Y tú eres un hombre, vas a decir.

—Mamaíta...

—Pues te diré que lo consulté con don Rafael y él piensa que tu dieta de verduras, pasas y frutos secos es... es... —No sabía muy bien qué era Manolita—. ¡Es una animalada!

—Una animalada herbívora, siempre es menos animalada que una animalada carnívora. —A veces se creía muy gracioso Papantonio—. Manolita, ¿de qué quieres que hablemos?

—¡De tus ratones! Y de que has vuelto a quitar las trampas.

—Manolita, no hay ratones en la casa porque yo coma alguna cosilla en el estudio. ¡No querrás que me muera de hambre!

—Lo que no quiero es que nos coman los ratones a nosotros. Los niños me han contado que ayer estuvisteis haciendo migas y dejándolas en los rincones del estudio para los ratones. ¡Encima!

—Era un juego. Rosita se divirtió mucho.

—Rosita es una salvaje.

—Mujer, es tu hija. Como a ti te gusta tanto la selva, no me extrañaría que...

Le salían chispas por los ojos a Manolita. Le cortó.

—¡Así que a ti te parece bien, te parece bonito dar de comer a los ratones!

—No me parece mal. Además, si se acostumbran a comer en el suelo, no se me suben a la mesa de dibujo.

—¡Usted está mal de la cafetera, caballero!

—Además, más comida hay en la despensa y en los aparadores del comedor, que eso sí que me parece mal.

—Mi madre tenía las galletas en el aparador y yo hago lo que me enseñaron.

Era un tema, el de la difunta doña Trinidad y sus costumbres, que Antonio no estaba dispuesto a abordar.

—Manolita, si hay ratones en la casa, es por la proximidad de la madera, no porque yo como unas pasas en el estudio.

—¡Pues si no quieres ver trampas en la casa, al menos, ponlas en el taller!

—Trampas; no, por ahí no paso. Los ratones tienen tanto derecho a vivir como todo el mundo.

Estaba tan furiosa Manolita que a punto estuvo de arrancar la borla del tapete.

—¡Eres un obcecado!

—Prefiero que me llames obcecado a sentirme un asesino.

—¿Pero?, ¿pero? —No había palabras para describir lo que ella pensaba del hombre con el que se había casado.

—¡Estás..., estás...!

—Mamaíta, anda, déjalo.

—¡Pues mete unos gatos!

—No hace falta meter gatos en el taller. El Olivar está lleno de gatos.

—Y tu guarida llena de papelotes y de periódicos viejos, que pareces una urraca. Tu casa iba a ser una casa abierta, ¿eh? Y te pasas el día encerrado con veinte cerrojos y treinta candados. ¡Deja que Mariquita entre a tu estudio a limpiar!

—No, eso ya lo hemos hablado. Luego se perdería algún papel y no quiero tener que echarle la culpa a nadie.

—¡Bien que dejas que entre Vicenta!

—Vicenta... —Eso tampoco estaba dispuesto a discutirlo—. Vicenta casi no viene a la casa desde que tenemos a Carmela. Y antes, si entraba aquí era porque tú la mandabas con un café. Y además ella está acostumbrada a mis papeles. Cuando me fui de «trotamundos» como tú dices, no me traspapeló ni una hoja, ni una factura.

Por ahí no había forma de meterle el diente, así que cambió de estrategia.

—Esa mujer está a punto de dar a luz y no debería trabajar tanto. —Había bajado la voz Manolita—. Si Mariquita se trae a Eulalia, no hará falta que Vicenta siga ayudando en la casa.

—Eso es cosa tuya —replicó Antonio, bajando también la voz. Ahora sí que sacó unos hilos Manolita de la borla y empezó a tironear de ellos, como si le fuera en ello la vida.

—¿Tú crees que esa mujer va a poder con todo, cuando nazca lo que tenga que nacer?

—¿Qué quieres decir? ¿Era de Vicenta de lo que querías hablar?

—No sería mejor...

—¿A ver qué se te ocurre? ¿A ver qué vas a decir?

—No, nada, ya lo decía Baonza... La portería es cosa tuya.

—Manolita. —Se sentaba ahora Antonio en el sofá y la obligaba a ella a hacer lo mismo, a su lado—. Manolita, yo hice un acuerdo con Basilio y con Vicenta. El chiscón sería de ellos mientras ellos quisieran vivir aquí. No querrás que falte a mi palabra. Ella cumple con sus obligaciones, toca la campana, da de comer a los perros, ha ayudado siempre mucho...

—¿Y tú crees que Basilio va a volver?

—No lo sé, Manolita.

—Vaya... ¡tú que lo sabes siempre todo!

—No, no lo sé todo. Precisamente tengo unos problemas con el funcionamiento de la nueva máquina que no sé cómo resolver.

—De eso también quería hablar contigo.

—Muy bien. —Se inclinaba hacia ella con interés. Aquello era nuevo.

—Aunque no sirve de nada hablar contigo, porque quiero que sepas que no me engaño, que sé que tú te hiciste el estudio y lo has llenado de ratones para que yo no entre. Empujas los muebles contra la puerta para que yo no pueda pasar. Sí, yo dije que no quería tener más hijos y a ti te pareció una idea estupenda, quedarte a dormir aquí abajo en un estudio que has llenado de ratones... ¡Para que yo no entre!

—¿No decías que querías hablar de las máquinas?

Era agotadora, pero Antonio sabía que había que esperar a que la bronca hiciera crisis. Y faltaba poco, porque Manolita había abandonado los hilos de la borla y ya había empezado a morderse las uñas.

—Cuando escribí a Celia y se lo conté, lo de los muebles y los ratones, porque yo a Celia se lo cuento todo desde niña... ¿Sabes lo que le dijo el tío Manuel?

—Si se lo contabas a Celia no sé por qué tenía que opinar el tío Manuel.

—No me pongas nerviosa.

—¿Qué dijo?

—Que lo de la puerta sería alguna de tus manías simbólicas.

Ahora sí se molestó Antonio y se levantó, él también ofendido y se volvió a la chimenea.

—Los ignorantes decís muchas cosas simbólicas, también. Mira, Manolita, si no tienes nada más que decirme, deja que vuelva al estudio. Tengo que acabar ese proyecto. Quiero patentarlo ahora en octubre. Hay varias fábricas esperando. ¿Y no decías que era de eso de lo que me querías hablar?

—Sí, de tus dichosas patentes y de nuestros hijos.

—A nuestros hijos, ¿qué les pasa?

—Pasarles no les pasa nada; además, si les pasa, tú no te enteras.

—¿Qué les pasa?

—Que han ido otra vez al cementerio. —De la mesita cogió Manolita una pequeña fotografía enmarcada donde se veía a los tres niños con telón de fondo de olivos—. ¡Al cementerio!

Comenzó a reír Antonio.

—¡Qué ideas tan peregrinas tiene Felipe!

—Claro, los niños le han cogido gusto, como les cuenta historias fantásticas. —Devolvió la fotografía a su sitio—. Se pasan la mañana tan ricamente en el cementerio, con los muertos, en vez de ir a la Casa de Fieras.

—Las fieras son más peligrosas que los muertos, Manolita.

—No digas gracietas.

—De acuerdo.

—Luego Andrés se pasa la noche con pesadillas y Julito haciendo preguntas raras.

—Pues aunque creas que no me entero de nada, te diré que veo a nuestros hijos siempre muy alegres... jugando.

—Claro, jugando en el patio, con la portera y con los obreros, la niña también. A ver dónde te crees que está ahora. Ella no ha querido ir al cementerio, ha preferido irse al Rastro con Carmela, con Vicenta y con Pepillo... ¡Tómate esa! Al Rastro a comprarse tornillos, eso ha dicho.

—¿Tornillos?

—Sí, tu hija, ¡tornillos! ¡Como Pepillo les ha hecho un coche de madera a cada uno! Antes eran barcos y ahora coches de madera. Julito y Andresito no caben ya en sus coches, pero Rosita se mete dentro de todos y ahí la tienes a tu hija, todo el día de un lado para otro del patio, como un chicazo, pedaleando, con las rodillas llenas de costras, de un lado a otro del patio, entre astillas. ¡Si tú estuvieras más con ellos, más pendiente!

—Y tú, ¿por qué no estás más con ellos?

—Yo estoy con ellos a la hora de despertarse, de comer, de bañarlos, de dormir...

—También deberías estar con ellos a la hora de jugar. —Sería mejor que ella se enfadase cuanto antes—. Manolita, anda, no des más rodeos y dime lo que querías decirme. Dímelo y quédate a gusto.

—¿Yo?

—Sí, Manolita, tú.

—¡Tú no piensas en el futuro! —Ya lo había dicho.

—El futuro no necesita que pensemos en él.

—La herencia del señor Baonza...

—¡Acabáramos!

—¡Déjame acabar, sí! Era para Julito. Y además de mandarle dinero a tu hermano para su dichosa fábrica de jabones...

—Deja al Chache Emilio en paz, Manolita.

—Además..., ahora te gastas el dinero en esas patentes.

—Baonza me dejó su legado para que yo hiciese con él lo que creyera más conveniente.

—Era para Julito y sólo para Julito.

—No había nada escrito al respecto y quien siempre ha hablado con él de esas cosas he sido yo.

—No. era para tus patentes ni para esa, esa...

—Ten cuidado con lo que vas a decir, Manolita...

—A mí no me lo has contado. Me tengo que enterar por otros.

—¿Por quién te tienes que enterar?

—¡Por nadie! Vi los recibos el otro día en tu mesa, en el buró...

—¡Vaya! Sí puedes entrar a pesar de los muebles y los ratones.

—Te dejaste la puerta abierta y entré a limpiar un poco.

—¿Y qué recibos viste? ¿Los que me firma la madre de esa pobre chica?

—¿Una pobre chica? ¿La tal Emilita, una pobre chica? Está trabajando de modelo en Bellas Artes y le dan buenas propinas. Lo ha averiguado Pilar.

—¡Qué enteradas estáis! Yo hace meses que no la veo. Viene su madre y yo le doy lo que Baonza me dijo que le diera.

—¡Estás loco..., loco..., loco! —Ahora empezaba lo bueno y era algo que a él le sacaba de sus casillas—. ¡Está usted loco! Porque usted, usted, señor mío, usted...

—Manolita, ¡no me llames de usted!

—Loco..., dándole dinero a las mujerzuelas de mala vida, alimentando a una patulea de sobrinos, que nadie tiene la culpa de que su padre sea un «romántico del jabón» como dice él... ¡Si la fábrica no funciona, que se dedique a los parrales! —Estaba embalada—. Y ahora gastándote la herencia de tus hijos en inventos y máquinas. —Cogió aire—. ¡Es usted un calavera!

—¡Manolita! —Que le llamase de usted le ponía frenético—. Te digo que no me llames de usted. No me hace gracia.

Ahora sí que estaban llegando al punto culminante de la bronca matrimonial.

—¡Usted es un dilapidador de fortunas!

—¡Te he dicho que no me haces gracia!

Había levantado un poco la voz, muy poco, todo lo que él la podía levantar, que era nada.

—¡No me grites! —aulló Manolita.

Y ahora sí se puso finalmente a llorar presa de histerismo. Gritaba y levantaba al cielo los brazos, poniendo todo lo que llevaba dentro, porque no se daban muchas ocasiones como ésta en que la casa estaba sola y que ella podía armarla a su gusto.

—¡Sí! ¡Un calavera! ¡Usted es un calavera! Ya me lo decía mi madre. ¡Un loco! ¡Un visionario! Y usted se cree que se ha casado con una familia de saltimbanquis...

¿Quién había dicho eso?

—Claro, para usted que es un trotamundos... ¡Un domador de ratones, eso es usted! Para usted la vida es un circo, una aventaura. Porque usted es un lunático que está dispuesto a que nos muramos todos de hambre en la calle, ¡llenos de tiña! ¡Si fuera por usted, ya hubiéramos tirado la casa por la ventana! ¡Si acabaremos debiendo hasta en la tienda! ¡Si acabaremos, como unos zarrapastrosos, pidiendo por las calles, con un organillo, un tambor y un pandero! Y claro, yo soy tonta de remate, porque lo consiento, porque a usted había que ponerle los tornillos que le faltan, eso, Rosita le tenía que poner esos tornillos del coche, a usted. Que es usted lo peor que se puede ser en el mundo, ¡un idealista! —Le faltaba el aire. Gritó—. ¡Un idealista!

—¡No sabes lo que te dices! —Él estaba vencido, enormemente triste.

—¡Usted sí que no sabe lo que se hace! —Ella estaba algo cansada también—. Usted...

—Manolita, por favor, de usted, no. ¡Que no me haces gracia!

Ella entonces también se puso triste, triste de verdad, muy triste.

—Antes, sí; antes, por lo menos, yo te hacía gracia.

Antonio había vuelto a su estudio e intentaba serenarse después de la bronca, buscando la concentración necesaria para seguir con los cálculos de sus máquinas. Llamaron de nuevo a la puerta del estudio. Era Mariquita, que tras unos golpecillos, sin andarse con cumplidos, se coló en el estudio y se derrumbó en la cama turca, llorando.

—¡Dios mío, doña Mariquita, ahora usted! ¿Qué pasa?

Doña Mariquita echó la cabeza atrás y en gran trágica, largó su monólogo. ¡Qué mañana le estaban dando!

—No quiere volver, don Antonio, Eulalia no quiere volver. ¡Es tan desgraciada! ¡Toda de luto, depauperada, astrosa! ¡Y no le queda ni un botón! —Cogió aire—. Yo les mentí, don Antonio, porque yo lo sabía, que Luis no había muerto de un accidente, sino que le habían fusilado en la cárcel después de las revueltas de Barcelona...

—Cálmese, doña Mariquita, cálmese. ¿Qué dice de fusilamientos?

—Y resulta que ni siquiera se casaron y que ella lleva a lo que salga desde que él murió y que ahora quiere vivir sola y ser planchadora del «Ritz».

—Por partes, doña Mariquita, por partes; vamos a ver, está visto que hoy no voy a poder trabajar. Vamos por partes. ¿Qué es eso de que a Luis le fusilaron en la cárcel? ¿Qué es eso?

Aunque sólo fuera una vez, iba a quedar demostrado que guardar los periódicos atrasados era de utilidad.

No había querido que la acompañara ni Antonio, ni Manolita, por supuesto. Ni nadie. Ella sola se las iba a entender con aquella «chirula» mentirosa y trapacera.

Cruzó la glorieta de Atocha en línea recta, esquivando los tranvías y los coches de caballos, y rodeando el Hospital de San Carlos subió la cuesta de Santa Isabel donde hizo algunas averiguaciones más y luego se llegó a la corrala cuya dirección le había dado Eulalia aquella misma mañana.

Era ya la atardecida.

En el patio de la corrala había más basura de la que había visto nunca Mariquita. Sacó del puño el pañuelo y se lo llevó a la cara, sin disimular sus ascos, tapándose ostensiblemente las narices.

Al fondo de la escalera, anubarrados de moscas, una mujer vieja y un racimo de chicos pelaban cacahuetes, soplándose unos a otros las cascarillas. Un chaval sucio, de mocos petrificados, se dirigió a Mariquita mostrándole una caja donde guardaba las medias vainas de los frutos.

—Señora, por amor de Dios, cómpreme estos barquitos, para sus hijos, mire, se pone la cáscara así, sobre el agua y flotan en la palangana. Para sus hijos, señora, para entretenerlos. No están agujereados, los he abierto con mucho cuidado.

Buena iba Mariquita como para entretenerse, para que le contaran una de barcos. Le pegó un empellón al chiquillo.

—Fuera, mocoso, fuera; no te acerques que me vas a manchar, y dile a tu madre que rompa unas sábanas viejas y te haga unos pañuelos, para limpiarte esas velas.

—Para sus hijos, señora —insistía el vendedor de cacahuetes con vocación de armador y se restregaba la cara contra las faldas de Mariquita.

—No tengo hijos, chico, fuera, que me vas a poner perdida. ¡Afortunadamente, Dios no me ha dado hijos!

Del segundo empellón que le largó al muchacho, cayeron los frágiles barcos al suelo y no podríamos asegurar que Mariquita no aplastase alguno que otro al seguir su camino.

Lanzó un grito de guerra el chaval y se armó la tremolina. Chillaron los niños y bramaba la vieja, repartiendo bofetones a diestro y siniestro, manejando los brazos como aspas de molino.

En el segundo piso de la corrala, se abrió una puerta y apareció Eulalia. Gritaba más que nadie.

—¡Es mi prima! Dejadla en paz. ¡Seña Milagros, es mi prima, que la dejen esos chicos o bajo y los avío!

Subió acalorada Mariquita las escaleras que le quedaban, entró en el cuartucho de Eulalia, cerró la puerta y se apoyó contra la misma.

—Uf —dijo.

—Hija mía, primucha, qué genio. Les podías haber dado unos céntimos y llevarles las vainas a los niños. La verdad es que flotan muy bien.

Respiró hondo Mariquita, se volvió hacia Eulalia y con todas sus fuerzas le arreó tal torta que admirados hubiera dejado a los mejores púgiles del momento.

—¡Mentirosa! —gritó Mariquita—. ¡Mentirosa, mentirosa, mentirosa!

La verdad es que Eulalia no se esperaba ataque tan rápido y frontal y quedó unos momentos anonadada y confundida por el golpe. La mejilla se le enrojeció como por arte de magia. Se llevó Eulalia la mano a la cara y aún no había tenido tiempo de reaccionar cuando Mariquita ya la estaba zarandeando.

—¡Mentirosa, «chirula» mentirosa, que te vas a condenar, que te lo digo yo! ¡Ahora mismo me cuentas toda la verdad! Don Antonio me ha enseñado unos periódicos atrasados y lo de que fusilaron a Luis es mentira, me ha enseñado los nombres. Además, he preguntado por ti en las tiendas, porque yo no me chupo el dedo y te conozco y sé que no hay ni ha habido en el mundo mentirosa y trapacera como tú. —Cogía aire y seguía de un tirón—. Me han dicho que llevas más de un año viviendo en esta corrala. ¿Quieres decirme qué ha sido toda esa comedia de esta mañana, la carta, la maleta, el quedar al lado de la estación, en el Botánico?

Levantaba amenazante la mano Mariquita pero ahora ya estaba Eulalia prevenida y había puesto la mesa por medio. Agarrada a la misma, se inclinaba sobre el tablero e increpaba ella también a Mariquita.

—¿Cómo quieres que te cuente nada, si no escuchas? Si me gritas, no puedo pensar... —Gritaba más alto Eulalia y Mariquita se dio cuenta que los chavales se asomaban a las ventanas que daban al corredor y que espiaban la escena, atentos, mudos, excelentes espectadores.

Se dirigió a las ventanas y las cerró de golpe, deseando pillarles los dedos a aquellos golfillos. En el patio sonó un silbato. Aprovechó Eulalia para hacer un gesto de escabullida.

—Tengo que bajar la basura, ahora vengo.

—Tú de aquí no te vas hasta que me lo cuentes todo «c» por «b».

Se abalanzó Mariquita sobre su prima y la trincó con ambas manos, sentándola a continuación de golpe sobre un catre mugriento que gimió bajo su peso.

—Me vas a hacer maldecirte, «chirula», me vas a perder a mí también. Ay, Virgencita de Atocha, haz que no la mate, que no la mate... ¿Para esto te traje yo a Madrid?

—¡No ha llovido!

Se revolvía Eulalia y aprestaba las uñas, por si acaso.

—¿Qué? —seguía Mariquita imparable—. ¿Te parecía poco que Luis hubiera muerto en un accidente? ¿Por eso te has inventado lo del fusilamiento? ¿Creías que así me ibas a dar más pena? ¿Qué así me ibas a sacar los cuartos? ¡Contesta!

Se transformó Eulalia. Se tapó la cara con las manos y comenzó a temblar. Era muy buena comedianta la desgraciada y si podía convencer al público exigente de los niños, que suele ser público de sol, ¿cómo no iba a convencer a su prima? Comenzó otro relato lastimero y lleno de detalles, entre hipidos ahogados.

—Escucha, prima, escucha, por compasión. ¿No ves esta miseria? Yo creo que me voy a volver loca, ¿no ves cómo vivo? Me van a echar si no pago, ¿no comprendes? Deja de gritar y escucha. La verdad, pues la verdad, sea. —Bajó la voz y costaba escucharla—. Parte de lo que te he dicho es verdad, pero, no, a Luis no le fusilaron, no, ni murió en accidente alguno, murió en la cárcel, enfermo. Lo metieron preso cuando la revuelta del puerto y allí murió de enfermedad, y lo que te he dicho que no nos casamos es verdad, ¡eso es verdad! ¿Para qué quería yo entristecerte más y que supieras de todas mis penas? Te escribí que estaba bien, que todo iba bien, pero lo hacía por ti, para no apenarte. Y claro que llevo en Madrid más de un año, pasando miserias, vendiendo perejil y estampas de San Pancracio en el mercado, haciendo de todo y como ya no podía más te he contado todo esto de que acababa de llegar y la maleta y todo eso, para que me ayudases con un poco de dinero porque si no, me van a echar de aquí y moriré en la calle como un perro, que no seré la primera ni la última, que no sabes tú bien la miseria que hay y las penas tan grandes... Y no te quería dar mi dirección porque esperaba, que si me dabas algo, igual arreglaba esto un poco para que cuando vinieras no tuvieses que avergonzarte de mí. No sabes la de veces que te he visto pasar. Me bajaba al Olivar y veía todo, la casa, el taller y no lo podía resistir, la pena, ¡la pena! A punto he estado muchas veces de llamar a la puerta de la cocina y pedirte limosna, que seguro que ni me hubieses conocido.

Hacía rato que Mariquita, desarmada, lloraba como una descosida.

Y estaban las primas de Toledo, «greca» y «chirula», agarradas la una a la otra como una estampa ejemplar cuando se abrió la puerta y apareció Luis Márquez, el muerto... ¡vivito y coleando!

—Doña Mariquita —dijo el aparecido, sonriente.

Mariquita abrió unos ojos como platos, se le desencajó la mandíbula y a continuación cayó hacia atrás en la cama, desvanecida.

Luis y Eulalia intentaban reanimarla, con golpecitos y paños húmedos y desde muy lejos le llegaban a Mariquita sus voces, entre silbatos, lucecitas y vahídos.

—¿Pero no te das cuenta —estaba diciéndole Eulalia a Luis—, que era lo mejor? Si es que con ella no hay quien pueda. Iba a bajar la basura para buscarte en la taberna y avisarte para que no aparecieras y nada, has tenido que llegar cuando ya lo tenía todo medio arreglado.

—Pobre doña Mariquita, pobre doña Mariquita —decía Luis—. ¿Pero no le habías dicho ya esta mañana que lo de que me había muerto era mentira?

—No me dio tiempo, si con ella no hay quien pueda. No me atreví.

Luis le daba cachetitos a la doña y ésta abría y cerraba los párpados como una muñeca de cartón piedra.

—¿Cómo iba a decirle que la verdad es que me dejaste tirada?

—Yo no te dejé, paloma, fueron los militares los que tuvieron la culpa de todo.

—Mira, ya parece que quiere hablar, que ha vuelto en sí. Mariquita, Mariquita, prima, mujer...

La ayudaron a incorporarse. Le pusieron almohadones detrás de la espalda. Luis le dio un vaso de aguardiente y Eulalia le tapó las rodillas con una manta agujereada.

—Estás temblando, prima, ¡qué susto! ¡Valiente patatús!

Mariquita miraba al muerto viviente, como si quisiera asegurarse de que efectivamente no era un fantasma.

—Doña Mariquita, ¡qué alegría verla de nuevo! —Sonreía Luis con su mejor sonrisa de hombre, porque, aunque por toda novedad lucía una fea cicatriz que le torcía el gesto, se recordará que cuando sonreía aquel dinamitero, dejaba ver bajo el bigote una dentadura que hacía que perdieran los estribos y toda compostura las mujeres—. Doña Mariquita, los años no pasan por usted, siempre tan guapa, con estas manitas de niña. —Le había tomado las manos heladas entre las suyas y se las soplaba con hálito de macho—. Siempre tiene las manitas tan frías, doña Mariquita, ay, ay, venga aquí, que se las caliente, que yo soy una estufa.

Ya empezaba a mosquearse Eulalia.

—Deja, deja, déjate ya de camelarla, Luis. Con esas manitas, mira la cara que me ha puesto... ¡Menudo bofetón!

Se refugiaba doña Mariquita en el peligrosísimo anarquista, volviéndole la cara a Eulalia.

—Ahora, tú, Luis, ahora tú me lo vas a contar todo.

—Ay, ¿y por dónde empezar, doña Mariquita?

—Por el principio, hijo, por el principio. —Estaba recobrando el sentido y los colores pero aún balbuceaba—. ¡Por el principio!

Se volvía Luis a Eulalia.

—Sírvela otra copa, mujer, ¡está transida!

—Siempre ha estado transida esta «greca» de mierda, siempre en una nube, en la «casa grande», aisladita entre algodones, sin enterarse de qué va la vida.

—Calla, paloma, calla, déjame a mí. —Le servía él la copita y se la ponía en los labios, como a un niño que está aprendiendo a beber—. Un sorbito, doña Mariquita.

Eulalia se separó de los amartelados y se arreglaba el cabello revuelto y se miraba la torta ante un espejo medio roto.

—Yo se lo contaré todo, doña Mariquita. Verá. Y yo no miento, que para mí la verdad es el único norte, que no soy yo como las mujeres, que tienen que mentir para salvarse.

Resopló Mariquita y apurando el vaso, se dispuso a escuchar verdad de la buena.

—No sé lo que le habrá contado Eulalia, pero ésta es la fetén. Al principio de llegar a Barcelona, yo encontré trabajo en un taller y como yo respeto a la Eulalia, cada uno se fue a vivir a un sitio, ella a servir y yo a un cuarto de dos reales. Porque yo le había dado «palabra y mano» y no me iba a aprovechar de ella. Así que la respeté y no le puse, ni le he puesto aún, la mano encima, que yo soy muy hombre y una cosa es tontear y achucharla y otra llegar a mayores. Así que ella, para mí, sigue siendo mi novia y yo la respeto. Empezamos a ahorrar para los muebles y a punto estuvo todo de salirnos bien, pero la política, doña Mariquita, la política, que eso es para mí lo primero, que primero son las cosas por las que un hombre tiene que morir... —Se le iluminaban los ojos—. Nos marchamos de Madrid hace ocho años, bueno, pues de esos ocho años, seis los he pasado en la cárcel y no me fusilaron, no, pero muchas veces pensé que sería una suerte que me mataran, porque he sufrido mucho. Entrar y salir de la cárcel, ésa ha sido mi vida en Barcelona. Cuando salí hace un año, busqué a la Eulalia y no pude dar con ella, hasta que me enteré que se había venido a Madrid, con una planchadora que era vecina suya de la calle Tallers... ¿Qué ha estado haciendo la Eulalia estos años y este último en Madrid? Eso, yo, ni me quiero enterar, pero ella dice que siempre me ha estado esperando, que ha estado vendiendo requesón en el mercado, eso dice ella, que ha estado de requesonera. ¡Maldita sea mi estampa! De requesonera mi paloma, con esa cara de buena y esos ojazos y esas carnecitas flacas que se le han quedado.

Se había olvidado Luis de Mariquita y vuelto hacia Eulalia la abrazaba contra su pecho.

—¡De requesonera, mi Eulalia, mi mujer! —Tragó saliva Luis, emocionado—. Pero ahora todo va a cambiar, doña Mariquita. Todo va a cambiar. Ahora sí que nos vamos a casar, porque yo le di «palabra y mano» y no pienso meterme en más líos, que bastante he hecho yo por el progreso de los obreros... ¡Pudrirme en la cárcel, eso he hecho!

—Luis... Luis —Metía la nariz en el velludo pecho de él y se alimentaba Eulalia de sus olores.

—Voy a volver al taller, doña Mariquita, y hablaré con don Antonio. No soy yo de los que inclinan la cabeza, pero si el señor Juan me pide perdón por haberme denunciado, yo le perdono y vuelvo al taller. Si no, sé que don Antonio me ayudará recomendándome para buscar trabajo en otro sitio. Si la Eulalia quiere, que vuelva a trabajar en la casa, si no, yo me basto y me sobro para alimentarla, que ella nunca quería trabajar de casada y menuda vida le he dado. No tenemos prisa. La llevaré al altar como una reina y aunque tengamos que esperar lo que haga falta, al final será mi mujer y la haré la más feliz del mundo, que ella lo que necesita es mi cariño y yo el suyo.

Mariquita estaba convencida pero tenía que decir algo.

—Y te meterás en líos, Luis, porque tú eres un culo inquieto y te harás otra vez de la CNT o de la UGT o de lo que sea.

—No —dijo Eulalia—, mi Luis ya ha escarmentado.

Hizo él entonces profesión de su nueva militancia.

—Ni de la UGT ni de la CNT, doña Mariquita. Yo soy del LCE. ¡Del L-unar del C-uello de la E-ulalia!

Y le besó Luis a Eulalia en el lunar, como un juramento y Eulalia echó la cabeza para atrás, entregada.

A Mariquita le recorrió el cuerpo un temblor antiguo.

Se presenta Luis Márquez. — Función en la nave de los ebanistas. — Lo que oyen las paredes de la taberna de «El Chato». — Callos picantes, tortilla a la española y pimientos fritos. — La solidaridad obrera. — Arde Europa y nace Isabelita.

Aquella mañana, en el patio del taller, sólo andaban rezagados
los perros. Los obreros habían entrado a las naves, apresurados,
porque se había corrido la voz de que hoy se presentaba Luis
Márquez. No quedaba ni un alma en el patio.

Bueno, un alma, sí, o mejor dicho casi dos, porque Vicenta,
agarrada a la cuerda de la campana, la tocaba con fuerza y tenía
alegre la cara y se rebullía en su barriga entre los repiqueteos, el
fruto de su vientre.

Luis Márquez acababa de cruzar el portón y se dirigía hacia
la entrada de la nave de los ebanistas. Se quitó el tallista la gorra,
desde lejos, al ver a Vicenta y la saludó con la mano.

Antes de terminar la lectura habitual del periódico, se habían
deshecho los grupos dentro del taller y cada uno se dirigía a su
puesto de trabajo. Estaban todos alertas, tensos, no dispuestos a
perderse ripio. La función iba a comenzar.

Paco el ladrón se había subido al altillo de los tallistas y parecía
que estaba en palco de platea. Guiñaba los ojos y le daba codazos
a Pepillo a quien le batía el corazón como nunca.

—Mira, mira, chico, escucha cómo toca la campana tu tía. ¡Por dos! La toca por dos.

—Usted de mi tía, ni hable. —Se ponía digno Pepillo, metiéndose el blusón.

—Vale, hombre, vale. Pero es que hoy ha tocado antes que nunca y así no hay tiempo de echarse un pitillo.

—¡No echará usted pitillos ni nada, cuando va por ahí entregando los pedidos!

—¡Mira, mira, ya entra! ¿No fue el que te enseñó a ti? ¡A ver si ahora te quedas sin trabajo!

—Cállese, mala leche.

—Mírale, mírale, el anarquista de Barcelona, Luis Márquez, al que denunció el señor Juan.

—¿Usted cómo sabe tanto?

—Chico, esto no es Kapurtala, aquí todo se sabe. Y para que te enteres, me lo ha contado tu tía Vicenta que no es como tú, que a mí me aprecia. Mira, Pepillo, mira qué cara se le ha puesto al señor Juan... Pálido, pálido se ha puesto. Hasta la calva la tiene más blanca. Aunque el muy negrero también sabía que se presentaba hoy. También me lo ha contado tu tía, para que te enteres.

Hacía Pepillo que se enfrascaba en el trabajo, soplando de vez en cuando la herramienta.

—Se va a acabar, eso de que hable usted tanto con mi tía.

—Huy, pues la próxima vez le pediré permiso al amo —se burlaba Paco—, porque a tu tío Basilio, como no se sabe de él, no le voy a pedir permiso... y el señor Juan..., ése ya es muy viejo para darme a mí permiso para hablar con una mujer. ¿O le tengo que pedir permiso a usted, don José?

Levantó Pepillo un grueso formón y se lo puso debajo de la barbilla al carretero.

—¡Déjeme en paz, so maula! ¡Bocazas!

Se apartó de él Paco, riendo, porque siempre estaban a la gresca los dos.

Había sonado el segundo toque, Luis Márquez acababa de entrar en el taller y se dirigía parsimonioso hacia la mesa de su enemigo declarado, el señor Juan, el encargado.

Se estuvieron mirando cara a cara hasta que dejó de sonar la campana, hasta que se hizo el silencio total tanto en el patio de butacas como en el anfiteatro.

—Buenos días, señor Juan —dijo Luis Márquez, con voz clara, con aplomo.

—Diga usted —fue la contestación del señor Juan.

Ni un taladro, ni una cepilladura, ni un sólo martilleo. Hasta las sierras de la nave contigua habían enmudecido.

—Don Antonio me dijo ayer que me presentara hoy. El patrón habrá hablado con usted.

—Sí. —Es todo lo que dijo el señor Juan, que no iba a darle facilidades.

—Don Antonio me ha dicho, que si usted lo veía posible...

No contestó el encargado.

Carraspeó Luis Márquez y le subía y le bajaba la nuez como la bola del reloj de la Puerta del Sol.

—Que si usted lo consideraba oportuno...

—¿Qué? —Le iba a hacer sudar.

—¿Qué quiere usted que diga, señor Juan? —Se estaba encabritando.

—Usted sabrá.

—Yo he venido aquí a trabajar, si hay trabajo, y no tengo nada que decir.

—Ah, ¿no?

—Yo sólo he venido a trabajar —repitió Luis Márquez y se ajustaba los pantalones.

—¡Vaya!

Se miraron ahora como dos toritos bravos antes de embestirse.

—Señor Juan, yo... —Le estaba empezando a hervir la sangre a Luis.

—¡Yo aquí no quiero revoltosos! —Le había cortado en seco.

—Yo, señor Juan... —Se mordía la lengua Luis, masticando el ácido orgullo.

—¡Aquí no quiero revoltosos, ni habladurías!

—Yo nunca he hecho nada malo, y entonces, menos.

—Lo que hizo usted fue hablar más de la cuenta, eso es lo que hizo, echarme a mí la culpa de sus desgracias. —Había levantado la voz el encargado, para que llegase su discurso hasta la última fila.

—Yo, señor Juan, yo...

Se creció ahora el encargado, dispuesto a aclarar para siempre jamás y delante de todos, su inocencia.

—Usted ahora se calla y me escucha. Cuando lo del atentado del Rey, a usted le buscaron por lo que fuera, seguramente por hablar más de la cuenta en las tabernas... —levantó más la voz—, porque yo a usted nunca le denuncié por nada, ¿se entera? ¡Nunca!

—Eso me ha dicho también don Antonio. —Volvió la cabeza

unos instantes hacia sus compañeros—. Y alguno de éstos también me lo ha dicho, pero entonces...

—¡Cállese! —Dio un puñetazo en la mesa el encargado y voló un lapicerillo por los aires—. Muchos, todos estos años me han mirado mal por su culpa.

Algunos bajaron la vista, interesados de pronto en el trabajo.

—Muchos me han mirado mal, pero yo no le denuncié. Yo soy un hombre de bien.

Estaba dispuesto Luis a dar por zanjada la cuestión y pasar a otra cosa pero el encargado no había desembuchado todo aún.

—Ni le denuncié yo, ni le denunció nadie del taller. Para que lo sepa, pero la policía andaba disfrazada por todas partes, había muchos soplones y usted nunca ha sabido callarse.

—Yo...

—¡Cállese!

Luis sólo se podía callar a medias.

—Entonces se dijo...

—Entonces, ahora y siempre, una cosa es lo que se dice y otra cosa muy distinta suele ser la verdad.

—Sí, señor Juan, eso ya lo sé.

—Don Antonio me dijo ayer que la Eulalia no quería volver a la casa porque yo seguía aquí. ¿Eso es verdad?

—Sí. Pero por mi parte no es por eso. Yo no quiero que trabaje.

Hizo el encargado una pausa. Respiró hondo, colocó la voz.

—Pues dígale a la Eulalia, que mi mujer quiere invitarles a ustedes a merendar un domingo de éstos, cuando les venga a ustedes bien.

A punto estuvo el señor Juan de ganarse un aplauso.

Luis bajó la vista, ya definitivamente vencido.

—Gracias, señor Juan, gracias.

—José, Pepillo, el que fue su aprendiz ya es todo un oficial, pero hay mucho tajo. Su puesto está libre, Luis, ya puede ir a trabajar.

—Espero no haber perjudicado a nadie, ni haber quitado el pan a...

—No se preocupe. —No estaba dispuesto el señor Juan a que Luis se quedara con el público—. Usted sólo se ha perjudicado a usted mismo. —El texto le pedía a gritos otra pausa. La hizo—. Yo intento ser justo, Luis, justo. No soy una lumbrera, pero hasta ahí llego, a que el encargado de un taller tiene que ser justo... y de eso, de justicia, aunque usted no se lo crea, en su tiempo, usted me enseñó mucho.

Alargó entonces la mano el señor Juan y Luis tras estrechársela, hasta hizo amago de abrazarle.

—Vaya, vaya a trabajar. Aquí han cambiado en estos años algunas cosas, ya las irá aprendiendo. Aunque se sigue tocando la campana dos veces, la primera ahora es para cambiarse y luego hay cinco minutos hasta empezar. Así que mañana, llegue usted antes.

Asintió Luis, por primera vez en su vida, humilde y obediente.

—Sí, señor Juan, a mandar. Gracias. —Y remató el anarquista—. ¡Que Dios se lo pague!

A un golpe de batuta invisible, toda la madera de la orquesta comenzó a sonar.

Fue un éxito total de crítica y público.

Durante al menos dos semanas se estuvo comentando aquella vuelta de Luis Márquez al taller y se pagaban rondas y rondas en la taberna de *el Chato*, que estaba en la calle a la que dio nombre Andrés Torrejón, aquel alcaide que exclamara: «¡Madrid perece víctima de la perfidia francesa!», pues era aquel antro lugar de reunión del proletariado más revoltoso que trabajaba en las fábricas de la zona. Incluso los de la Alcoholera habían hecho apuestas con los de la Fábrica de Vidrios asegurando los primeros que entre el viejo señor Juan y el anarquista correría la sangre y ahora pagaban en rondas de vino, felices de haber perdido.

—Es que un hombre, cuando se gana el respeto del otro, ya no lo pierde nunca. Luis, por muy fanfarrón que sea, no se hubiera atrevido nunca a ponerle la mano encima al señor Juan, que además tiene edad de ser su padre —decía uno de la de Vidrios, por nombre Rogelio.

—Que no le busquen las vueltas —dudaba aún el capataz de la Alcoholera.

—Un hombre, sea lo bravo que sea, cuando respeta al otro...

—Ante la opresión no hay respeto que valga. Y si los encargados no estuvieran siempre del lado del patrón, otro gallo nos cantara. —Aprovechaba un tercero, muy gallito, dibujante de la Real Fábrica.

—El señor Juan no es un vendido, lo que pasa es que es de otros tiempos, él no sabe de propagandas. —Le defendía un barnizador que le conocía desde chico.

—Yo no llamaría propaganda a la declaración de los derechos del obrero. —Aprovechaba Rogelio para vender doctrina.

—¡Qué sabrá usted de derechos!, ande y pague otra ronda. —Reía el de la Alcoholera.

El Chato, dueño de aquella tienda de vino, que no sólo tenía la nariz, sino toda la cara aplastada, iba silencioso de un lado a otro del mostrador rellenando con la frasca los vasos. Tenía él fama de callado y no sin razón, que en aquellos días demasiadas cosas peligrosas se oían en todas las tabernas.

—Yo, antes mártir que confesor —solía decir el tabernero.

Porque cierto era que aquellas paredes oían cada cosa que mejor será, incluso hoy, callarlas, porque si cuando caía la tarde allí se daban cita las desgraciadas que se ganaban la vida en los desmontes, con una gallofa de pillos que vivían a salto de mata tratando de timbas, timos y burdeles, más tarde, entrada ya la noche, quedaban en el cuarto de atrás reunidos una panda de revolucionarios que más que hablar de ideas, parlamentarismos y folletos, calculaban la densidad de la nitroglicerina. Y no sólo se juntaban allí hombres de pelo en pecho, sino empaquetadoras de la Fábrica de Papel, alguna tapicera de la de muebles de Papantonio y alguna socia que otra con tantas agallas como el más pintado de los hombres y que hasta, al más bragado, metían miedo cuando se ponían a hablar de sus planes para mejorar la sociedad.

—Garrote, no, ¡una mecha por el culo! Y la chispa, lentita, para que los cataplines se les deshagan de canguelo a los ricos.

—Calla, mujer, no seas bruta. —Se les ponían a los machos los pelos de punta.

—Ahorcarles por el cuello, no…, ahorcarles por donde yo me sé. ¡A ver si les resiste la morcilla a los señoritos!

Y es que aquéllos también eran tiempos revueltos y mejor será que nos coma la lengua el gato antes que abundar en las salvajadas que imaginaban aquellas víctimas del otro salvajismo mayor, el capital, porque éstas son crónicas, cuadernos o escenas que tienen el remoto propósito de procurar bálsamo en vez de ser hiel o lanza que hurgue en las heridas.

Para lo que ahora nos importa, basta decir que los que apostaron por la sangre se equivocaron y que el señor Juan y Luis Márquez, al terminar la jornada se fueron juntos a Lavapiés, a una taberna que conocía el encargado donde se hacía una tortilla de escabeche que quitaba el hipo. Y para más inri, sepan los que no creen en la bondad del hombre, que días después, el encargado promovió una colecta en el taller, para entre todos comprar maderas, en la que participó secretamente Antonio y que fue visto y no visto el componer alcoba y comedor que los ebanistas en pleno regalaron a Luis Márquez y a Eulalia el día en que éstos se casaron, que aquéllas sí que fueron apuestas y debatires entre Mariquita, Luis y Eulalia, saber en qué iglesia y bajo el manto de qué Virgen se habían de casar y tanta discusión hubo que tuvieron que meterse todos los nombres posibles en una gorra y buscar la mano inocente de Rosita para que sacase la elegida, siendo las iglesias propuestas las siguientes: la del Santo Ángel, patrono de los alguaciles; San Eugenio; las capillas de variados Cristos, el del Pardo, el del Zapato, el Santísimo de las Injurias, el del Hospital de Pobres Enfermos de la Facultad Cómica, y no menos variopintas Vírgenes entre las que eran favoritas la Purísima de las Carboneras y Nuestra Señora de las Muchas Misas. Sacada por Rosita la papeleta, salió elegida la de Carboneras, pero por dificultades largas de explicar, finalmente Luis Márquez llegó a hacerse dueño y señor del Lunar del Cuello de la Eulalia, tras casarse en Santa María de la Cabeza, aprovechando que se celebraba la romería de La Melonera.

Al domingo siguiente de casarse Luis y Eulalia, ya entrado el mes de octubre recibían éstos como dos marqueses al señor Juan, a su mujer, a Pepillo y a Vicenta en el cuartucho de la corrala que se había convertido de la noche a la mañana de lúgubre y maloliente en un cuartito soleado cuyas dos ventanas más que agujeros de casa de corredor madrileña parecían balcones andaluces engalanados con geranios y amor de hombre.

—Una tacita de plata, esto es lo que es, una tacita de plata —se admiraba Nicolasa, la mujer del señor Juan que era más flamenca que un ocho y que no dejaba de sonreír mientras decía cosas gratas.

—Bah, señora Nicolasa, no es para tanto —se esponjaba Eulalia.

La foto que les habían hecho de casados colgaba de la pared encima de un reluciente aparador. El señor Juan, la admiraba, embelesado.

—Huy, qué buena pareja que hacen.

—Bien guapa que iba la novia, bien guapa —apoyaba Nicolasa.

—¿Y mi marido qué? —se plantaba en jarras Eulalia que ya parecía otra, aquélla de antes, tan salerosa.

—Ay, de su marido yo no puedo decir nada, Eulalia, aunque me parezca guapo yo me callo, que mi Juan luego se saca el cinto.

Luis se ajustaba el pañuelo del cuello y le ponía la silla a Vicenta para que estuviera cerca de la ventana donde más corría el aire.

—Y que lo diga usted, señá Nicolasa. ¿Verdad, Vicenta, que nos lleva en el taller como a velas? ¡Más tiesos!

—Yo cumplo con mi deber, que no es poco, pero no se crean que soy serio, que en casa, que lo diga ésta, soy un trozo de pan y las que mandan son la mujer y las hijas que todas se me suben a las barbas. Porque soy viejo que si no...

—Anda, anda —se le ponía delante la mujer—, ¿viejo tú? Pues no te queda cuerda para rato. —Y le hacía un quite con las caderas, como si le bailara el garrotín.

—¡Compórtate, mujer! —Se sonrojaba el señor Juan como una monja.

Vicenta sonreía sentada en su silla, mirándolo todo con cierta tristeza. Aquella felicidad ajena la ahogaba de nostalgias y además que tenía ella hoy un día bien raro.

—¿Está usted cómoda, Vicenta? —Solícita se inclinaba ante ella Eulalia.

—Sí, estoy bien, un poquillo de calor...

Pepillo, muy tieso, detrás de la silla de su tía, no se movía y la verdad es que difícil lo hubiera tenido, de intentarlo, porque casi no cabían los seis entre las cuatro paredes.

—Un dedal, un dedal de plata —seguía Nicolasa y se sentaba ante la mesa enmantelada para dejar pasar a Luis y a Eulalia que entraban y salían de detrás de una cortina llevando platos y cubiertos.

—Para mí, la limpieza... —se reía Eulalia, restregándose al pasar, contra Luis, cada vez que podía.

—Tu prima siempre lo ha dicho, Eulalia, que como tú no ha habido nadie en la «casa grande». —Le regalaba el oído Vicenta, abanicándose con la mano.

—Esa chica nueva, Carmela, a mí también me parece muy bien —se le escapó a Pepillo y todos le miraron hasta que el chico enrojeció—. No sean ustedes así, yo no he dicho nada. Yo lo que digo es que Carmela es bien maja y que su prima, Eulalia, la trata a veces muy mal.

—Huy, perro ladrador, a mi prima hay que saberla llevar.

—¡Pobre doña Mariquita! —suspiró Vicenta.

—¿Por qué dice eso, Vicenta? El otro día fui a buscar a mi Juan y encontré a su prima muy requetebién.

—Consumida. Eso es lo que está. Consumida.

—Tenías que haberle dicho que viniera —la recriminaba Luis.

—¡Quién! Mi prima aquí, ¿con los obreros? ¡Ni hablar! Me da pena, de verdad, lleva toda la vida en el Olivar, se quedó viuda a los dieciséis años..., ¡imagínense! Antes, a mí eso me chocaba, pero ahora que sé lo que son los años... Antes de casarse ya le cosía a doña Trinidad, luego se quedó en la casa; ahora, con doña Manolita... ¡Toda una vida! Y no se crean que tiene nada suyo. ¡Toda la vida trabajando y nada suyo! Si hasta lloraba la pobre, porque nos quería hacer un buen regalo y no ha podido.

—Anda, anda, no exageres —decía Luis—, ella no se queja.

—De eso me quejo yo, de que no se queje. Sólo tiene algún dinerillo que le da de vez en cuando don Antonio, algún regalito.

—Pues yo desde que la conozco —intervenía el encargado—, porque no habrá querido, que más de uno en el taller le hubiera tirado los tejos con gusto.

—¡Mi prima casarse con un obrero! Ella, ni carne ni pescado. Ni es una criada ni tampoco una señora. ¡Ella es el quiero y no puedo!

—Es el alma de esa casa —dijo Vicenta y volvió a suspirar.

—¡Anda! Yo creía que eso era usted, tía Vicenta.

—No. Doña Mariquita —puntualizaba Vicenta— es el alma de la «casa grande». Yo soy el alma del patio, de los perros, del taller.

Y reía, ahora sí, orgullosa.

Ya estaban colocados sobre la mesa todos los platos, los vasos, un garrafón de vino y el porrón al que se había acostumbrado Luis en Barcelona. Olían a gloria los alimentos que sacaba Eulalia del horno de la cocinilla.

—Huy, callos... ¿Están picantes? —se relamía el señor Juan.

—Un poquito —se preocupaba Eulalia.

—Como a mí me gustan —la tranquilizaba el encargado.

—A ver si la tortilla y los pimientos le han salido igual de bien que le salen a mi tía.

—Pues ya verás, Pepillo, ya verás. La Eulalia, mi paloma, es una experta.

—Porque sé que te gustan, tonto —se derretía Eulalia.

—Es que yo —exclamaba Luis— por una buena tortilla a la española, pimientos fritos y unos buenos callos, soy capaz de matar.

Antes de meterse en harina, el señor Juan levantó su vaso.

—Bueno, pues por nosotros.

—Quién iba a decirnos a todos —filosofó Luis—, que un día estaríamos aquí, juntos, tan amigos, como si fuéramos de la familia.

Vicenta, con su vaso en la mano y la sabiduría que cada día más la caracterizaba, dijo, con la misma entonación de frase hecha y redonda que hubiera utilizado Antonio:

—Es que de alguna forma somos de la misma familia. ¡Somos de la familia obrera!

La miraron todos y asentían, emocionados, hasta que Luis, levantando su vaso, como si delante de sí tuviera a dos mil manifestantes en la Puerta del Sol, gritó:

—¡Por la solidaridad obrera!

Todos, menos Vicenta, contestaron a coro.

—«¡Por la solidaridad obrera!»

Y lo contestaron todos menos Vicenta, porque ésta, mordiéndose los labios, se agarró de pronto al respaldo de la silla y gimió.

—¡Ay, ay, ay! —dijo.

Dejaron el brindis y se volvieron hacia ella. Un velo de palidez le cubría el rostro, Pepillo se arrodilló a su lado.

—Tía Vicen..., tía Vicen...

—Aire, aire —proponía Eulalia.

—Ya se lo había notado yo —dijo, sabia, la flamenca de Nicolasa—. Está de parto.

No hubo forma de convencerla de que una corrala en Santa Isabel era tan buen lugar para que naciera lo que tuviera que nacer como el chiscón del Olivar. Vicenta exigió, que pasito a pasito, la llevaran a casa y así terminaron haciéndolo.

Contra todo pronóstico, el parto fue rápido y sin complicaciones. El primer «ayayay» lo había dado a las cinco y a las nueve y media, que no habían llegado aún del Café del Nacional los de la «casa grande», ya parecía que asomaba la cabecita.

Atendieron a la portera Eulalia, que nunca se había visto en otra y la muy experta de Nicolasa que se negó a solicitar más ayuda. Pepillo, el señor Juan y Luis, andaban por el patio del taller sin saber qué hacer, pero no dejaron de hacer guardia, aunque Nicolasa más de una vez salió a mandarles a la taberna de *el Chato*, a tomar vientos.

Era el 31 de octubre de 1914. En guerras ardía Europa y aunque no nació en la corrala de Santa Isabel, cuando supo que ella no se había equivocado y que era una niña, Vicenta anunció que se llamaría o Paz o Isabelita.

La niña, que finalmente recibió el nombre de Isabel, tenía, ¿cómo no?, como su madre, unos inmensos ojos azules.

VI

1915. — La rebotica de Castellanos. — De la España de Goethe. — De la España de la neutralidad. — De la España de Benavente. — De la España de los toros. — De la España de «cerrado y sacristía». — De la España de «El Cañón». — De la España eterna. — De la España moderna. — «¡Ay, España tan desaforada!»

La «Farmacia Nueva» de Castellanos, «Antigua Botica y Jarabería» de los Fórmica-Guzmán estaba en la calle de Atocha, cercana al convento de la Santísima Trinidad, dando pared con pared con el que fue comedor de Pobres Vergonzantes. Las tertulias se celebraban en el entresuelo, sin que los tertulianos tuvieran necesidad de pasar por el despacho de la farmacia y allí se juntaban algunos días hombres ilustres que han pasado a las páginas de la Historia por aunar conspiraciones y esfuerzos políticos en la restauración de la República, pero aquella tarde estaban sólo los personajes, hasta hoy anónimos, que ahora pasamos a relatar.

Tenemos a un poeta chistoso y suspicaz que gastaba más hambre que un titiritero, a un médico dogmático, a un funcionario antipático, cesante, que se lo sabía todo menos donde encontrar un puesto de ocho mil reales; al plácido boticario, amigo de tirios y troyanos, el mismísimo Rafael Castellanos y a nuestro Papantonio, que últimamente gastaba una jeta de gran preocupación y ensimismamiento.

Los globos, botes y albarelos no corrían peligro, alineados en los viejos anaqueles de la rebotica, a pesar de que el poeta, en pie de guerra, giraba los brazos, declamando con gracia.

«Es de noche, se platica / al fondo de la botica. / Yo no sé, don José / cómo son los liberales « tan perros, tan inmorales. / Yo no sé, don José / no son guerras, carnavales. / Gritan hasta los chavales: / no hay Gobierno que perdure / ni mal que cien años dure.»

No arrancó el poeta más aplausos que los que le dedicó displicente y burlón, el médico dogmático.

—Usted, Romero, estaría mejor en una tertulia de germanófilos.

—Qué más quisiera yo que ésta fuera una España de Goethe —soñaba despierto el iluso vate.

—Mientras los poetas sean como usted, ésta será una España de chascarrillos.

Se encogió de hombros el poeta y tomó asiento.

—¡Bata blanca no ofende!

—Pero verso malo, sí. —Era implacable el galeno.

—¡Bata blanca no ofende, pero mata! —rimó el poeta, con intención de hundirle.

—Propongo, caballeros —intervino el boticario—, que cambiemos de tercio. Tanta guerra, tanta guerra... ¡A nosotros ni nos va ni nos viene!

Suspiró el funcionario, práctico.

—Hay que aprovechar la neutralidad.

—Para enriquecerse. —El médico.

—El que pueda. —El funcionario.

Elevó otra vez al cielo los brazos el poeta.

—¡Maldito el hombre destinado a la riqueza! ¡Benditos seamos los pobres a los que el hambre nos concede la lucidez! Malditos los ricos...

—No lo dirá usted por mí —se sentía aludido el médico. «¡No te lo quisiera oír, Raimunda!»

—¡Bah! Salvémonos del médico que acude al teatro en vez de a los libros de medicina. —Clamaba—. *«Senado ilustre, Público discreto, / tú que diste cariñoso abrigo / a la Musa de Lope y de Moreto...»*

—Cambiemos de tercio —quería poner paz el boticario.

—Torero está hoy don Rafael —acotó el poeta.

—Torero, pero no me callarán, que no soy mudo como nuestro querido amigo Antonio, a quien hace tiempo que tienen sorbido el seso las patentes.

Levantó la vista Antonio.

—No, no, señores, es que estaba distraído —y volvió a ensimismarse.

—Porque sabrán ustedes —decía el boticario levantando las cejas y el dedo índice—, sabrán ustedes, que en Bilbao se ha formado una cuadrilla de jóvenes toreros mudos... y claro, la gente se pregunta cómo van a brindar los espadas.

—Pues por medio del abecedario manual —se sintió gracioso el funcionario.

—Pero contando que en una mano llevan la espada y la muleta y en la otra la montera..., ¿eh? ¿Cómo brindarán?

Sacudía la cabeza el médico mientras sacaba la picadura de tabaco y sentaba cátedra.

—¡Toreros mudos! No saben qué inventar. Porque lo de las corridas nocturnas no me digan ustedes que no es chusco. Este verano, cuando se celebró la primera...

—¿Estuvo usted? —le acusaba el poeta, escandalizado.

—Sí, y había que ver qué tristeza. Esa calle de Alcalá, de noche, por mucha bombilla que se quiera... ¡Los toros sin sol, no son nada!

Ahora sí que intervino Antonio.

—Los toros, con sol o sin sol, lo único que son es una salvajada. Ya lo dijo el gran Leonardo, cuando el hombre respete a los animales, se acabarán las guerras.

—Bueno, bueno, habló el nuevo Leonardo de Atocha —reía el poeta y le hacía reverencias a Antonio.

—No diga simplezas, Romero —se enfadaba Antonio—. Leonardo fue un genio.

—Pero fue inventor de máquinas, como usted, ¿no? No se haga el modesto —apoyaba el funcionario.

—Yo he de decir —lo decía el médico como si le importasen a alguien sus opiniones—, yo he de decir, que los toros son la tradición y que sin tradición no hay cultura.

No estaba de acuerdo Antonio, ni tampoco el boticario, que expuso sus argumentos.

—No, eso sí que no. La tradición es buena, cuando es buena y es mala cuando es mala y los valedores de la España tradicional como usted, doctor, se niegan a aceptar que la fiesta, y me niego a llamarla nacional, la fiesta, «bestial», sólo es fomento de crueldad, de matonismo. Vean, vean, el ejemplo que está dando por lo pueblos y aldeas ese intelectual, Noel.

—¿Ése quién es? —No quería rivales el poeta.

—Un escritor, señores míos, que ha inciado un peregrinaje por todo el país perorando en plazas y calles, atribuyendo todas nuestras desgracias «al bronco tipismo que se desahoga en capeas y en fiestas bárbaras con inmolación de reses en honor del santo patrón»...

—Muy bien, así se habla —aplaudía Antonio al boticario.

—¡Si entienden esa jeringonza! —hablaba el médico—. Para eso, ya lo ha dicho mejor el maestro de aquí, nuestro poeta...

—Un poeta no tiene más maestro que su culo —se enardecía el alumno de las musas.

—¡Romero! ¡Qué forma de hablar! Le pueden oír desde la calle. —Cuidaba Castellanos a su clientela.

—Sí señores, lo diré más fino, ¡su trasero! Lo que se aguante en el asiento, ésa es la medida de la inspiración. —Y cabalgaba la propia asentadera sobre la silla para demostrar lo que decía—. ¿Ustedes saben lo que pesa el trasero de un poeta cuando se sienta a escribir? ¿De qué forma tan molesta se colocan los glúteos sobre la estrechez de la silla? ¿Cómo se duermen las piernas, cómo desean tener alas los pies, cómo la cabeza se desgajaría con gusto y se iría por la ventana a pasear? ¿Cómo duele la espalda del pensador, del buceador de palabras? ¿Cómo se agarrotan los dedos creados para acariciar y nunca inventados para sujetar la fragilidad y la condena de la pluma?

—Bien, bien, bien... ¡Muy bien! —reían ahora todos.

Respiró hondo el poeta.

—Bueno y ahora, dígame de qué maestro mío hablaba el señor matasanos.

—Del bueno de Machado que contrapone «la España de Frascuelo y sacristía»...

—No, no —le corregía el poeta—: «la España de cerrado y sacristía, devota de Frascuelo y de María...»

—Pues eso —no quería volver a meter la pata el médico—, y la contrapone a..., ¿cómo es?

—«A la España del cincel y de la maza.»

—Eso es, eso es, devota de Frascuelo y de María...

Se refrotaba las manos el funcionario.

—«¡Con la Iglesia hemos topado!»

—Con la Iglesia y con los alcaldes que se dejan mangonear por ella. ¡Pues mira que prohibir la circulación rodada en Jueves y Viernes Santo! ¡Hasta dónde vamos a llegar! Ay, España... —se lamentaba el médico.

—¿Y lo de los curas párrocos que excomulgan a los aviadores por meterse en los aires, porque dicen los muy ignorantes de los curas que los aires son de Dios? —se soliviantaba el boticario.

—Ande, no exagere. —Se ajustaba la corbata el funcionario.

—Lo he leído, lo he leído —aseguraba el médico.

Sonaba intermitentemente la campanilla en el portal, anunciando clientela para la farmacia. Se enervaba el boticario.

—Luego el mancebo se me queja y con razón. Aquí los únicos que no cerramos a las ocho somos nosotros. Eso sí que es un desafuero, el del horario comercial, eso sí que clama al cielo.

Y abandonaba la tertulia el boticario, reclamado por su hijo Rafaelito que acababa de cumplir los dieciséis y aún se hacía un taco con el anafre.

Le echaba otra firmita al cisco del brasero el funcionario, peladito de frío.

—No sé de qué se queja Rafael. El mejor negocio del mundo siempre ha sido la farmacia. Una tienda de ultramarinos o una farmacia, eso es lo que no falla. ¿Que no cierran a las ocho? Los comestibles tampoco, por algo será, porque es negocio. Avanzan y cambian unas cosas y otras son inmutables. El negocio, por ejemplo, es inmutable. Parece que algo cambia y sin embargo, el negocio siempre es el negocio. El siglo XIX recibió al caballo y nos dejó la locomotora. La pluma de ave, usted la habrá dejado por la máquina de escribir, ¿no Romero?

—Yo, no…, a mí no me imprimen y no gano ni para tinta. Además, siguiendo su pensamiento, de la prensa de imprimir, ya ve, a la rotativa…, pero el negocio, según usted es inmutable, como Dios.

—Las ciencias, las ciencias —seguía buscando ejemplos el funcionario—. ¿Quién me iba a decir a mí que la vela de sebo de mi infancia iba a convertirse en focos incandescentes y voltaicos y que del barco de vela íbamos a pasar a los vapores y a los submarinos?

—Ah, eso, no —le cortó el médico— de los submarinos, no hablemos. Mil quinientos muertos en el *Lusitania* por culpa de ese maldito submarino alemán.

—A mí usted no me mire —saltaba el poeta—. Yo con los alemanes, pocas bromas. Yo fui de los diez mil que fueron a dejar su tarjeta en la Embajada alemana cuando el derribo de la estatua de Ferrer y Guardia.

—Amigos…, política, no, que a nuestro farmacéutico no le gustan las discusiones políticas y somos sus huéspedes. Ya que no hay paz

en Europa, por lo menos que la haya en la rebotica de Castellanos.
Suspiró Antonio.

—Pero, Antonio, ¿no dice usted nada?

—¿Qué? ¿Qué?

—¿En qué estará pensando? —Le miraba el médico como a un bicho raro—. Antonio es la prueba de que el hombre piensa.

Se encogía de hombros el pensador.

—Estará dándole vueltas a sus patentes. —No se equivocaba el funcionario—. Y ande, que buen momento ha elegido usted para enviarlas al extranjero, ¡para patentes estarán ellos!

—Tiene usted razón. Llevo tanto tiempo esperando que dan ganas de decir aquello de que inventen ellos.

Rafaelito, el hijo del boticario, asomó su carita de viejo por el hueco de la escalera, y mientras que se quitaba los manguitos, anunció.

—Don Felipe ha mandado a un chaval, que dice que ahora viene, que le esperen.

Le empujó para dentro su padre, que venía tras él y acalorado.

—Ya he cerrado. Por hoy, ya está bien. Siéntate, Rafaelito, aquí, con los mayores, que algo aprenderás y haz sitio, que voy a preparar un mejunje. A ver si nos da tiempo a jugar una partidita antes de que tu hermana...

—Eugenia ya debería estar aquí. Esta tarde no tenía clase.

—«Chivato, acusica, la rabia te pica...» —Se metía con el chico el poeta—. Deja a tu hermana, Rafaelito, que estudie en clase o con las amigas...

—Que haya paz, que haya paz —pedía Castellanos.

Abría la vitrina el boticario y detrás de unos específicos aparecía la botella de anís.

—¿Qué nos servirá hoy el señor alquimista? —Volvía a refrotarse las manos el funcionario.

—Aceite de escorpión con raíz de mandrágora, o si lo prefieren, para animar la partida, ¡unas palomitas de anís!

—¡Vengan! —se animó el médico.

—A ver, Rafaelito, saca las fichas del dominó y aviva un poquillo el brasero.

Se inclinó Rafaelito, obediente y gateó entre los pies de la tertulia bajo los faldones de la camilla.

—¡Rafaelito, hijo, no le des tanto al badil, que nos atufas!

—Niño, que luego nos salen cabritillas, como a las mujeres.

Aún seguían tosiendo las gargantas con la ceniza que había

levantado el muchacho, cuando se escucharon pasos que subían las escaleras.

—Aquí llega Felipe. Vamos, vamos, las fichas.

Apareció Felipe, efectivamente, y venía acompañado de un joven lampiño muy exaltado que blandía un periódico. Se llamaba Pedrito de la Cuesta y era medio primo del de La Granja.

—¡Una vergüenza! ¡Una vergüenza! —Enarbolaba el periodicucho que más que otra cosa parecía hoja parroquial—. ¡Lo que yo digo es que hay que acabar con ellos!

—Uf, cómo viene hoy Pedrito, ¿qué traerá? —Le miraba Rafaelito con cara de asco y superioridad.

—Escuchen, señores, escuchen. *El Cañón* se llama esta basura. En vez de año tal, aquí lo ponen, cañonazo tal, en vez de número de ejemplar, cañonazo otra vez. «Este periódico disparará todos los sábados.» ¡Qué bestias! Mire, mire usted, don Antonio —se dirigía al inventor con mucho respeto—, tome, tome, lea. A usted que le interesan estas cosas, lea estos lamentos de España.

Felipe muy flemático, después de dejar su sombrero y gabán en un perchero de brazos, se estaba colocando las fichas que le habían sido repartidas, y se las ponía en semicírculo, protegiéndolas de los embites de Pedrito.

—¡Cuidado con la escuadra, Pedrito, que me la hundes!

Había cogido el periódico Antonio y leía en alto.

—«*Hijos míos, hijos míos. / Poned coto a tanta infamia / y con cañones, pistolas, / fusiles, sables, navajas, / separadme de estos chulos / aunque sea a dentelladas.*» Tienes razón, Pedrito, qué porquería. Esto es una llamada a la violencia más inútil, más sangrienta, una llamada a los bajos instintos. ¡Qué vergüenza nacional! Lo mejor que se puede hacer con esta Prensa es ignorarla, hijo. —Se la devolvía, muy bien doblada—. ¿No se publican en el país más de mil periódicos? ¿Para qué leer éste?

Intervenía el poeta, dándole la razón a Antonio.

—¿Qué se puede esperar de un periódico que se titula «antiliberal y antimasónico»?

Volaba la hoja de mano en mano, y seguía protegiendo sus fichas Felipe.

—Cuidado, cuidado con mis barcos, no se apasionen tanto con *El Cañón*, caballeros.

—Como comprenderán, no lo he comprado, eso no, pero lo he cogido del Casino para enseñárselo a ustedes. Hay que saber dónde está el enemigo.

—¡Mis barcos! —A Felipe que no le sacaran de la estrategia de su guerra naval.

Se metió los pulgares en las sisas del inmaculado chaleco el médico y dogmatizó queriendo zanjar la cuestión con una parábola.

—Señores, ésta es la España eterna, la España más ultramontana, más soberbia, más descomedida... Qué se puede esperar de un pueblo que apedrea a los tranvías, ¿eh? Contesten. ¿Qué me dicen ustedes de un pueblo así?

Rafaelito que no había abierto aún la boca, porque se perdía con las discusiones de la guerra y la neutralidad y no tenía aún criterio propio, vio ahora la posibilidad de entrar en la discusión de los mayores.

—¡Es que el tranvía había pillado a un niño! Es lógico que no dejaran ni un cristal sano.

—Claro, y a ti —le miraba triste el padre—, hasta te hubiera parecido bien que apedreasen al tranviario y que lo lapidasen.

—Eso no, por eso digo yo que veo bien que arremetiesen contra el tranvía.

—Anda hijo, Rafaelito, que los jóvenes sois todos un poco brutos por efecto de la naturaleza, claro. Anda, hijo, los vasos.

Estaba volado el chico temiendo la regañina de su padre y se levantó con brusquedad, ofendido.

Al suelo fueron a parar las fichas de Felipe.

—¡Mis barcos! Ya lo estaba yo viendo, que todo el tonelaje se me iba al suelo. —Volvía a colocar las fichas—. A ver, los buques de guerra ingleses; Alemania con sus 823.000 toneladas... Aquí Francia con 576.000, Rusia 295.000 y Austria 211.000..., veamos los hundimientos. —Y sumaba puntos y fichas.

Se interesaban en la estrategia el médico, el boticario y el funcionario y, por qué no decirlo, también Antonio, quizás él más por curiosidad matemática. Pedrito y Rafaelito, los observaban un poco apartados, haciendo causa común con el poeta.

—Ved nuestros mayores, cómo juegan como niños. Tomar partido no acaban de tomar pero eso sí, se reúnen en todo el país los ilustres pensadores y con garbanzos, judías y fichas de dominó siguen esta guerra sangrienta.

—Es lo que digo yo —decía Pedrito—, que a mí la actitud pasiva, cobarde, no me va. ¿No crees Rafaelito?

Rafaelito creía muchas cosas pero no se atrevía a exponer sus opiniones estando su padre delante.

—Yo siempre estoy con los míos —dijo muy bajito, pero le oyó su progenitor.

—¿Quiénes son los tuyos, Rafaelito?

—Los mismos que los míos. —Salió en su defensa el poeta—. Los intelectuales que sí han tomado un partido claro, los que se han manifestado claramente. Todos, Marañón, Menéndez Pidal, Ortega y Gasset, Unamuno, Falla, Ramón Casas, Rusiñol, Azorín, Machado, Ramiro de Maeztu, Pérez Galdós, Valle-Inclán...

—¡Basta, basta, Romero! —le cortaba el boticario, mientras se servía otra copita—, que es usted capaz de recitarlos a todos y tenernos aquí toda la noche, que son muchos los que apoyan a los aliados... Pues muy bien, yo también los apoyo, pero, ¿quién soy yo para firmar nada? Y luego, hay que respetarse. Cada uno que opine como quiera siempre que respete al contrario. La controversia enriquece y hay que admitir que una cosa es estar con los aliados y otra tragar ruedas de molino.

—Muy bien dicho —asentía el médico—. A usted, don Antonio, que se metía con los toros, ¿le parece bien que los franceses amaestren zorros, los carguen con dinamita y los manden a estallar como una falla contra las trincheras alemanas?

Era una muy llevada y traída cuestión y Antonio decidió levantar el campo.

—El que otros pueblos hagan burradas con sus animales no justificará nunca las nuestras.

—Ah, pero el arte de los toros...

—No, no, señores, más disputas taurinas, no. Yo tengo que madrugar. Felipe, usted...

—Hoy me quedo un ratito más.

El funcionario miraba el rico alfiler de corbata que lucía hoy Felipe.

—Felipe es un privilegiado que vive de las rentas. Él no tiene que madrugar. Hay que ver qué alfiler más bonito, ¡qué filigrana!

—Es verdad, yo ni fabrico nada, ni invento.

—Y para nuestra desgracia, ya ni escribe. ¡Mira que abandonar la pluma!

—Bah, no escribía más que tonterías. Don Salvador tenía razón después de todo, él tampoco escribe demasiado bien, más bien fatal, pero tenía razón... ¡yo no escribía más que tonterías! Muchos atardeceres, muchos rayos celestiales, muchas lucecitas de colores... Bah, mis poemas modernistas no tienen salida. Éstos son tiempos muy broncos y yo, ¿para qué nos vamos a engañar? Aquí donde ustedes me ven, ¡yo soy un escupitajo de la decadencia!

—¡Felipe! —Se escandalizaba Antonio.

—¡Felipe! —Se ponía serio el boticario.

—¡Felipe! —Protestaba el médico—. Usted es un caballero, una bellísima persona, un ser humano excelente, un lujo para nuestra sociedad depravada. La finura no debe considerarse una decadencia, sino un bien que todos deberíamos alcanzar.

—Eso, eso, adúlenme, que me gusta, ¡pero con nada de eso se arreglan las muertes de la guerra! Andrés decía... —Se le nublaban a Felipe los ojos del recuerdo. —Decía que la única finalidad de la escritura es cambiar el mundo, servir de contrapeso a la bestialidad humana, intentando modificarla.

Antonio se había embutido ya en su capa, y sombrero en mano, se despedía de todos, afectado por la memoria de Andrés. Según bajaba los escalones que le llevaban al portal y a la calle, le llegaban las voces y los retazos de la discusión que había vuelto a prenderse como una mecha.

—«No se puede ver la guerra europea desde una estrella, fuera del tiempo y del espacio.»

—«Ya lo dice don Ramón María en sus crónicas, que deberíamos entrar en la guerra junto a los aliados y pedir una compensación en el Mediterráneo Oriental para que el grito de Lepanto sea algo más que un grito.»

—«¡Oriente!»

—«¡Pero si los políticos españoles, tan ignorantes, ni siquiera saben dónde cae Constantinopla!»

—«¡Es que somos españoles los que no podemos ser otra cosa!»

—«¡Ay, España, tan desaforada!»

Salió a la calle Antonio y le recibió la noche y la fría neblina que rodeaba la luz de gas de los faroles.

—«¡Ay, España, tan desaforada!» —Repitió en voz alta y se caló el sombrero.

VII

Febrerillo loco de 1916. — De ventanas encendidas y apaga-
das. — De formas y maneras infalibles de dormir a los niños. — Contando hasta diez. — Las doce palabras retorneadas. — «Madre... que si de ir a por las aceitunas...» — A Vicenta se le iba la vida. — Hay que vender Barquillo.

En aquella noche del febrerillo loco de 1916, aunque sería exa-
gerado decir que el Olivar de Atocha parecía un ascua de oro, lo
cierto es que a la hora del sueño, muchas de las ventanas de aquel
universo estaban encendidas. Había luz en el chiscón de Vicenta;
en la cocina de la «casa grande»; en el cuarto de doña Mariquita;
en el comedor y en el vestíbulo; en el cuarto de los niños que daba
a la galería, y tras el mirador del dormitorio de arriba, el de Manolita. Aquellos cuadros de sombras y luces que parecían colga-
dos en la noche, teñían de espectros los huecos apagados porque
habrá que decir que no había luz ni tras los ojos de buey de la
buhardilla; ni en el pequeño balcón del dormitorio de en medio,
aquel cuarto que aún se llamaba «el de Perico»; ni en el hueco
de la escalera; ni en el estudio de Papantonio; ni tras los amplios
cristales del mirador de la sala. Las dependencias que rodeaban
el pozo del patio de la cocina, como la carbonera, el cuarto de la
plancha y la leonera, ni que decir tiene, que tampoco estaban iluminadas.

Así que si insistimos en afirmar que el Olivar casi parecía un ascua de oro, era porque en el resto del barrio no había luz alguna a estas horas ya que eran escasísimas las viviendas de la zona y sólo iluminaban las fábricas enrejadas alguna miserable pantalla bajo la que pendían frágiles las blancas camisas que cubrían los mecheros de gas.

Lloviznaba, hacía frío y ni ladraban los perros, ni maullaba gato alguno y nada rompía el silencio, ni siquiera el chuzo y las llaves de un sereno, porque los guardianes de la noche aún no habían llegado a Pacífico.

Eso sí, dentro del Olivar se alternaban los cuchicheos con las voces porque como todos los días se había emprendido hacía rato la batalla para dormir a los niños.

En el dormitorio de soltera de su madre, la niña Rosita, en su cuna, de pie, sin sueño, se requetepisaba los bajos del camisón hasta dejar la tela tensa como un tambor y conseguido esto, intentaba lo imposible, agarrarse las rodillas, y lo intentaba con tenacidad hasta que se caía de bruces sobre el colchón.

—¡Rosita!

Entonces, la niña hacía lo contrario, levantarse el camisón, taparse la cabeza y envolvérsela hasta ahogarse, y conseguido esto, chillar como una condenada pidiendo auxilio.

—¡Rosita!

Mamaíta entraba y salía del cuarto de baño preparándose también para dormir, y en cada viaje reprendía con mayor fuerza a su hija.

—*Nena*, estáte quieta y échate a dormir, que estás hecha de la piel del diablo.

El comentario no le gustaba un pelo a la niña y gritaba más.

—¡No me quieres! No me quiere nadie. Papantonio no me quiere. Y Pepillo y Vicenta dicen que me van a vender en el Rastro a los húngaros. ¡No me quiere nadie!

La miraba enfadada Manolita, mientras se cepillaba el pelo.

—Te queremos todos.

—Papantonio, no. Me lo ha dicho Julito. —La niña, aunque nunca llegaría a ser un ejemplo, había mejorado su sintaxis.

—Julito tiene muy mala idea y se va a ganar un mojicón como te diga esas cosas. Además, no le hagas caso.

—Pues tú dices que le haga caso porque es el mayor.

—A veces, pero no siempre, sobre todo cuando te das cuenta de que te lo dice para hacerte rabiar.

—Papantonio no me tocó el piano cuando nací. —Hacía virajes horribles intentando espantar a la madre.

—¿Otra vez con ésas, Rosita? Te he dicho mil veces que tu padre estaba en América, de viaje.

—¿Y tú? ¿Por qué no me tocaste tú el piano? —Pateaba.

—Porque mientras tú nacías, yo estaba contigo, ayudándote a nacer.

—Y, ¿por qué estaba Papantonio de viaje, en vez de estar conmigo, para ayudarme a nacer?

Rosita tenía la virtud de ponerla nerviosa. La niña decía a veces cosas que herían más que puñales. Cuando ponía aquella carita de pena y se lamentaba de que nadie la quería, ni Papantonio, a Manolita le parecía que su hija hablaba por su boca, diciendo lo que ella rara vez se atrevía a confesarse.

—Anda, Rosita, duérmete.

—¿Por qué no me tocó Papantonio el piano cuando nací?

Dejó caer el cepillo Manolita, enfadada.

—¡Nena! Te he dicho mil veces que tu padre pensaba llegar a tiempo, pero que perdió el barco.

—¿Dónde puso el barco? ¿Dónde estaba el barco?

—¿El barco?

—Tú acabas de decir que perdió el barco.

—El barco estaría en el puerto y el barco, digo, tu padre, llegó tarde y lo perdió, es decir que el barco se marchó sin él, lo que no quiere decir que tu padre tuviera un barco y lo perdiera por algún cajón, quiere decir que el barco de tu padre...

Rosita hacía rato que había comprendido y parecía que quería volver loca a su madre.

—¡Uuuuuh! —Ululaba como la sirena de los barcos.

—¿Quieres que te caliente el culo?

Enfurruñó la cara la niña y negó con gestos tan bruscos que hasta peligraron los barrotes de la cuna.

—¿Estás segura de que no tienes sueño, Rosita? —Volvió al cepillo.

—¿Por qué? —La niña, ya se ha dicho, era el acabóse.

—Por qué, ¿qué?

—¿Que por qué llegó tarde?

—Porque estaba haciendo negocios, hablando de unas máquinas a unos clientes. Por eso perdió el barco. —Cuando acabara de cepillarse el pelo, iba a darle un cachete.

—¿Los negocios eran más importante que tocarme a mí el piano?

No se lo podía creer Manolita. Soltó el cepillo.

—Cuando tenían tu edad, tus hermanos ni eran tan pesados, ni hablaban tanto.

—Julito dice que hablaba más que yo y mejor.

—Julito es un presumido, pero es verdad que arrancó muy pronto a hablar. Con el padrino que tenía, ¡uf, lo que hablaba don Julio! —Se había acercado a la niña e intentaba vencerla sobre la cama, sin éxito. Bajaba la voz para adormecerla—. Andresito, sin embargo, tardó mucho en hablar, y eso que dicen que los segundos hablan antes, pues no, hasta los dos años y medio no dijo ni pío. Íbamos a llevarle al médico cuando...

—Sí, sí, cuéntamelo otra vez. —Le encantaba a Rosita que le contasen las vidas y milagros de todo el mundo.

—Te lo cuento si te echas y dejas que te tape.

Se dejó Rosita e incluso cerró los ojos.

—Pues Andresito resulta que no hablaba y pasaba tiempo y tiempo y él..., sin hablar. Hasta le llevamos al médico y le miró la garganta y dijo que no le pasaba nada, que es que no quería hablar, porque decía todas las «ahs» y los «ehs» y todo lo que hacía falta, pero nada, ni siquiera papá y mamá... y un día... —Creyó Manolita que la niña ya estaba con los angelitos y se detuvo.

—No estoy dormida —dijo bien claro la niña abriendo un ojo.

—Bueno, pues una mañana, tu padre entró a ver a tus hermanos a su cuarto antes de ir al taller y llevaba Papantonio el periódico en la mano y lo dejó sobre el escritorio y se puso a jugar un poco con ellos y les dio unos achuchones y se iba a marchar cuando de pronto, Andresito, que tenía ya dos años y medio y que nadie le había oído decir hasta entonces esta boca es mía, fue y dijo: «Papantonio, últimamente estás muy distraído. Se te olvida *El Imparcial.*» A tu padre por poco le da algo. Se quedó de una pieza. A partir de ahí, supimos que si no hablaba Andresito era porque quería hacerlo como Pi y Margall.

Se levantó Rosita de un salto deshaciendo toda la cuna.

—¿Así que Papantonio me quiere?

—¿Pero es que no habrá forma de dormirte?

—¿Me quiere?

—Sí, mucho —agotaba su paciencia.

—¿Más que tú?

—Más que yo no te quiere nadie. —Ahora la abrazó y sabía que aunque lenta, había otra forma de dormirla—. ¿Cuánto quiero yo a mi niña?

—¿Qué me vas a regalar? —preguntó Rosita siguiendo la fórmula.

—Te regalo el mundo entero y eso que ahora, con lo de las patentes de tu padre, nos vamos a arruinar.

No estaba para ruinas Rosita y aquello no formaba parte del juego.

—Pues yo te regalo el sol.

—Gracias, Rosita, hija. Yo, la luna y dos estrellas. —Y la seguía besuqueando y acariciando.

—Y yo el mundo, la luna, el sol, las dos estrellas y el mar...

—¡Te vas a quedar sin nada, Rosita!

—No me importa, te tengo a ti que eres mi mamá. —Estaba colgada de su cuello y trepaba por los barrotes.

—¿Mi niña no tiene sueño?

—No, sí, no, sí —Era un puro mimo.

—A ver, yo diría que sí, a ver, bosteza..., ah..., ah..., a ver cómo bosteza mi niña.

—¿Dónde está Papantonio?

—En la tertulia, hija, a punto de llegar y quiero bajar a hablar con él.

—Llévame a tu cama, Mamaíta, anda, un ratito, hasta que me duerma. —Y se enganchaba la hija a la madre como una sanguijuela.

—De eso ni hablar.

—Pues entonces grito.

—Tú gritas y yo te doy un azote.

—Y yo grito más.

—¡Rosita!

—Sólo un ratito, Mamaíta, sólo un ratito y me cuentas hasta diez.

Así que no había más remedio que ceder y meterla en su cama con ella. Y lo malo es que se corría el peligro de que fuera Rosita la que la durmiera a ella, que muchas noches se quedaba sin poder leer un ratito sus novelas y era la niña la que terminaba apagando la luz. Con todo tipo de precauciones, metió a Rosita en la cama grande y ella se tumbó encima de la colcha.

—Sólo te dejo aquí hasta que cuente hasta diez. A ver Rosita, di conmigo, uno, dos...

—¡Dos y medio! ¡No vayas tan deprisa!

—Bueno, más despacio, tres, tres y cuarto, cuatro, cinco...

—¡Cinco y medio! No corras, Mamaíta. Cinco y tres cuartos, cinco y tres cuartos y medio... —Parecía que se amodorraba.

—Seis, seis y un poquito...

Hasta llegar hasta diez, sabía Manolita que aún tenía para un cuarto de hora.

Con Julito era más fácil. Como era el mayor, se le sacaban a relucir las responsabilidades de la primogenitura y el deber que tenía de dar ejemplo y si eso no daba resultado, se le zarandeaba bien y se le daban dos tortas en el culo y si no eran suficientes, se le daban otras dos o tres, no muy fuertes, pero lo bastante como para que se fuera a su cama caliente y alborotado porque, aunque parezca mentira, cuanto más enervado se metía en la cama, menos tardaba en encontrar la postura, en remeterse todas las sábanas y las mantas entre las piernas, doblar la testuz y caer en el sueño como un diosecillo apaciguado. Si tenía la noche difícil, Carmela acababa metiéndole con ella en su cama y allí se quedaba Julito, apretado contra su espalda, meciéndose como un mono, hasta que le vencía el sueño.

Hoy había dado resultado la técnica del zarandeo y las tortas en el culo y Julito dormía ya, soñando quizás, a su muy tempranísima edad, con las hadas y princesas que venían pintadas en los cuentos de Rosita.

Dormir a Andrés era harina de otro costal. Andrés siempre era el último en ceder, el que mayor resistencia ponía, el que cuando parecía ya dormido, volvía a entreabrir sus ojitos claros y tristes, pidiendo otro cuento. Y daba tanta pena Andrés, no se sabía por qué, pero daba tanta pena aquel niño tan frágil y tan ausente, que Carmela se sentaba a un ladito en la cama, porque ya dormía Andrés en cama, y después de colocarle bien el embozo, le tomaba de la mano y se ponía a recitarle con muy confuso acento, interminables retahílas, arrullándole, bajito, pero con la misma prosopopeya que si fueran misas en latín.

—«... loz ziete, loz ziete coros, loz zeis, loz zeis candeleros, laz cinco, laz cinco llagas, laz cuatro, loz cuatro Evangelistas, laz tres, laz tres Marías, laz doz, laz doz tablillas de "Moizén" donde Jezucristo puso los pies pa subir a la casa zanta de Jeruzalén, la una, el zol y la luna... Y dijo el Malo: de las doce palabras retorneadas, dime las ocho. Y San José, que se había disfrazado de viejecillo fue y las dijo: laz ocho, loz ocho gozos, laz ziete, loz ziete coros, laz zeis, loz zeis candeleros, laz cinco, laz cinco llagas, laz cuatro, loz cuatro evangelistas, laz tres, laz tres Marías, laz dos, laz dos tablillas de "Moizén", donde Jesucristo puso los piez pa subir a la casa santa de Jerusalén, la una, el sol y la luna...»

Sonreía Andresillo y al fin se le abría la boca de sueño, pero volvía a abrir los ojos, reclamando que continuasen, hasta la docena, las Palabras Retorneadas.

—«Y ya el malo se ponía impaciente —y Carmela ponía voz de malo impaciente— y viendo que no iba a poderse llevar al viejecillo con él, va y le dice: de las doce palabras retorneadas, dime las nueve. Y San José va y contesta, sin equivocarse: las nueve, los nueve meses, las ocho, los ocho gozos...»

Se aflojaban los deditos de Andrés y retardaba la chica su cantinela.

—«...las siete, los siete coros, las seis, los seis candeleros... —se saltaba algunas, para comprobar si el niño ya dormía— las dos, las dos tablillas de "Moisén", donde Jesucristo puso los pies...»

No había protestado Andrés, prueba de que ya andaba en el umbral del sueño. Para asegurarse, continuó un poco más Carmela, haciendo, abiertamente ya, trampa.

—«...Jerusalén... enfadado el Malo, remalo de los infiernos... al viejecillo que era San José disfrazao... de las diez... dos...»

Se levantó Carmela, retirando su mano con cuidado. Miró a los niños. Ambos dormían en sus camitas gemelas. Respiró satisfecha. Después, fue hacia su camastrillo que estaba en el extremo opuesto del cuarto donde antes estuvo la cuna y sacó de debajo del colchón una carterilla de tela a su vez envuelta en un trozo de manta vieja, donde guardaba sus cartas y el recado de escribir.

La luz de la cocina estaba encendida y la puerta del cuarto de doña Mariquita, abierta. La doña, metida en su cama, reclinada sobre almohadones, leía, con las gafas de pinza sobre la punta de la breve nariz, las manos enguantadas con mitones y los pelillos rubios, empapados de agua y vinagre, enroscados en papelillos que aseguraban el rizo del día de mañana.

—Pasa, Carmela, pasa, te llevo esperando no sé cuánto. Apaga la luz de la cocina, hija. La he dejado encendida para que no te tropezases al bajar. También he dejado encendido el comedor con la cena de don Antonio. Si tarda, antes de irte a dormir, la apagas.

—Sí, doña Mariquita.

—Pasa, que es tarde.

—Es que Julito no se quería dormir y con Andresito, hoy, he tenido que llegar hasta la nueve...

—¡Qué paciencia tienes, hija! ¡Que Dios te la conserve!

—Si le parece muy tarde, doña Mariquita...

—No, hija, pasa y no perdamos más tiempo. ¿La señora ya se ha dormido?

—No sé, doña Mariquita. Había luz debajo de la puerta, pero a Rosita no se la oía.

—Bueno, dame la tabla de hilvanar para que me apoye.

Se puso todo el tingladillo encima de las rodillas doña Mariquita y discutieron, como siempre, si la carta debía ir escrita con pluma o en lápiz.

—Pero, Carmela, hija, es que tu lápiz de tinta me pone hecha una pena.

—Sí, pero es mi lápiz, con el que hago las planillas que me manda don Antonio y como él me pide que se las mande a mi madre, si luego ella ve que la carta va en otra tinta...

—Pero si tu madre sabe que las cartas te las escribo yo.

—Doña Mariquita, es que a mí me hace ilusión que sea con mi lápiz.

Había una forma de conciliar los intereses.

—Bueno, pues lo chupas tú el lápiz, ¿de acuerdo?

—Sí, doña Mariquita, claro, como siempre. A mí no me importa mancharme.

Se removió Mariquita y puso la cuartilla sobre una cartulina con rayas.

—A ver, ¿qué pongo?

Miró al techo Carmela, en busca de inspiración mientras chupeteaba la punta del lápiz de tinta.

—Lo primero, lo que usted quiera, «querida madre» o «respetada madre mía», eso, lo que usted quiera, que de principios usted sabe más que yo y yo no soy quién para llevarle la contraria, pero luego... Le entregó el lápiz chorreando saliva—. «Madre, que de lo que me decía usted que si de ir a por las aceitunas...»

—Más despacio, muchacha.

Se relamía los labios de tinta Carmela poniéndose como el negro zumbón y continuaba, cogiendo carrerilla.

—«... pues que le digo a usted que por muchos motivos que sería largo aquí de explicar que lo que me decía usted que si de ir a por las aceitunas...»

En ese momento se escuchó un ronroneo de perros en el patio.
—¡Ya llega el señor! —dijo Mariquita.

Efectivamente, Antonio cruzaba en esos momentos el patio. Venía pensando en sus ideales masónicos y en Goethe; en lo inactivas que estaban últimamente las Logias, que nada parecía calmar el fuego y furor de la guerra europea; en el triste fin de aquella enfermera inglesa que había sido fusilada por curar indiscriminadamente a heridos de los dos bandos; en la pérdida irreparable, como toda pérdida... ¡Qué tontería!, los tópicos, las frases hechas y al mismo tiempo qué precisas y claras: «bañaba» la luz, el «insondable» misterio, la «profunda» noche, «la pérdida irreparable»... Sí, irreparable, la muerte de Rubén Darío, tan enervantes sus versos, tan poderosos...

Detuvo sus pasos y todo pensamiento al escuchar el llanto de la niña Isabelita, un llanto que le reclamaba, feroz, exigente, estremecedor. Parecía que al bebé le estuvieran sacando la piel a tiras. Miró hacia el chiscón.

Vicenta, para no despertar a Pepillo, o quizá por hábito, seguía utilizando velas cuando la niña la despertaba de noche y temblaba la llama tras las cortinas de los cristales y las sombras de Vicenta y de la niña eran sombras chinescas, deformes y aterradoras.

Lloraba Isabelita y levantaban las orejas los perros, rodeando a Antonio, a quien empezó a latirle el corazón con fuerza.

En el interior del chiscón, la portera intentaba tranquilizar a la niña.

—Calla, Isabelita, niña, calla, que vas a despertar a tu tío Pepillo. Si aún no te toca, calla, calla... A rorro, a rorro...

Pero ya se había levantado Pepillo y acudía en su ayuda.

—¿Qué le pasa a la meoncilla, tía Vicen?

—Nada, vete a dormir. ¿Lo ves, Isabelita? Ya has despertado al tío. Se habrá quedado con hambre Isabelita. Anda, vete a tu cama y descansa.

—¿Quiere que la acune yo, tía?

—No, no, tú no te preocupes, que mañana hay que trabajar.

Se quedó quieto Pepillo, y prestó atención.

—Parece que ya ha llegado don Antonio.

—Sí, ya le he oído por el patio. Anda, hijo, a dormir.

—Tal como están las cosas, pronto ya no tendré que ir a trabajar. Mariano dice que don Antonio cerrará el taller.

—Anda, no te vayas a desvelar ahora.

Desapareció Pepillo y se escuchó a continuación el crujir del somier que acogía su cuerpo. Isabelita seguía llorando, ahora con un hipo imposible que taladraba los tímpanos. Se abrió el camisón Vicenta y se la acercó al pecho. Calló entonces la niña. Desde la cama, hablaba Pepillo.

—¿Está mamando, tía Vicen? ¿No dice que no le tocaba?

—Da igual, hijo, duerme.

—Luego me la da y le doy un paseíto y ya verá cómo se calla.

—Si cierra el taller, ¿qué haremos, Pepillo? —La que estaba desvelada era ella.

—Usted no se preocupe por nada, tía Vicen, a usted nunca le va a faltar de nada. Ni a usted ni a Isabelita, para eso estoy yo. ¿O no le doy yo todo el jornal?

—Ya sabes que, parte, te lo guardo, para cuando te cases.

—¿Casarme yo?

—¿Por qué no? Con esa Carmela, que te la comes con los ojos.

Se escuchó una risita tonta.

—Usted también se podía volver a casar, tía Vicen. He estado preguntando y si pasa un tiempo y el tío Basilio no aparece, se le puede dar por muerto.

—¡Huy!

—Pero mira que si vuelve un día millonario...

—Millonario en botellas de anís. No, no va a volver, lo sé yo que no va a volver nunca. Pero a ti, si te gusta esa Carmela u otra, tú a lo tuyo.

—Si yo me caso algún día, tía Vicen, usted y la niña se vienen con nosotros.

—¿Nosotros? ¿En quién piensas cuando dices eso, en Carmela?

—¿A que me enfado?

—Ay —se quejaba Vicenta.

—¿Qué le pasa, tía Vicen?

—Esta niña, que me ha pegado un pellizco... ¡Es de bruta!

—Es muy guapa mi sobrina.

—Sí, eso sí, muy guapa que va a ser.

—Como usted, tía Vicen.

—Anda...

Se cambió de pecho a la niña e Isabelita volvió a agarrarse como un lechoncillo voraz.

Se cebaba, chupeteaba, se atragantaba al engullir, glotona, Isabelita, y sentía Vicenta, que se le iba la vida.

Cuando entró Antonio al comedor, encontró a Manolita sentada a la mesa, sin hacer nada, sólo esperándole.
—Manolita...
—Buenas noches, Antonio.
—¿Pasa algo?
—¿Tanto te extraña que te esté esperando?
—Mujer, normalmente cuando me retraso, te encuentro ya descansando.
—Pues hoy no, ya ves.
Antonio sin sentarse aún cogió una croqueta y se la comió de dos mordiscos.
—Cada vez te salen mejor.
—Sí, la pasta sí, pero aún no me salen tan igualitas como a tu madre.
Lo dijo con tanta resignación que Antonio la miró preocupado.
—¡Te pasa algo, Manolita!
—¿Y a ti? Si me he quedado a esperarte es quizá porque creo que a quien le pasa algo es a ti.
—¿A mí?
—No pongas esa cara de tonto, sí, a ti. ¿Has tenido noticias de los alemanes?
—No, pero eso...
—¿Quieres decir que a mí ni me va ni me viene?
—Dios me libre de decir eso...
—Últimamente dices mucho lo de Dios, Antonio.
—Se me pega, lo dice todo el mundo. —Se comió otra croqueta.
—Antonio, ¿qué va a ser de nosotros?
Se sentó él, viendo que la cosa podía ir para largo.
—Aún no se han perdido las esperanzas.
—Tú crees que no me entero de nada.
—No, no es eso, pero nunca quisiera preocuparte.
—Me preocupas más al no contarme nada.
—¿Qué quieres que te cuente?
—¿Qué va a ser de nosotros?
—Aún no te ha faltado de nada. Y los del taller cobran todos los sábados.
—Y tú estás hasta los ojos de deudas. Y no me digas que cómo

lo sé. Porque lo sé, porque te conozco, porque con tus medias palabras lo das a entender todo.

—Manolita —suspiró—, está bien, estamos en un apuro. Tenías razón, nunca debí meterme a inventor. ¿Quién me mandaba a mí poner en peligro tu tranquilidad, la seguridad de los niños? Sí, tienes razón, pero no hay motivo alguno para que no me contesten los alemanes, no hay motivo alguno y si hacen el pedido, el banco financiará toda la operación y...

—¿Y mientras?

—Manolita, no podría soportar que me acusases. Ya te he dicho que tienes razón y ya se me ocurrirá algo.

—No te estoy acusando, yo te entiendo mejor de lo que crees. ¿Que quién te mandaba meterte a inventor? Tu corazón. A un hombre siempre le manda su corazón, su impulso, sus ilusiones... Y si yo pudiera, si yo fuera ebanista, en vez de ama de casa y madre, si yo supiera dibujar e inventar máquinas, habría hecho lo mismo que tú, así que no te acuso de nada.

Estaba sorprendido Antonio con el discurso de Manolita y se aflojó la tirilla del cuello, reconfortado.

—Ya se me ocurrirá algo.

—A mí ya se me ocurrió.

—¿A ti, Manolita?

—Sí, a mí.

—A ver qué disparate vas a decir.

Manolita, centró la cuestión económica y laboral con dos trazos contundentes y unos cuantos razonamientos aplastantes. Valoró negativamente la pérdida del mercado ultramarino y como positivo el momento de la contienda europea, con lo que ésta podía influir en el negocio de las patentes; analizó la internacionalización de los derechos de fabricación de las máquinas; hizo un repaso sobre el momento de la neutralidad española y la coyuntura de prosperidad que ésta facilitaba; profetizó con gran sentido las muy probables revueltas obreras dentro del marco de la inestabilidad gubernamental y las consecuencias que éstas tendrían en el taller; puso sobre el tapete los balances de los libros de comercio; el índice de la subida y del coste de la vida y resumiendo el estado de las cosas con lucidez, diagnosticó el desastre y propuso la única solución posible.

—Antonio..., ¡tienes que vender Barquillo!

VIII

**El reparto de muebles. — El corto vuelo de la mariposa. —
De tiendas. — Pilar rompe con Felipe. — «La Tierruca». —
Carta de Adra. — En la plaza de Canalejas han puesto un
anuncio luminoso. — De lo que es capaz de decir un hombre.**

Allá por el principio del siglo, fueron mulas, luego caballejos y
ahora, los que pateaban en esta primavera lluviosa de 1916, unci-
dos al carromato que hacía el reparto de muebles del taller, eran
unos hermosos percherones y como seguía chispeando el cielo, las
gotas de agua se les prendían brillantes en el pelaje a *Ricitos* y
a *Melenas*. Cuando llegó la pareja a formar parte de la nómina
de la fábrica, los barnizadores los bautizaron como *Patrón* y *Socio*, en homenaje burlón a Antonio y a Julio Baonza y Paco el
ladrón que era el que de ellos se encargaba, aún los llamaba a
veces por aquellos nombres.

—Quieto, *Patrón*, cuando se baje todo te desengancho. *Socio*,
¡so!, ya vamos para la cuadra, tranquilo, un poco más y enseguida
te pongo el saco.

El señor Juan dirigía la descarga de los muebles y de vez en
cuando se metía con Paco.

—Usted mucho hablar con los caballos pero de arrimar el hombro, nada.

—Es que si no les sujeto, señor Juan, igual se nos desbocan.

—Ande ya, ¡con lo nobles que son! Si usted ni les hace falta. Si podrían ir por Madrid, solos, por lo menos el camino desde Barquillo hasta aquí, que no han hecho otra cosa en la vida.

Relinchó *Ricitos*, dándole la razón al encargado.

—¡Que se cree usted eso! Un caballo necesita del carretero, como una mujer necesita del látigo.

Movía la cola *Melenas*, no se sabía si conforme o no.

Vicenta, que se había acercado al carro, miraba los muebles que se iban descargando, con pena.

—¿Y don Antonio, Paco?

—En la tienda se ha quedado, mirándolo todo de una forma que a mí se me caía el alma a los pies.

—Pobre don Antonio —se lamentaba el encargado—, menos mal que el señor Baonza no ha vivido para ver este desastre. La exposición de Barquillo al garete... Ya lo anunció el señor Baonza, que en paz descanse, que sin él, el negocio se iría a la ruina.

—Pero al menos, cobraremos una temporada.

Entró el señor Juan hacia el taller para no tenerla con el carretero. Iba gritando.

—Venga, venga, bájenlo todo, que se van a mojar los muebles. A ver dónde metemos todo esto. Cuidado con esa cama. ¿Quién ha envuelto esos cajones? ¿Para eso he mandado yo más mantas? Venga, Pepillo, espabila, llama a Sebastián, que es fuerte y a Mariano... Aquí tenemos que descargar todos.

—¿Quedan muchos? —Se quejaba Luis Márquez—. Tenía usted que haber llamado a unos mozos, ellos de traslados saben más y yo tengo mucho trabajo. ¿Quedan muchos?

—En un viaje más terminamos —informaba Paco.

—¿Y qué va a hacer don Antonio con todos estos muebles? —quería saber Vicenta.

Paco bajaba la voz y le cotilleaba al oído.

—Don Antonio me ha dicho que piensa hacer unos lotes y repartirlos entre nosotros, ¡para que vea cómo se las gasta el patrón! Dice que no quiere venderlos y que además, como muchos son modelos antiguos que ya no se hacen, pues, ¡para nosotros!

—¡Qué barbaridad! ¿Cómo va a hacer eso? —protestaba el señor Juan—. No lo consentiré yo.

—Hombre, el mueble para el que lo trabaja. —Reía Luis cargándose a la espalda un complicadísimo tiestero de cinco pisos—. Esta pieza, por ejemplo, la hice yo en 1904 y hay que verla, es de museo, de museo.

—Vaya unas ojeras que luce usted hoy, Vicenta. —Sacaba un pitillo Paco del forro de su gorra y se lo llevaba a los labios.

Pepillo le miraba de arriba abajo.

—¡Usted y sus pitillitos! A ver si a mi tía le tiene usted un poco más de respeto.

—Pepillo, déjale, si no ha dicho nada —le defendía Vicenta.

—Usted con mi tía no tiene que hablar —se emperraba el muchacho—, que ronda usted el chiscón más de la cuenta. A mi tía déjela usted en paz.

—Si la dejo en paz, no sé cómo le voy a dar los encargos que me ha hecho.

Paco, de los interiores de su faja, sacó un paquetito y se lo entregó a Vicenta.

—No sé si lo habré hecho bien. Le he entregado la muestra y la mercera me ha dado los colores.

—Gracias, Paco. —Se guardaba los hilos Vicenta en el bolsillo de su delantal.

Seguía la descarga de muebles, unos iban para el taller y otros para el almacén.

De la casa salió Carmela, con Rosita agarrada a sus faldas. Pepillo dejó la silla que estaba sacando del carro y con arrobo se quedó mirando a la muchacha que se acercaba.

—¡Qué muebles tan bonitos! Los estoy viendo desde la cocina. ¿Son para la casa?

—No, señorita. —Se deshacía en explicaciones Pepillo—. Son de la exposición que había en Barquillo, como don Antonio ha vendido la tienda —bajaba la voz— para pagar el registro de patentes...

—Menos explicaciones —apuraba el señor Juan.

—Papantonio ha vendido Barquillo para pagar los jornales —rectificaba la niña, que menuda era Rosita, como para no estar al tanto de lo que ocurría, tanto en la casa como en el taller—. ¡A Carmela la ha despertado una mariposa esta mañana! ¿Sabes, Pepillo?

—Niña, tú a callar —la regañaba Carmela y se dirigía muy modosa a la máxima autoridad presente—. Señor Juan, yo es que venía a...

—Estamos trabajando.

—Perdone, señor Juan, es que quería mandar una carta al correo y le iba a pedir al señor Paco...

—Este hombre —miraba el señor Juan al carretero con cara de

pocos amigos— trabaja más para las mujeres que para el taller.

—Me lo ha dicho doña Mariquita —se disculpaba la chica.

—¿Carta para la madre? —Lo sabía todo Paco.

—Sí, señor Paco...

Se la iba a entregar Carmela, pero Pepillo se puso por medio y la cogió.

—Yo se la echaré al tranvía.

—Pues yo tengo que pasar por Correos.

Rivalizaban los dos para atender a la moza.

—Bueno, al que menos le cueste. —Miraba a Pepillo con embeleso—. Pero, ¿al tranvía, José?

—Han puesto buzones en los tranvías, señorita Carmela; así que si usted quiere... Tengo que llevar unas herramientas a afilar al lado de San Nicolás y...

—Es usted muy amable, José; gracias.

—Gracias, las que usted tiene.

Todos les estaban mirando, Vicenta, Paco, el señor Juan, Luis y hasta la niña Rosita. Carmela hizo un mohín de una coquetería deslumbrante y se volvió hacia la casa, arrastrando a la niña que iba mirando a Pepillo. Éste suspiró, se guardó la carta en el bolsillo del pantalón, y al reparar en el interés que estaba despertando, se le subió el pavo.

Las aceras brillaban resbaladizas, el cielo de Madrid había levantado por la tarde y las tan cantadas nubes velazqueñas andaban prendidas en la torre de Gobernación. Era la perspectiva de aquel forillo de la Puerta del Sol, todo un poema.

Pero no eran las nubes, sino otras cosas, las que preocupaban a Manolita y a Pilar, que agarradas del brazo, muy ensombreradas, bajaban por la calle Montera deteniéndose ante las joyerías. Manolita llevaba en la mano, como quien lleva una bomba, un paquetito de la guantería «Aimable».

—Pero es que está loco, Antonio, de verdad, porque ha dicho que la cómoda de taraceas es para Luis y para Eulalia. A ver si ahora, después del sacrificio de vender Barquillo, nos vamos a quedar sin nada. Menos mal que el comedor de la exposición nos lo quedamos. Llevaba yo no sé cuánto tiempo esperando que Antonio hiciera un comedor para la casa. Además hay otros muebles en Barquillo que de momento no sé dónde voy a meter, pero no consiento que lo regale todo a los del taller. Algunos ya me los he reservado. Le he dicho que son para mandarlos a Berja, a su hermano, pero de momento me los subo a la buhardilla.

—Él sabrá lo que se hace, mujer... Tú no te preocupes.

A veces se tuteaban las amigas y a veces se llamaban de usted, sobre todo cuando sus confidencias eran subiditas de tono.

—Cuando fuimos a la boda de esos dos...

—¿De quiénes, Manolita?

—De Eulalia y de Luis. Nunca se lo he comentado, pero se miraban de una manera... Entre ellos, hay, no sé, son como animalitos.

—Lo que Ramón y Cajal llama el instinto de la procreación. Al amor, a la pasión, a todo eso que nos resulta tan importante a las mujeres, don Santiago lo llama instinto de conservación de la especie.

—No sé, no sé yo.

—¿Entramos a preguntar por ese collar? No sé por qué no ponen los precios en el escaparate, aunque no sea chic, es útil.

—¿No vamos a llegar tarde a la prueba?

—Sí, es verdad, vamos.

Emprendían otra vez el camino calle abajo, en silencio y, de pronto, como quien oye llover, tan tranquila, Pilar soltó la noticia.

—Ayer rompí mi compromiso con Felipe.

—¿Qué?

Se detuvo Manolita en seco, obligando a Pilar a hacer lo propio. La cara de Manolita era de pasmo.

—¿Cómo?

—Lo que oyes. Fue cuando nació Rosita, cuando nos hicimos novios, ¿verdad?

—Sí, más o menos cuando Antonio estuvo en América.

Soltó una carcajada breve Pilar.

—Yo creo que si me pidió relaciones fue por eso, porque como no estaba Antonio y se aburría...

—No, mujer, por eso no sería, aunque es verdad que se pasan los dos la vida, de la Logia al café y del café a la Logia, y cuando no es el café, es la rebotica de Castellanos.

—Pues eso. Ayer íbamos por Rosales en el coche, y se lo planté y me quedé tan ancha. Llevábamos tres años de relaciones y nunca era el momento de hablar de boda... Además, yo creo que para casarse hace falta un poco de eso, del instinto sexual del que habla Ramón y Cajal, un poco de eso hará falta, digo yo.

Estaban paradas en medio de la calle Montera y el trasiego de la vida subía y bajaba sin inmutarlas. A Manolita parecía que la había partido un rayo de tan quieta que escuchaba a su amiga.

—Íbamos, tracatrán, tracatrán, por Rosales, tan ricamente. El cochero había bajado la capota, íbamos tan juntitos los dos, la mar de bien. Yo, mordiendo unos barquillos que se me habían antojado y que él había bajado a comprarme, ya sabes que es muy atento. Y nada, yo con los barquillos y él a lo suyo, con sus cotorreos, aburriéndome. Y de pronto, se me ocurrió y le ofrecí un poco de barquillo y es que ni me miró, ni me vio... Seguía dale que te pego, que si Ferrer y Guardia había dejado a su esposa por diferencias religiosas, que si el precio de las antigüedades, que si el cafre de don Salvador, que si Madrid, que si los sonetos... Yo, ni lo había pensado. De pronto es que me oí diciéndoselo, «Felipe, no te quiero»... así, por las buenas, «no te quiero». Luego ya le dije más cosas, que era mejor así, que rompiéramos el compromiso, que él para mí siempre sería un hermano o mi primo o mi amigo o... ¡Fue tan triste y tan fácil! «¡Felipe, no te quiero!» Ni el barquillo, mira que un barquillo es frágil, ¡pues ni el barquillo se rompió!

Suspiraron las dos al mismo tiempo y arrancaron a andar.

—¿Y qué cara puso Felipe, cuando se lo dijiste?

—Se puso serio, muy serio. Luego, bajó la vista y luego, puso cara de felicidad, como si se le hubiera quitado un peso de encima. Es que yo, a Felipe, no le veo casado, la verdad.

—¿Y se van a seguir viendo? —Ahora tocaba de usted.

—Claro, si nos conocemos desde chicos y las casas de La Granja están al lado. —No estaba dispuesta Pilar a ponerse triste y se arrebujó en el cuello de piel—. De habernos casado, su madre quería que nos quedásemos en La Granja... ¿Y qué hacía yo allí?

Provocaba siempre la sonrisa en Manolita que la admiraba más que si fuera Concepción Arenal, Agustina de Aragón y la Pardo Bazán todas juntas.

—¡Qué graciosa es usted!

—Claro, si hombres, tiene que haber hombres, pero...

No estaba bien reírse en medio de la calle, así que sofocaron las carcajadas.

—Es que a ti, Pilar, no te da miedo nada, ni trabajar te daría miedo, ¿verdad?

—Claro que no. Lo que pasa es que no lo necesito y no me parece bien quitarle el pan a nadie.

La miraba, asombrada ante su generosidad, Manolita.

—Y de trabajar... ¿qué harías?

—Seguramente, dedicarme a los negocios, bueno, al negocio de la moda, que ya va siendo hora de que en alta costura opinemos las mujeres. Me iría a París. Ésa es otra de las cosas que me separan de Felipe. Él prefiere Londres y a mí me gusta más París.

Habían llegado al portal en cuyo principal estaba la modista que le cosía a Pilar. Entraron.

Subían las escaleras a poquitos, parándose cada cuatro o cinco escalones, muertas de risa.

—¿Y el piso que tiene Felipe en la calle Alcalá? ¿Por qué no pensabais en vivir allí? Creo que es muy hermoso.

—Un Rastro, es un Rastro, todo lleno de armaduras y cosas viejas. Hasta estatuas tiene en el pasillo, todas envueltas con mantas, un museo de antigüedades, todo lleno de polvo. Yo entro y no paro de estornudar.

—Ay... Ha entrado usted... ¿sola?

—Como somos medio primos, pero no te vayas a creer... Felipe nunca ha pasado del beso en la mano. Es tan «caballero» —y lo decía Pilar con una picardía, una malintención, una sal y una pimienta, que ya la quisiera para sí Amalia Molina cantando *Polichinela*.

Reía Manolita, sofocada.

—Pues yo, para lo que salgo, a mí no me importaría haber vivido en La Granja. Además, en verano están los Reyes.

—¡Huy! ¡Se pone imposible! Con los Reyes es peor. Además, ¿sabes, Manolita?, yo cada día soy más republicana.

—A mí me da pena la Reina, y ahora con la guerra... los dos tienen familia en los dos bandos. ¿Cómo hablarán nuestros Reyes de la guerra?

—Con mucho cuidado —respondió, rápida, Pilar—. ¡Con mucho cuidado!

Se doblaba de risa Manolita y tuvieron que esperar a que se le pasara el ataque antes de llamar a la puerta.

El probador estaba lleno de láminas de *La Mode Parisienne* y Pilar se probaba un traje tras otro frente al espejo de tríptico.

Manolita, en una butaca, contemplaba la prueba y a veces se perdía en ensoñaciones, agotada por la cháchara modisteril de la maestra que probaba y de la superferolítica de Madame Balagué, que era de Tarrasa pero que se hacía la francesa. A Manolita, que salía poco y a quien toda la ropa se la seguía haciendo doña Mariquita, las jerigonzas de las elegantes le sonaban a chino, que si los pliegues helénicos con varios *ruches* ornando el ruedo desigual; que si el corsé de figura de luna menguante se iba a pasar de moda; que si sería mejor un vestido de tarde donde primara la transparencia del organdí o atreverse ya con el de *soirée* con algún *entravée* que le diera mucha *souplesse* a los *godets;* que si los *fichus* no convencían ya; que mejor el terciopelo chiffón para el *garden-party;* que el tacón alto y escotado, pero que los hombros seguían caídos y muy ceñidos y que la pasamanería de seda cruda se enganchaba Dios sabía por qué más que otras; que el caracul se llevaría siempre, y que combinar moaré, glasé y lamé era lo último; claro que las plumas de avestruz atravesando el escote ponían el grito en el cielo; mejor unos *clips* en forma de pájaros; que los clavos dorados eran cosa de abuelas y que volvía la botonadura de nácar sencilla; que un sombrero de antílope o una capelina no eran suficientes para ese conjunto, y que no había nada en el mundo que igualase a un turbante doble con paraísos y *aigrettes.*

Sin poderlo evitar, se le abría la boca a Manolita.

Tras la prueba, las amigas reponían sus fuerzas en «La Tierruca», una pequeña pastelería que tenía dos veladores de mármol junto al escaparate, tras cuyas cortinas podían ver a todo el que entraba y salía del callejón del Banco de España.

Mojaba el bizcocho Manolita en el alto vaso de leche caliente y siempre acababa perdiendo un trozo en el fondo, donde había que rescatarlo con la larguísima cucharilla.

—Y no salgo, así que no sabes cómo te agradezco que me traigas a pasear. Con Mariquita a veces voy de compras, claro, pero ella está tan fúnebre, todo le parece caro. ¡Si voy con ella, no me compro los guantes! La última vez, yo la quise animar y la invité a tomar algo en el «Café Suizo» y se negó en redondo, y eso que le aseguré lo que usted me había dicho, que ya van muchas señoras.

—Pues la semana que viene, vamos tú y yo... Podíamos haber ido hoy.

—No, ya no tengo que comprar nada... Además, los niños ya están calzados para todo el invierno y están tan mal las cosas...

—Me tienes que decir qué necesita Rosita; bueno, ya sé que no necesita nada, pero algún capricho.

—La tienes demasiado mal acostumbrada.

—Para eso soy su madrina honoraria, que la verdad, y no hace falta que me lo recuerdes, es Celia... A propósito...

—Ahora me debe carta. Está bien, como siempre, la provincia es otra cosa. Ella dice que su novio es el mar.

—¡Que no sé yo que iba detrás de Felipe!

—¡Pilar!

—Conmigo no tienes que andarte con rodeos. ¿No ves que le conozco muy bien? Felipe... sólo se hubiese casado contigo, Manolita, sí, contigo.

A Manolita se le cayó otro trozo de bollo dentro de la leche, salpicándole además la falda.

—¡Ay, qué torpe soy...! —Hizo una pausa larga y suspiró—. No, Felipe es como Antonio. Son de los que no se enamoran de nada que sea posible. Felipe pudo intentarlo cuando éramos jóvenes, pero a él le gustaba verme como algo inaccesible. Cuando el tío Manuel le escribió y cuando se dio cuenta de que mi madre apoyaría de todo corazón su candidatura, como dicen ahora del Gobierno..., ¡pues se echó para atrás! Y Celia, ¡qué va! Ella coqueteaba para entretenerse; a ella, el matrimonio no le interesa. Ella dice que es una egoísta. Quizá sea eso o quizás es que es muy lista. Quizás algún día las mujeres no se casen. Ninguna. Ni las mujeres, ni los hombres. Y todos sean amigos y hermanos y... amantes.

—¡Manolita! —La miraba Pilar con cariño—. Con Antonio, ¿desde cuándo no sales?

—Huy, con Antonio... Este año hacemos diez años de casados y ¿quiere creerse que en todo este tiempo sólo me ha llevado una vez al teatro? Fuimos a ver a Loreto Prado, en *Alma de Dios*. Si viviera Andrés..., usted tenía que haberle conocido... ¡Hubiera sido estupendo!

—¿Qué?

—Pues, que se casara con él. Seríamos cuñadas.

Con la cucharilla terminaba de sacar las últimas migas mojadas del fondo del vaso.

—¿Andrés no tuvo novia?

—No, decía que su novia iba a ser yo. Yo le recuerdo ya enfermo, siempre delicado, siempre con fiebre. No estaba él para novias. Pero si hubiera vivido seguro que me hubiese llevado al «Ritz», a todas partes, a bailar... —Se le escapó un puchero.

—Eh, eh, no sigas, que te conozco y enseguida te pones a llorar. Si quieres decimos a Felipe y a Antonio que nos lleven un día de hoteles. No veas... ¡en los ambigús de los hoteles hay cada fiesta! ¡Con la de nuevos ricos que hay con la guerra!

—¡Y nosotros, con el agua al cuello!

—Bueno, bueno, para un cafetito la semana que viene en el «Suizo» ya tendremos.

—Pero no le compras nada a Rosita, ¿eh? Antonio tiene razón, que la gente se debe estar enriqueciendo a base de subir los precios. Hay que ver cómo está el consumo, el kilo de jamón a cuatro cincuenta, la ternera a tres pesetas, y los niños, como no sea ternera... Si fuera por su padre, comerían sólo verdura, pero en eso no estamos de acuerdo... carne, ¡una vez por semana!

—Tú no le hagas tanto caso a Antonio y haz con los niños lo que te parezca.

—No, si en las cosas de los niños no se mete demasiado. Le importa más que aprendan a leer sus obreros que los estudios de Julito, que va muy mal en el colegio y su padre dice que ya tendrá tiempo. ¡Yo me llevo unos disgustos!

—Usted coja el bastón de mando y se acabó, no todo va a ser cosa de ellos. También usted es responsable de todo lo que atañe a su familia.

—Ya, pero los negocios son difíciles. Antonio me explica lo de las patentes y no lo entiendo... Que si se ha terminado el plazo de prioridad, que si no se acoge al convenio internacional, como la duración del registro... Total, que habrá que pagar no sé cuánto de indemnizaciones como no contesten afirmativamente los alemanes y le pidan las máquinas de una vez. Y los registros los quería poner a mi nombre. Me he negado, claro... Usted se aburre.

—Como usted antes con la prueba, y es que creo que, usted, Manolita, entiende más de patentes de lo que dice.

—¡Qué va! Yo lo único que sé es que vive pendiente del correo y que como no lleguen los registros de las licencias y el pedido al mismo tiempo... —Pilar se llevaba la servilleta a la boca, cubriendo los bostezos y antes de que Manolita se embalara pidió la cuenta al pastelero.

—Bueno, la semana que viene al «Café Suizo». ¿De acuerdo?

—Sí... al «Café Suizo».

Antes de marcharse, Pilar compró para Rosita una caja entera de *marrón glacé*.

Después de la merienda, Manolita se había quedado sin apetito, pero mientras esperaba a que Antonio volviese del taller, se mordía las uñas. Estaba sentada en el mirador de la sala sin hacer nada, que según decía Antonio era la más habitual de sus ocupaciones. Hacía tiempo que había colocado el escritorio pegado al mirador y mientras simulaba que escribía cartas o que repasaba las cuentas de la compra o que confeccionaba menús vegetarianos que nunca llegaban a cocinarse, lo que hacía realmente era observar el trajín del patio del taller.

Volvía a llover y en el patio se formaban charcos.

Desde este mirador, como desde el de su habitación de arriba, se controlaba todo perfectamente. No se lo había confesado a nadie, pero había veces incluso, que llegaba a espiar el interior del chiscón con los gemelos viejos de teatro de su difunto padre. Eso lo hacía de vez en cuando, no siempre y, desde su cuarto de arriba, cuando después de anunciar que le dolía la cabeza se cerraba por dentro con llave. Ella misma sabía que no está bien hacer eso, pero...

Hacía rato que se habían marchado los obreros. Sólo había luz en el despacho del taller de Antonio y ella veía su sombra tras el cristal esmerilado, inclinado el cuerpo sobre la mesa de trabajo.

Pepillo había entrado y salido varias veces del chiscón, la última, cargado con la bolsa del mercado, ya que el sobrino le hacía la compra a la tía.

Se volvió a abrir la puerta del chiscón. Salió Vicenta con Isabelita en brazos, riendo con Rosita, mandándola para casa. Se retiró un poco Manolita para que no la viera la portera y tocó el timbre. Enseguida apareció Carmela.

—¿Llamaba la señora?

—Esa niña, Rosita, ¿qué hace en el chiscón?

—Le gusta jugar con la hija de la portera.

—Pero si Isabelita no tiene ni año y medio. ¿Cómo van a jugar?

—Rosita la mangonea, pero ya viene, señora, mírela.

La miraron las dos.

Rosita levantaba poco más de cuatro palmos del suelo, un palmo por cada año que había cumplido, pero eso no impedía que desde el chiscón a la puerta de la cocina zigzagueara, dándole patadas a una pinza de la ropa que se había sacado del mandilón, procurando no perderse un solo charco.

—¡Esa niña va a coger algo! —gritó Manolita.

—Sí, señora; ahora mismo voy.

—No, si ya está llegando. ¡Es el colmo esa niña! ¿No estaba con doña Mariquita?

—Doña Mariquita se iba a meter en la cama, señora. Está un poco acatarrada y le he dicho que se prepare una cataplasma.

—¡Dios mío! No me puedo descuidar. ¿Y los niños?

—Los niños están en su cuarto, jugando con los recortables.

—¡A ver si se sacan un ojo!

—No, señora, no. Sólo les dejo recortar si estoy delante. Ahora están dando el engrudo. Les he hecho un engrudo con un poco de harina que sobró ayer, que se cayó al suelo.

—No tienes que darme ese tipo de explicaciones, Carmela. Ya quisiera yo tener la mano que tienes tú con los niños. Antes de que entrases en la casa, no había quien los durmiera.

—Aún me cuesta, y eso que vienen rendiditos del colegio.

—El año que viene mandaremos a Rosita.

—¿Tan pequeña? Huy, señora, tan pequeña no la lleve. Yo no he ido al colegio y no me pasa nada. Bueno, que no sé leer, pero Vicenta me está enseñando y el señor a veces...

—¡Todos os pasáis el día con Vicenta!

—No, señora, yo no...

También había visto Antonio a su hija porque había salido del despacho y la llevaba en volandas para meterla en casa.

Debió dejar a la niña en la cocina con doña Mariquita, porque apareció en la sala sin ella. Llevaba dos cartas en la mano y estaba radiante.

—Carmela..., ¿cómo es que no me ha dicho que había carta?

—¿Cartas? —Y vio la suya Carmela—. ¡Ay!, las habrá cogido doña Mariquita... ¿Dónde estaban, señor?

—Donde siempre, en la bandeja del vestíbulo.

Fue como si las siete plagas de Egipto amenazasen a la humanidad. Carmela se llevó las manos al rostro, trágica.

—¡Ay! Es la letra del cura... ¿Le habrá pasado algo a mi madre?

—Pero Carmela —se impacientaba Manolita—. ¡Mira que siempre tiene que armar el mismo escándalo cuando recibe carta! ¿Es que no puede pensar que es una carta más, como las de siempre?

—Ay, ay, señor, señor... —balbucía Carmela.

—¡Qué chica ésta! ¡Qué ignorancia! ¿No ves que el señor también tiene carta, Carmela? —Miraba la carta voluminosa, con sellos extranjeros—. Y la del señor debe ser importante.

—A ver, primero la del cura. —Sonreía Antonio, abriendo la de Carmela y dando la otra a Manolita.

—Es de Alemania, Antonio, de las patentes...

—Ya lo he visto, mujer, ahora la abrimos; primero, Carmela.

—Ay, sí, sí, don Antonio, léala. Ay, que no le haya pasado nada a mi madre, que no le haya pasado nada malo a mi madre. Ya se lo decía yo a Andresito esta mañana, cuando nos ha entrado en el cuarto una mariposa, que habría carta, pero voló muy corto la mariposa y eso es mala señal.

—«*Carmela, hija* —leía Antonio dándole a la lectura toda la importancia que la chica esperaba—, *he recibido el duro del mes pasado. Llegó con retraso, pero llegó. Gracias. Eres una buena hija y tu madre te echa de menos...*»

Dialogaba Carmela con la carta, como si su madre estuviera en la sala.

—Ay, madre, sí, el duro, con retraso... Oh, se lo mandé cuando me dieron lo del mes. Ay, soy tan buena hija como buena madre es usted, madre. Fíjese si yo la echo de menos.

—¡Calla! —gritó Manolita, impaciente.

—«*... Si no puedes venir a la recogida de la aceituna, no importa, ya nos apañaremos y te mandaré un tarro de las aliñadas que me has dicho que son las que le gustan más a tu señor...* —Era Antonio ahora quien hacía acotaciones—. Sí, sí, las que más me gustan, es verdad. —Y seguía—: *Te las mandaré con el señor Jacinto que tiene que ir a la capital. Sé buena con los niños y con los señores y con esa santa que dices que es doña Mariquita. Ayuda mucho en la casa y reza por ellos todos los días y por tu madre que te quiere y no te olvida. Tu madre que lo es, Carmen.*»

Tomó la carta Carmela de las manos de Antonio y besaba el papel y la letra picuda del cura.

—Ay, qué tonta soy, menos mal, qué apuro he pasado. Siempre que llega una carta del pueblo no sé qué me da, me dan las siete cosas. Claro, ya lo dice doña Mariquita, que soy muy niña, imagínese si yo me asusto, cómo se asusta mi madre cuando la escribo. Yo la he visto verde, verde, cuando la escribía mi hermana que está sirviendo en Sevilla. Las dos le mandamos un duro todos los meses, para ella, pero seguro que aparta algo para nuestros ajuares. —Se sorbió los mocos de una aspiración poderosa y con los ojos brillantes de alegría salía de la sala diciendo—: Ahora mismo subo la cena al comedor, señora.

Mientras había durado la perorata de Carmela, Antonio había dado cuenta del contenido de la carta dirigida a él. Manolita le miraba y nada descubría, sólo su mismo gesto impasible de siempre.

—Algo relacionado con las patentes, ¿verdad? —preguntó Manolita, precavida, temiéndose lo peor.

—Sí —dijo él.

—¿Qué dicen? ¿Qué pasa?

Hizo él una pausa grande, y muy bajito dijo:

—Pasa, que vamos a ser ricos, Mamaíta, muy ricos.

Ella abrió unos ojos como platos, pero platos grandes, como los granadinos esmaltados que había traído Antonio de su último viaje al sur y que colgaban de la pared del vestíbulo.

—Ya están admitidos todos los registros, los de las tres máquinas nuevas, también. Registradas en Alemania, en Francia, en Estados Unidos y en Holanda. Ha costado una fortuna, pero merecía la pena. Ahora sólo nos queda atender los pedidos. Parte las fabricaremos aquí y parte en Bilbao, vamos a inundar el mercado. ¡Es una revolución para nuestro oficio! ¡Una nueva revolución industrial!

No veía ella cómo se iban a hacer ricos ni cuándo, pero él parecía tan convencido que ella se levantó y le abrazó. Él, también la estaba abrazando a ella con un calor que no recordaba.

—¿Qué quieres que te regale, Manolita? —Le había cogido la barbilla y la levantaba hacia él, como si fuera un galán de cine.

—Regálame —dijo Manolita— el mundo entero, el sol, la luna, dos estrellas y el mar...

—¿Qué dices?

Su barba era suave y ella había olvidado las caricias.

—Hay que festejarlo —dijo Antonio, sin soltarla.

—Pues la cena de hoy es la de todos los días. —Ya oía cómo Carmela subía de la cocina y cruzaba el pasillo hacia el comedor.

—Dime qué te apetece para festejarlo. ¿Quieres que salgamos ahora mismo a cenar? Aún es pronto. Podíamos ir al «Nacional».

—Algo que me apetezca a mí... ¡Te parecerá una tontería!

—Lo que sea, todos los astros o lo que quieras, todo menos irnos de Madrid, porque con el trabajo que ahora me espera...

—No, un viaje, eso ya ni me lo planteo. —Se abrazó a su cintura y comprobó lo dulce que era apretarse contra él.

—Vamos, di, Manolita.

—Me han hablado de que en la plaza de Canalejas han puesto un anuncio luminoso.

—Ay, pobre Canalejas —decía Antonio.

—Un anuncio muy grande que se apaga y se enciende. —No le parecía a Manolita momento para lamentos políticos.

—Ah, sí, «USAD JABÓN FLORES DEL CAMPO», toda una instalación.

—Me lo comentaba Pilar, que se para el tráfico para ver el anuncio luminoso. Bueno, pues me gustaría ir a verlo, ahora, de noche, que es cuando se ve bien.

Entró Carmela a la sala y tosió discreta, ya que seguían abrazados como dos tórtolos.

—Señora, la cena...

—Puedes tirarla a la basura, Carmela —dijo Antonio, riendo.

—¿Cómo, señor?

—Bueno, no te lo tomes al pie de la letra. Con el hambre que hay en el mundo no debemos tirar alimentos a la basura, pero, mira, cruza el patio, coge un paraguas, porque caen chuzos de punta, y dile a Pepillo que haga el favor de acercarse a la estación y venirse con un coche. La señora y yo vamos a salir.

—¿Con esta lluvia?

—Con ésta y con más que cayera. Vamos, no te quedes ahí pasmada, muchacha.

Salió Carmela corriendo.

—Manolita, querida, tú, tan aventurera, tú que querías cazar cocodrilos, querida mía..., ¿cómo no te voy a llevar yo a ver el luminoso? Pobre mía. Algo te quejas pero deberías quejarte más, porque yo no estoy ciego, no, sé que nos dedicas la vida a los niños y a mí, que no te distraes, que nunca te hago el caso que mereces. ¿Qué me iba a decir Andrés si nos viera? Afearía mi conducta, me diría «te he entregado a mi hermana y no la estás haciendo feliz», sí, eso me diría, que lo sé. Ya verás, nunca es tarde, hay tiempo para rectificar, tenemos toda la vida por delante, ahora tendré que viajar y te podrás venir conmigo y nos daremos juntos la vuelta al mundo, lo que tú quieras, hasta iremos a África si quieres, a las reservas, a que veas a todas las fieras corrupias que se te antojen, todos los osos polares, todas las palmeras del Caribe, los teatros mejores de Viena, todos los elefantes de la India, los fiordos noruegos, Tombuctú..., y te regalaré todo lo que me pidas, todos tus caprichos serán órdenes para mí, y te regalaré la luna, el sol, las dos estrellas y el mar y... —La soltó para mirarla.

—Te vas a quedar sin nada —dijo Manolita, triste, mirando hacia el suelo.

Él volvió a levantarle la barbilla y ella creyó por un momento que iba a besarla en los labios. Cerró los ojos.

Antonio la besó en la frente con un beso leve, frío, cortés, mientras decía, eso sí, con infinito cariño:

—Mamaíta...

Por unos instantes había soñado Manolita que quizá todo podría ser de otra forma. ¡Las cosas que puede decir y prometer un hombre cuando le aprueban un proyecto, cuando triunfa momentáneamente en el trabajo, las cosas que puede decir un hombre cuando siente que triunfa entre los hombres!

Ella se llevó el dorso de la mano a la boca, se apretó los labios que le ardían, se mordió un dedo hasta hacerse daño y se tranquilizó de pronto.

—Voy a calzarme —dijo.

—Sí, claro, esá lloviendo, abrígate. —Seguía cariñoso pero se notaba a la legua que ya estaba pensando en sus cosas.

—Iremos a ver el anuncio y luego volveremos aquí a cenar.

—Lo que tú quieras, Mamaíta, siempre lo que tú mandes.

—Sí, siempre, siempre lo que yo quiera; lo que yo quiera siempre. —Rengloneó con tonillo falso antes de hacer mutis por el foro.

TERCERA PARTE

I

Primero de mayo de 1916. — «Pepe, Pepito, en el alma te llevo retrataíto». — Dinero llama a alegría. — Doña Mariquita piensa en los muertos. — La taza de la señora. — El Castillo de Irás y no Volverás. — Manolita ulula como los barcos.

Primero de mayo de 1916. Manolita cumplía hoy treinta y tres años y estaba dispuesta a que el día entero fuera una fiesta. Coincidía, no es imposible que se recuerde, que ella bien quiso y a punto estuvo de casarse en esta fecha diez años antes y aunque la boda se retrasó algo, para Manolita, hoy, la celebración iba a ser triple: era su cumpleaños, cumplía la muy emblemática edad de Cristo y, a pesar de todos los pesares, llevaba diez años de casada.

Dormía Manolita.

En el cuarto de aseo contiguo a su dormitorio, Carmela le preparaba el baño y aunque esta preparación no era nada del otro jueves y sólo consistía en colocar las grandes toallas de felpa, bordadas con sus iniciales, sobre el taburete lacado en blanco; poner a mano los jabones de olor y las colonias; ver que el agua salía caliente y que el termo de gas no hacía una de las suyas apagándose, Carmela lo preparaba todo entre vapores como si éste fuera el baño de Cleopatra.

Cantaba alegre la muchacha para sí, con la mente puesta en el que de momento había sido aceptado por su madre como pretendiente.

—«*No me mandes papeles, que no sé leer. / Mándame a tu persona, que la quiero ver. / Por el correo, mándame a tu persona, que la deseo...*»

Estaba mediada la bañera y el espejo se empañaba por momentos; se sacó de la cintura Carmela, una bayeta blanca, limpió el espejo y se miró en él. Con la humedad del agua sus cabellos se habían rizado más, si ello fuera posible, y su cara de manzanita aparecía sudorosa pero feliz. Sin darse cuenta, Carmela levantó la voz.

—«*Yo tengo un costurero / blanco y celeste, / que me lo ha regalado mi novio Pepe. / Pepe, Pepito...*» —Aquí se le llenaba la boca de saliva, al nombrar al objeto de su cariño, que no por otra razón cantaba ella esta copla—. «*...Pepe, Pepito, Pepe, José, / Pepe, Pepito, que en el alma te llevo, retrataíto. / Pepe, Pepito, que en el alma te llevo retrataíto.*»

Doña Mariquita entró en el baño y se abalanzó hacia ella, tapándole la boca con la mano con tal violencia que un observador imparcial hubiera jurado que la intención era ahogarla.

—Chiquilla, ¿te has vuelto loca? Se te oye por toda la casa —exageraba Mariquita, desde luego—. ¡Vas a despertar a la señora!

—Huh..., huh... —No podía decir otra cosa la chica y se intentaba zafar de las garras de la doña.

—¡No me contestes! —Y la miraba como si la quisiera hipnotizar.

—Pero si... —Había conseguido deshacerse de la mano que aprieta y optado por no hablar hasta que se le preguntara.

—La niña Rosita, ¿con quién ha dormido hoy?

—Conmigo, doña Mariquita.

—Tiene que dormir con su madre, en la cuna.

—La señora estaba cenando con el señor y la niña tenía sueño, y como hay que dormirlos a todos, me la llevé yo.

—¡Para pasarte toda la noche contándoles cuentos!

Estaba de un humor de perros Mariquita «Pon y Quita» y mientras gruñía quitaba y volvía a poner en el mismo sitio las toallas y los jabones que Carmela ya había colocado.

—No me regañe, doña Mariquita. Rosita duerme divinamente conmigo, si yo no me muevo en la cama, no se crea que la aplasto. Caigo rendida y es que no respiro.

—Respirar, no; pero hablar y cantar, por los codos. Venga, date prisa, abajo está todo sin hacer. Y caes rendida, ¿por qué? ¿Quieres decir que yo no ayudo en la casa?

Era muy sentida Carmela y se replegó, mustia.

—Yo no he dicho nada, doña Mariquita; perdóneme, a mí usted no me habría oído quejarme nunca del trabajo. Perdóneme, doña Mariquita. ¿No ha dormido usted bien?

—¡A mí no me hagas el rendibú! —Había sido peor el remedio que la enfermedad—. Que ya estoy harta de marrullerías en esta casa. ¿Que si he dormido bien? A mí no me tienes que pasar la mano, ni darme jabón, nunca mejor dicho. Sois todas iguales, en cuanto os mira un hombre, os llenáis de tretas y zalemas.

—¡Doña Mariquita! —Si seguía así, la haría llorar—. ¿Quién me ha mirado a mí? ¿Quién me ha mirado?

—¡El sobrino de la Vicenta! Esa mujer no ha traído más que desgracias a esta casa.

—¡Pero doña Mariquita!

—¡A callar! Que ya le soltaré yo cuatro frescas a ese mocito.

Estaba dispuesta a morir en la hoguera por la prenda de su corazón, así que muy digna salió en defensa de Pepillo.

—Pepillo es mi novio; no es ningún mocito, que tiene ya veinticinco años.

—¡«Mi novio»!, lo que faltaba.

—Lo sabe mi madre y tengo su permiso.

Se enfadaba más Mariquita y parecía que se la iba a comer viva.

—Ahora, como a la señorita le escribe las cartas Vicenta... —Realmente le faltaban argumentos. Resumía—: ¡Tú eres una descarada! Te lo advierto, si sigues así vas a durar muy poco en esta casa. ¿Dónde vas tú con novio, si no has cumplido los veinte, dónde vas tu con novio? Que no le vea yo por la cocina, ¿eh? ¡Ni a ti te quiero yo ver en el chiscón!

—A Rosita le gusta jugar con la niña de la portera y...

—¡La portera, la portera! Qué más quiere ella que casar a su sobrino contigo y quitárselo de encima. Claro, a base de arroz con leche y bizcochos, os atrae a todos como a moscas.

—No hable así de Vicenta, doña Mariquita. Ella a usted la aprecia mucho.

—Pues yo a ella no, para que te enteres. Esa mujer lo único que ha hecho toda su vida es chuparnos la sangre. ¿Las sábanas viejas? Para ella. ¿Los hules un poco rozados? Para ella. ¿Que un cacharro se pica? En vez de mandarlo a arreglar..., ¡para ella! Lo único que no le doy es la ropa de la señora, ni cosas para la niña.

¡Desde el día que la vi fregando el suelo con el paño bonísimo de una falda que era de la señora, ya no le he vuelto a dar nada! Claro, me dijo que al intentar arreglársela, se le había estropeado, ¡como no sabe cortar! ¡A mí con ésas! Como si yo fuera tonta. Así que ella en su sitio y nosotras aquí.

Carmela se llevó las manos a la cara y se puso a llorar. La maldad humana era excesiva y ¡tan injusto todo!

—Eso, eso, llora, así no acabamos la casa en todo el día, así la señora se levanta y no tiene ni el baño ni el desayuno caliente. Porque hoy sea fiesta, no quiere eso decir que sea fiesta y...

Carmela lloraba con una perra horrorosa, agarrada al lavabo.

—La vida no es una fiesta porque sea fiesta, ¿comprendes? Igual hay que levantarse y aviarse y... el que sea fiesta...

Se dio cuenta de que se había metido en un jardín y que le volvían a fallar los argumentos, así que se fue a chillar a otra parte.

Descorrió las cortinas Mariquita, a mala idea, haciendo más ruido del que nadie pueda imaginarse que puedan hacer unas anillas metálicas sobre una barra.

—Hala, ¡a dormir, a dormir! ¡Si quieres vuelvo a correr las cortinas y hasta el mediodía! ¡*Nena*!

Manolita se despertó sobresaltada, y viendo que el estruendo no era debido al anuncio del Juicio Final, se dio la vuelta produciendo unos gruñiditos suaves y remolones.

—Mariquita, cada día estás más imposible. Déjame dormir. ¿Qué hora es?

—Hora de levantarse, señora.

No podía predecirse. A veces la llamaba señora y la trataba de usted y a veces se dirigía a ella como si aún fuera la niña Manolita, la *Nena* arquetípica y original.

—La holgazanería acaba con todo. —Se puso frente al piecero de la cama y comenzó a levantar las ropas descubriendo los pies de Manolita.

—No me hagas eso, no me hagas eso, ¡con la rabia que me da!

—Pues levántate, *Nena*, que no son horas.

Se incorporó entonces Manolita metiéndose las ropas bajo los pies y haciéndose un ovillo, protegiéndose.

—Cada día estás más tremenda.

Entonces la vio. Era una bombonera de espejuelos atada con un lazo color malva. También había un prendedor de violetas y una tarjeta. La sacó del sobre como si fuera una *prima donna* recibiendo un presente del director de la Ópera de Milán.

—«Buenos días, querida mamaíta —leyó en alto para compartir los halagos con su fiel escudera—. Feliz aniversario. 1 de mayo de 1906-1916. Antonio.»

Deshizo el lazo, abrió la cajita de espejuelos y ofreció una violeta a Mariquita.

—¡Ay, don dinero llama a doña alegría! ¡Mírala! —decía Mariquita chupeteando la violeta—. Con unos caramelos te conformas, lo que sois las mujeres.

—Calla, boba. El señor me ha dicho ayer que hoy tendría tres regalos. Ha debido entrar como un fantasma a dejarme la bombonera. ¡Qué bonita!, ¿verdad?

—¡Epa! Un marido que entra en el dormitorio de su mujer como un fantasma. La mujer debe atraer al marido, *Nena*, y...

—Mariquita, no me amargues el día.

Recogía velas Mariquita, enfadada.

—¿Para qué digo yo nada? ¿Para qué me meto yo donde no me llaman? Allá cada cual. Si a ti te parece lógico y natural, en un matrimonio como Dios manda, que cada uno duerma donde Dios le da a entender...

—¡Doña Mariquita! ¡Haga usted el favor de dejarme en paz! —Y se tapó con las ropas de la cama la festejada.

Salió Mariquita del dormitorio atravesando el baño y se quedó en el rellano del piso mascullando protestas.

En esta casa, ella ya ni pinchaba ni cortaba, cada uno hacía su real gana y cada día que pasaba la tenían todos menos respeto.

No sabía si tomar para la derecha o para la izquierda.

Entró en el antiguo cuarto del niño Perico que nadie utilizaba. Recorrió con la vista la pequeña habitación y colocó algunas cosas. Del dormitorio de la galería donde dormían Julito, Andresito y Carmela, no se oía ni un ruido. Se alarmó. Abrió un poquito la puerta que daba al balcón y vio cómo Julito y Andresito daban la vuelta a la esquina, por la galería contigua, llevando a Rosita a la «sillita la Reina». No parecía demasiado peligroso lo que les entretenía así que cerró la puerta con cuidado. Mejor no decirles nada, ¿para qué? ¿Que iban descalzos? Pues bueno. Las baldosas estaban frías y quizás hasta pudieran enfriarse, pero mejor no decirles nada y dejarles jugar. Suspiró, sentándose en una mecedora, en la semioscuridad. Ay, el cuarto del niño Perico, aquel angelito que había muerto sin conocer el mar, su niño Perico... ¡de eso hacía tantos años! Le compraría una vela rizada y se la pondría a la Virgen, para que se acordara de él. ¡Perico y Andrés y las horas que se pasaban los dos en la leonera hablando de sirenas y del mar! Dios tendría a los hermanos en su gloria. No iba a tener a uno en el limbo y a otro en el infierno o a los dos en el purgatorio o a uno en el cielo y al otro... ¡Bah!, le compraría otra vela a Andrés. Repasó el cuarto con la mirada. Ya hablaría con Manolita. Quizás este cuarto se podía acondicionar para Rosita y para Carmela y dejar a Julito y a Andresito durmiendo solos, que ya eran mayores. Ella tenía que pensar en todo, que organizarlo todo; allí, si no se preocupaba ella, todo iba manga por hombro. ¡El niño Perico! Lo recordaba muy vagamente. Cuando voló hacia el cielo, doña Trinidad les había regalado a Manolita y a Andrés unos calcetines negros. Fue su manera de darles la noticia. Se le hizo un nudo en la garganta. A quien echaba de menos de verdad era a su Andrés. ¡Cómo se reía con él! ¡Qué alegres eran aquellas mañanas en que leían los periódicos junto al enfermo! ¡Qué cara ponía Andrés cuando ella le daba el reconstituyente! ¡Qué risas! «¡Yo era así!», había dicho Andrés antes de que le diera el último ahogo fatal. Detuvo Mariquita el balanceo de la mecedora unos instantes, abrumada por los recuerdos. Pasaba la vida. Pasaba la vida. Ella misma se estaba encorvando, a veces le fallaba la vista, oía peor y aunque dormía con guantes, todas las mañanas tenía que meterse las manos en agua caliente, para que le reaccionasen. Sesenta años había cumplido ya, tampoco era tanto. Tenía los mismos años que doña Trinidad cuando murió. No le daba miedo la muerte, no, eso no, ningún miedo. Cuando le llegase la hora, ella pensaría que tenía sueño, mucho sueño, se abrazaría a la estampa de la Virgen de Atocha y hala, a hincar el pico. Se burlaba de ella don Antonio porque decía que se había convertido en una beata. Y no era eso, es que ella comprendía la vida y esa inmutabilidad de la Virgen, eso de saber que la Virgen había nacido hacía tantísimos años y que aún la recordaban todos, eso a ella le daba una dimensión para comprender la vida porque a saber si esos misterios de la virginidad, en fin..., se santiguó. Además, si había alguna posibilidad de irse al cielo y allí encontrarse con aquel que tanto había querido. ¿Qué haría su Eustaquio en el cielo? No hablaba de él con nadie. ¡De eso sí que hacía tiempo! Se habían casado en 1873 y ese mismo año la dejó viuda. ¿A que nadie sabía que su marido se llamaba Eustaquio? Ella no daba la lata con sus cosas, no, ella, no. Ella, ocuparse de todo el mundo, sí, pero sus secretos eran sus secretos. ¿Quién le preguntaba a ella por sus cosas? Nadie. ¿Sabía alguien que a Eustaquio le gustaba cantar? ¿Que la cantaba por los puentes del Tajo? Las pocas veces que iba a Toledo, porque él trabajaba en Madrid de ordenanza, aquel «greco»... No es que fuera tan alegre como era Luis, ni tan adulador, porque su Eustaquio había sido muy serio, pero cuando estaban a solas, tan serio y todo, no era nada ñoño, ni mucho menos... ¡Huy, lo que había llovido desde entonces! ¡Y la *Nena* echando a don Antonio del dormitorio cuando nació Rosita! Menos mal que como se había subido la cama del matrimonio, pues... No, no era normal. A nadie engañaban. Todo el mundo sabía que no dormían juntos, aunque la verdad, quizá..., se podía pensar, que... ¡Huy, Luis, huy su Eustaquio...! Ellos no hubieran pasado por el aro. Claro que don Antonio no era como ellos, el patrón era un pez frío, todo lo bueno que se quisiera, pero un pez frío igual que Felipe, otro que era del mismo paño. En eso, la *Nena* no había tenido suerte, porque aunque hacía mucho tiempo de todo, ella lo recordaba bien, aquella «simpatía conyugal» que había entre Eustaquio y ella, aquel meterse en la cama bien apretaditos. ¡Aba! Eran cosas que a su edad, quizá no estaba bien pensar, pero, ¡Virgen de Atocha!, la *Nena* es que no se había enterado de lo que era el matrimonio, no, no lo había ni olido, ni por el forro. Ya ni preguntaba, ya ni el más mínimo comentario. ¡Con lo que hablaban de jóvenes las amigas! Todo lo querían saber, que hasta se ponían indecentes y había que pararles los pies. ¿Dónde estaría Eustaquio? En el cielo, mirándola, riéndose de ella, como a veces se reía de ella en la cama, a veces, y eso que ella había sido la primera y la única para él. ¡Ay, la simpatía conyugal, qué romántica, qué fuerte cosa podía ser! Su historia, aunque todos la tomaban el pelo, la historia de doña Mariquita «Pon y Quita», había sido como la de la Reina Mercedes. «¿Dónde vas, triste de ti? Voy en busca de Mercedes que ayer tarde no la vi, que ayer tarde no la vi. Si Mercedes ya se ha muerto...»

Comenzó a tararear la romanza, se incorporó, colocó dos o tres cosas en su sitio, salió del cuarto de Perico, bajó las escaleras hasta el vestíbulo y recorrió el pasillo hasta la puerta batiente que bajaba a la cocina.

Descendía por los ocho peldaños cantando: «... *cuatro duques la llevaban...*»

Carmela, que en esos momentos estaba preparando la bandeja

del desayuno de Manolita, se volvió sorprendida.

—¡Doña Mariquita! Nunca le había oído cantar. —Y levantó la vista para contemplar mejor el fenómeno.

—¡Pero doña Mariquita! Está usted llorando.

Y sí que estaba llorando la buena señora, y siguió llorando. No había quien la calmase.

—Cuando se murió Mercedes —sorbía doña Mariquita—, la infanta le dijo al Rey: «Un Rey no puede vivir arrodillado ante el recuerdo de un amor.» —Seguía llorando Mariquita.

—Dios mío, doña Mariquita, ¿pero quién era esa Mercedes? Tome usted un poquito de leche caliente.

Cogió el cazo del fogón y sirvió la chica en la taza que ya había en la bandeja. Se revolvió Mariquita, entonces, como una tigresa.

—¡En la taza de la señora! ¿Cómo te atreves? ¡Tú estás loca! ¡Qué osadía! ¿Tú te crees que voy a tomar algo yo, en la taza de la señora?

—¡Doña Mariquita, pero si es otra taza como las demás! Si la he cogido del vasar, donde están todas, ¡si todas las tazas son iguales!

—¡Estaba en la bandeja! ¡En la bandeja de la señora, es la taza de la señora!

—Pues, bueno, yo no he querido ofenderla, doña Mariquita.

—¿Ofenderme a mí? Tú eres más tonta que Abundio, chica, tonta... No entiendes nada.

Ya se le había pasado el llanto y la tomaba con la pobre muchacha.

—He visto a los niños en la galería, están sin vestir.

—Como hoy no van al colegio.

—Claro, aquí por un sí o por un no, dejan de ir al colegio.

—Podía haber líos en la calle, doña Mariquita, como es el día de los obreros...

—¿Qué líos? Si el colegio está a un paso.

—Pues lo dijo anoche el señor, que hoy no fueran. Tampoco trabajan los del taller.

—Eso ya lo sé, borrica.

—No me llame borrica, doña Mariquita. —Se ponía roja de rabia, Carmela.

—No, no, no te enfades, perdóname —se arrepentía Mariquita—, y no vayas a llorar tú también, que antes ya te he hecho llorar y todo lo que te decía eran mentiras.

—No la entiendo, doña Mariquita.

—Te he dicho que a tu edad no debías tener novio. Pues mira, a tu edad yo ya estaba casada con mi marido y, ¿sabes lo que tenía que haber hecho cuando se murió? Casarme otra vez. No me mires así. Pues, anda, que no he perdido yo ocasiones. Y ahora estaría en mi casa, con mis nietos.

—Si usted lo dice, doña Mariquita.

—Yo creo que a los hombres los ha inventado Dios para que las mujeres ganemos el cielo. ¿Que los queremos? O no nos quieren ellos o se nos mueren. ¿Que no los queremos? Pues se quedan y nos fastidian. ¡Qué perdición haber nacido mujer!

—Pues yo creo que Pepillo me quiere mucho y que no se va a morir.

—Bueno —se ponía realmente tremenda—, pues antes de que se muera, te casas. Y si todo te va bien, miel sobre hojuelas y si te va mal, pues te hace tres hijos y cuando llevéis diez años de casados pues te regala unos caramelos y, hala, tú te lo vuelves a creer todo. ¡Si nos está bien empleado, por idiotas!

—¡Doña Mariquita!

—¡Qué cruz! Mira mi prima Eulalia. Han estado en Toledo, Luis y ella y ni me han avisado. Para verla, tengo que ir a Santa Isabel. A mí, ¿para qué? A mí, me dan de lado, como ya soy un trasto viejo... ¡Lo que tenía que hacer era morirme y que Dios me perdone! Pero para morirme, me voy a ir a Toledo, porque yo tengo casa en Toledo, ¿sabes? La de mi marido, así que aquí no me muero yo, en el Olivar de Atocha.

—¡Qué día tiene usted hoy, doña Mariquita!

—Que ya soy vieja, hija, así que, tú, la vida, aprovéchala. Te escapas con Pepillo, como hizo mi prima. ¡La vida, la vida que son cuatro días! Mira, yo crié a todos, a Perico, a Andresillo y a la señora y mis niños, ¿qué? Se los llevó la Virgen de Atocha y a mi señora...

—Doña Manolita está como una rosa.

—Yo no hablo de doña Manolita. Mi señora de verdad era doña Trinidad. Si la hubieras conocido, ésa sí que fue una mujer de una pieza, a su marido lo llevaba como una vela. Y a su hija... Si no llega a morirse, doña Manolita no se casa con don Antonio. ¡Te lo digo yo!

Tenía la mañana parlanchina doña Mariquita, así que Carmela se sentó a la mesa, frente a ella, hasta que a la doña se le acabó la cuerda.

Antonio estaba invitando a Manolita a entrar en su estudio. Había corrido el mueble que solía obstaculizar la puerta y ella, que iba de punta en blanco con el ramillete de violetas prendido en el pecho, pasó a su sanctasanctórum sin temer engancharse la falda.

—Pasa, pasa, Manolita.

—Huy, por mí, si no quieres, si te estorbo...

—No seas tonta, anda, pasa.

Le cedió el paso, oliendo su colonia, haciendo el ganso, y cerró la puerta con llave.

—¡Qué bien huele usted esta mañana, señora mía!

—Huy, no cierres, mira que si luego no puedes abrir.

—Éste es el Castillo de Irás y no Volverás, anda, siéntate.

—¿Dónde?

—Donde quieras, en mi cama.

—Las camas no son para sentarse —decía, tonta, Mamaíta, pero sin mala intención.

—Algún día lo serán. Los armarios se convertirán en mesas, las sillas en escaleras, las camas en sillas y todo, todo, todo, se hará con la nueva maquinaria patentada por Antonio Maldonado.

—¡Qué adelantos!

—En este Castillo de Irás y no Volverás se fragua el futuro.

—Yo creo, Papantonio, que ahora que tenías lo de las máquinas, podías haber vendido el taller a Marconi y...

—No, no. ¿Qué hubiera sido de los que llevan tantos años conmigo?

—Se hubieran buscado otros trabajos y tú a tus inventos.

—No, eso, no. Yo sigo siendo un ebanista y lo seré siempre. —Se sentó junto a ella, muy cerca—. ¿Sabes?, la semana pasado vino un tapicero al taller pidiendo trabajo, que no lo había, claro, pero se empeñó en hacer una prueba. «Ya verá, ya verá, yo soy el tapicero más rápido de España.» El hombre, muy voluntarioso, con mucho orgullo, un poco chulo..., y perdona que utilice ese lenguaje.

—Cuenta, cuenta.

—Total, que se pone a tapizar una silla. —Se levantó Antonio y mimaba la escena—. Pom, pom, tardó tres horas y vino al despacho a enseñármela. Y yo le digo: «En el tiempo en que usted se ha tapizado esa silla, yo me tapizo seis.» Al principio el hombre se reía. «Eso habría que verlo —dice y luego ya más enfadado—. Eso habría que verlo.» Empezó a dar voces y ya sabes que a mí las voces...

—¡Qué hombre tan desagradable!

—No, fue divertido. Le dije que me siguiera, fuimos al taller de tapiceros, cogí seis sillas y las tapicé en dos horas y cuarenta y siete minutos.

—¡Así pierdes tú el tiempo!

—¡Mujer!

—¿Y qué dijo el hombre?

—Tuvo chispa, la verdad. Se quitó la gorra, me extendió la mano y va y dice: «Maestro, permítame que le felicite antes de marcharme. Yo aquí no tengo nada que hacer, pero deme usted algo, una limosna.»

—Encima le darías algo. ¡Qué hombre tan grosero!

—Le di trabajo. ¡Andan tan mal las cosas! Por ahí debe estar hoy, en la manifestación, con los demás.

—¡Tú estás chiflado!

—La vida, Manolita...

—¡Qué vida ni qué ocho cuartos!

—Cada día, la vida nos debería dar una nueva oportunidad. Yo así lo entiendo, que «la vida empieza en cualquier momento». Eso decía mi padre y era analfabeto.

—Y Andrés decía: «Qué cultos los analfabetos.»

—Si no hubiera sido por Andrés, yo no te hubiera conocido, Mamaíta.

—Ya ves, la vida. —Y se ajustaba ella el prendedor, coqueta.

—Bueno, a lo nuestro. ¿Dónde quiere la señora que la lleve hoy a celebrar nuestro aniversario? ¿Al cinematógrafo, al teatro, a la Zarzuela? —Reía—. ¿A la Casa del Pueblo? —Ya tenía el periódico preparado—. Veamos... *Los vampiros*, sucesor de Fantomas, cinco latas, en el «Cine Teatro». *La túnica amarilla*, en el «Princesa», un drama chino adaptado por Benavente. En el «Eslava», *Los trovadores*, esa opereta de la que han prohibido un número.

—¿Quiénes?

—La Dirección General de Seguridad. Han prohibido un número donde los actores arrojaban al público unos balones de colores.

—¿Por qué lo han prohibido?

—No lo entiende nadie, por prohibir, secretos de los que prohíben. Mira..., algo más serio. Dan varias cosas por el homenaje a Cervantes, en el tercer centenario de su muerte. En el «Apolo» *La patria de Cervantes*, en el «Lara», *En un lugar de la Mancha*.

—Para, que me mareas.

—Si quieres vamos a ver una cosa que me recomendó Rafa.

—¿El boticario?

—Otro Rafa. Uno de los almacenes Piera, los que nos sirven las maderas. El bueno de Rafa intenta ser práctico pero es un romántico de tomo y lomo.

—¿Y qué te recomendó, si puede saberse?

—La sesión del «Doré». Mira, está *La fuerza del amor*, 1.500 metros. «Pathé», *Hacia el amor eterno*, 1.200 metros. *Amor ignoto*, de Keystone. Es un programa todo de amor. ¿Qué te parece?

—Yo prefiero ir a cenar a cualquier sitio y charlar contigo, que me divierto más.

Se levantó Antonio de un salto.

—¡Charlar, charlar! Con tanta charla, se me había olvidado.

Se dirigió a su buró e hizo que buscaba algo por los mil cajoncitos.

—¿Dónde estará? ¿Dónde estará?

Manolita reía como hacía años que no reía. Antonio, muy payaso, se había subido a una silla y desde lo alto de la misma sacó de debajo de la cama un paquetito y se lo entregó.

—El segundo regalo. Anda, ábrelo.

Era un marco sencillo, chapado en oro viejo.

—¡Dios mío! —Le buscaba el contraste Manolita—. ¡Papantonio! Si está chapado en oro de verdad. Voy a llevar a los niños al fotógrafo.

—No, el marco no es para ninguna fotografía de los niños, es para que se lo pongas a la nuestra de boda, el de terciopelo que tiene ahora está apolillado. Te lo he oído decir mil veces.

—Papantonio...

Se puso muy seria Manolita. Y él también estaba muy serio cuando le cogió las manos entre las suyas.

—Hoy no quiero que pienses en nosotros como en Mamaíta y Papantonio, sino que pienses que somos un hombre y una mujer que se acaban de conocer aunque lleven diez años de casados.

—Papantonio...

—Sí, di lo que tengas que decir. Digámonos hoy todo lo que nos tengamos que decir.

—Yo...

—Habla, habla, estamos en nuestro Castillo de Irás y no Volverás. Aquí puedes decir lo que quieras.

Hizo una pequeña pausa Manolita y soltó de un tirón.

—Si yo no he entrado nunca en tu estudio ha sido porque, bueno, tú dejabas entrar a todo el mundo y... Sí, ya sé que me vas a decir que la primera que te echó del dormitorio fui yo, pero es que yo no quería tener más hijos. Cada vez me daba más miedo cuando nacían. Tú eso no lo sabes. Además, aquel día yo estaba muy enfadada. ¡No le habías tocado el piano a Rosita! Si vieras la lata que me da la niña siempre con lo del barco que perdiste. Se pone a ulular y a hacer la sirena y me vuelve loca. Yo estaba muy enfadada, no le habías tocado el Schumann...

—Si es por eso... —Él se burlaba.

—No me trates como a una niña.

—No, no eres una niña, a veces eres muy vieja y muy sensata, pero desde que eras una niña eres mi mujer y...

—Tampoco hiciste tú nada por romper el hielo.

—Yo siempre te he respetado. Tú estabas en tu derecho, en tu perfecto derecho..., ¡y yo te respeté!

—No lo estropees. —Estaba muy segura de sí Manolita—. No lo estropees.

—¿Qué quieres decir?

No le contestó. Se colocó el marco delante de la cara y asomando por el hueco del mismo, sonriente, dando por zanjada la conversación, ululó.

—¡Uuuuuuh!

II

El arroz con leche de Vicenta. — Las estrategias de Pepillo. — ¡Qué sueño tan raro! — Su majestad la cola. — Las conversaciones del «Café Suizo». — Época de zarzuela. — La gran noche de Mamaíta y Papantonio.

Dentro de las estrecheces del chiscón, sin saber cómo, había sitio para un regimiento en cuanto Vicenta colocaba la fuente de arroz con leche en medio de la mesa. Se repartían platos, vasos y tazones, dependiendo del tamaño y apetito de los comensales y todos encontraban acomodo.

Así que, platos para los mayores, que en este momento eran Carmela, Pepillo, Paco y la propia Vicenta, aunque ella se servía la última y poco por si alguien quería, que querían, repetir.

Julito, que era el más tragón, tenía su tazón asignado y a él se le colmaba de arroz hasta arriba. También tenía su tazón Andresito, pero a él era inútil ponerle más de dos cucharones mediados. Rosita, que le gustaba ser diferente, lo tomaba en vaso y luego, otro vaso, claro.

Para que no tuviese pelusa se ponía en medio a la niña Isabelita que para hacer rabiar a su madre lo guarreaba todo. Como hacía poco que había aprendido a soplar, venteaba la canela encima del hule.

—Claro que iría. —Estaba diciendo Carmela, excusándose—.
¡Iría, si pudiera!

—Pues le pides permiso a la señora y ya está. ¿No están todos
hoy de fiesta? Pues tú también —animaba Vicenta.

—O le pides permiso al patrón, que ése seguro que te deja —intervenía Paco.

—Sí..., y doña Mariquita me hace picadillo —aseguraba Carmela.

—Pues vete sin que se enteren. Yo me quedo aquí con los niños
y si viene doña Mariquita a buscarte, le digo que te he mandado a
un recado urgente, a por alguna medicina a Sol para Isabelita, que
hoy todas las farmacias están cerradas.

—No, no, no me atrevo.

Pepillo los miraba a todos con gesto asustado.

—Si ella dice que no...

—Tú no seas tan parado —le zahería Paco—. El que algo quiere,
algo le cuesta. Hay que arriesgarse.

—No nos azuce, Paco, que si luego Carmela tiene un disgusto...

—¿Pero no ves lo que dice Vicenta?

—Usted a mi tía siempre le da la razón porque le baila el agua.
—Se mosqueaba Pepillo con facilidad.

—Haciendo el arroz con leche como lo hace, ¿quién no le da la
razón? —Se levantaba Paco de la mesa, después de rebañar con la
cuchara—. Bueno, pues decidíos, que yo he quedado con Luis y con
Eulalia en la calle del Carmen.

Suspiraba Carmela.

—Anda, sí, Pepillo, tú, ve, que te hacía mucha ilusión. Y si
usted quiere, doña Vicenta, vaya usted con ellos y yo me quedo
con todos. A usted no la manda nadie.

—Bien dicho, eso es, que se venga Vicenta y luego nos vamos
todos a tomar un refresco al río. Ahí es nada, ¡ir yo por la calle
con una mujer como usted, Vicenta!

Se le crispaba la cara a Pepillo aunque sabía que Paco decía
todo eso para sacarle de quicio.

—Pues estará bueno el Centro. ¿Cuánta gente dice usted que
había esta mañana, Paco?

—¿Alrededor de la Puerta del Sol? Más de cuatro mil almas.
¡Con todos los obreros que han despedido de las obras municipales!
Estaba a rebosar. Y es que si el Gobierno no realiza obras que
ocupen a los parados, a ver, aquí se va a armar la de San Quintín.

—No será usted el que la arme —le provocaba Pepillo—, que

Luis dice que en el taller usted es el que menos se compromete.

—Yo, los toros desde la barrera, Pepillo. A mí me gusta estar enterado, pero desde la barrera. A mí no me meten para adentro, al hijo de mi madre no le cogen los guardias. Porque en la plaza de Isabel II se ha armado una buena, que me lo han contado en la taberna de *el Chato,* y eso que la comisión organizadora había recomendado suprimir los himnos.

—Ay, qué miedo, qué miedo. Pepillo, no vayas. —Le pasaba su plato al novio—. Toma, yo no puedo más.

—Esta tarde no es igual, mujer, esta tarde dicen que todo será tranquilo. Yo no quiero ir, porque a mí Pablo Iglesias no tiene nada nuevo que contarme, por muy bien que hable. —Les ponía un poco de arroz a todos—. Hay que acabarlo, que luego se seca. Y a mí no me llames doña Vicenta, Carmela, que yo soy Vicenta a secas y a mucha honra.

Paco se estaba colocando la gorra.

—Bueno, ¿quién viene? El mitin empieza a las cinco. Anda, Pepillo, hombre, convence a tu novia. Escucháis un rato y os venís. A las siete estáis aquí sin más tardar. ¡Si doña Mariquita por aquí no asoma nunca por la tarde!

Se debatía en dudas Carmela.

—Ay..., no sé qué hacer. ¿Voy?

La jalearon hasta convencerla.

—¿Y los niños? —Aún dudaba Carmela.

—Los niños no dicen nada. ¿Verdad que no, Julito, eh? ¿Andrés? ¿Rosita? —Los niños andaban por el suelo con unas tabas y ni contestaron—. Ni se enteran. Además yo les digo que no suelten prenda y me odebecen. Son muy buenos. Los niños siempre están de parte de los pobres.

Aplaudió Paco.

—Así se habla. Si usted debería ser oradora, Vicenta.

Vicenta se estaba haciendo cargo de Carmela y la preparaba.

—Ahora te arreglo esa trenza y te llevas un mantón mío y ya está. No se va a hundir el mundo porque faltes dos horas. No te dejan salir nunca y ahora tienes novio. Algo tendrás que salir con él, para que os conozcáis, para que el día de mañana sepáis lo que hacéis.

La verdad es que hacía rato que estaban convencidos y mientras se preparaban a partir, Pepillo organizaba las estrategias.

—Carmela que salga por detrás, por el patinillo del chiscón, por si alguien está mirando desde la casa. Yo salgo con Paco, por el portón del patio, tan tranquilos, despacito, así doña Manolita o doña Mariquita, si miran, verán que hemos salido los dos y ya ni se les ocurrirá pensar otra cosa. Creerán que Carmela anda aquí, con los niños, como muchos días. Luego, por si acaso, compramos unos pasteles. Carmela, cuando volvamos, que llegue sola por la calle, con los pasteles, eso por si miran, porque usted tía Vicen, si viene alguien a preguntar, les dice que Carmela, como es el cumpleaños de la señora, ha ido a comprar unos pastelitos para regalárselos.

Hasta los niños le miraron, asombrados de tanta conspiración. Paco fue el que verbalizó el pensamiento de todos.

—¡Lo que es capaz de inventarse un hombre por pasear del brazo a una mujer!

Se habían marchado más contentos que unas Pascuas y Vicenta quedó sola con los niños.

—Vicenta, la lotería. —Había reclamado Julito.

—No... recortables. —Había pedido Andrés.

—Yo quiero fregar los platos con Isabelita. —Rosita.

Y aunque, sobre todo esto último, estaba lleno de peligros, Vicenta los complació a todos.

Puso el barreño en la mesa, a Rosita y a su hija les puso unos delantales y las subió a unas sillas. Isabelita armaba la marimorena exigiendo a su madre que hiciese pompas de jamón que se estrellaban en el aire provocando sus gritos.

Los cuatro jugaron luego con la lotería de los pájaros. Andrés después se hizo un pequeño corte con las tijeras de Vicenta que eran demasiado grandes para él y hubo un momento de pánico que quedó en agua de borrajas. Isabelita rompió un plato y se puso a llorar como una posesa. Julito, como siempre, mordió a Rosita..., pero llegó un momento en que los niños, agotados, hicieron corro sentados en la cama de Vicenta y ésta les iba contando un cuento muy triste que no era otro que el de su hermano chico, el padre de Pepillo, el que de pequeño fue a Cuba a guerrear porque le gustaba la pelea y andar con fusiles, aquel que se murió no se sabía de qué.

Cuando terminó de contar su cuento Vicenta, contó un chiste muy verde Julito y Vicenta los dejó a los cuatro, encima de su cama, jugando a los médicos mientras ella recogía tarjetones de pájaros, las bolas de madera de la lotería, que se habían caído al suelo, los cartones, los platos sucios, el agua derramada, los recortables, las tijeras y el jabón.

Y mientras hacía todo esto, pensaba en cómo habían cambiado las cosas en el Olivar. Ya nada era como antes y aún cambiaría todo más, porque Pepillo y Carmela un día de éstos se casarían y se irían a vivir a Adra donde la chica había heredado una casita de su abuelo y unas tierras desérticas. Ella, Vicenta, pensaba quedarse en el Olivar hasta que le llegase la hora. Claro que antes tendrían que pasar muchas más cosas. Había que educar a Isabelita, sobre todo, saber a qué colegio se la mandaba, porque Isabelita no iba a tener un destino como había sido el de ella. Vicenta no iba a consentir que la niña se mojara las manos y aunque había llorado hasta quedarse sin lágrimas la noche que Antonio se había ofrecido a pagar la educación de la niña, ella lo haría por su hija, aceptar aquella generosidad del patrón. Y eso que ella no era dinero lo que necesitaba, el que le había dejado Basilio, lo había metido en una cartilla a nombre de Isabelita y ahí le rentaría hasta que la niña fuera mayor para cobrarlo. Vicenta nunca, nunca, nunca iba a hacer uso de aquel dinero, aunque se murieran de hambre ella y la niña, nunca tocaría ese dinero. Que lo cobrase Isabelita cuando tuviera uso de razón y gobierno, que se lo gastase la niña si quería, en lo que quisiera y que supiera lo que había significado aquel dinero de la lotería y aquel abandono. «Isabelita es del Olivar, Vicenta —le había dicho Antonio—. Yo pagaré su educación. Irá al mismo colegio que Rosita y no tiene que preocuparse usted por ella, aunque Basilio no vuelva nunca, de Isabelita me encargo yo, porque la niña es del Olivar.» Ya casi no iba Antonio al taller a trabajar, desde que tenía un estudio en la casa, ya pocas veces tenía que llevarle el café a la nave de los tapiceros. No era como antes que necesitaba mucho sitio para dibujar los proyectos, ahora como se dedicaba a inventar máquinas, ¿para qué quería ir al taller de noche? Él, que antes la había mirado de aquella forma, ahora huía de ella, bajaba la vista cuando tenía que hablarla. Y no es que no siguiera siendo el mismo don Antonio tan atento de siempre, «Vicenta» por aquí, «Vicenta» por allá, «necesita usted algo, no trabaje tanto, Vicenta, está bien la niña, Vicenta, no dude a hablar conmigo si algo necesita, cualquier cosa», y a la niña la miraba con tanto cariño, «esta Isabelita tiene sus mismos ojos, Vicenta, tan claros, tan azules, es de nuestra raza, Vicenta, de la raza de los soñadores de ojos azules, tendrá la mejor educación, Vicenta, por eso no se preocupe, Rosita la quiere tanto, serán como hemanas, ya verá y si usted algún día decide irse del Olivar, Vicenta, si decide, no sé, quizá formalizar la ausencia de Basilio, Pepillo tiene razón, podría usted incluso volverse a casar, no sé, Vicenta, o si usted prefiere por ejemplo, don Felipe tiene muchas relaciones, quizás usted un día quiera comenzar otra vida, hay muchas porterías en Madrid, en casas muy principales, usted, que además me ha hecho el favor de aprender a leer y a escribir, que es de lo que más orgulloso me siento, no crea, no hay muchas mujeres como usted, tan capaces, tan responsables, tan, digamos, refinadas, de un refinamiento natural, del que realmente tiene mérito y es de admirar, yo Vicenta, si usted me necesita, no dude en acudir a mí».

Quizá todo había sido un sueño. Las veladas palabras de él, aquellos años, «usted sigue siendo la sonrisa de Madrid, la que me trajo suerte, la que de alguna forma guió mis pasos, por quien realmente todo lo que ha ocurrido, ha ocurrido. Usted no quería que se cortasen los olivos, ¿se acuerda?, y yo dije que quedaría un olivo en el patio mientras usted o yo viviésemos, ¿se acuerda? No hemos hecho el piso de arriba del chiscón pero los cimientos están preparados para subirlo en cuanto usted quiera. A lo mejor Pepillo se casa y puede vivir con su mujer arriba, así usted no estará nunca sola, ni usted ni Isabelita. Usted no tiene más que acudir a mí».

Quizá todo había sido un sueño. Cuando él había dicho: «Si yo fuera más listo, Vicenta...», y aquella otra vez que él había suplicado: «No se vaya, Vicenta» y había terminado yéndose él, sin mirarla. Nunca le olvidaría así, cobarde, a sólo dos metros, agarrado al picaporte del almacén de maderas, sin mirarla.

Sí, quizás había sido todo un sueño, un sueño en el que no sólo ellos habían creído, un sueño que se hacía visible para todos en cuanto estaban juntos, un sueño que había provocado que Basilio la abandonara, un sueño que había puesto en peligro de muerte a Pepillo cuando el duelo.

Sí, quizás había sido un sueño. El día que él volvió de América, que le preguntaba si a ella le habían echado de alguna parte, si a ella le había escupido el mar playas adentro, aquella noche que ella le abrió la cama, también había sido un sueño engañoso, aquel momento. Aquel momento, ¿había sido un sueño?

Pero quizá lo que era un sueño era esto, que él fuera incapaz de dirigirle la palabra si no había alguien delante, que se escudase en la prisa, en el trabajo, en la Guerra Europea, que cualquier excusa le valía, que esgrimiera la ambición, la obligación, el deber, la lealtad de las estrellas, que se ocultase tras la coraza de cualquier frase tonta, cualquier comentario banal, que fuese tan cobarde, tan miserable, tan poca cosa como para no dedicarle a ella alguno de sus momentos, porque ella podía morir en este mismo instante y luego todo sería inútil, porque ella vivía en un vértigo de muerte, en un deseo del fin, y se había establecido en esta nada y en esta muerte, como las ranas de los cuentos que esperan ser desencantadas y efectivamente, debía ser un sueño raro que aquel hombre tan justo, tan inventivo, tan capaz de idear muebles, tan hábil con las palabras, tan dulce con los débiles, tan amante de ratones, tan incapaz de matar una mosca, tan ducho con la escuadra y el cartabón..., debía ser un sueño que aquel hombre no fuera capaz de dibujar o inventar para ella una sonrisa.

Sí, aquél y éste y todos los sueños, ¡qué espejismos!

Acababan de dar las nueve de la noche en el reloj de la sala y sonó el carillón por toda la casa, llegando sus musiquillas al dormitorio de arriba.

—Es que tienes unas manos... Ni Carmen Balagué, la modista de Pilar, cose mejor que tú. —Se pavoneaba Manolita ante el espejo, vestida con un traje de fiesta que le había hecho Mariquita para la señaladísima ocasión.

—Estás muy guapa, muy guapa, *Nena*. —Se pavoneaba también Mariquita, viendo cómo lucía el modelo que había copiado de un viejo figurín y al que le había hecho unos retoques de un gran atrevimiento—. Pero no te retuerzas, que te hace arrugas. ¡Ay, señora, qué guapa está!

Siempre la cogía desprevenida a Manolita, cuando la llamaba señora y de usted.

—Mariquita, me vas a volver loca, llamándome unas veces de una forma y otras de otra.

—Como quiero que el servicio te respete, hija, pues me armo un lío. A ver, a ver, los accesorios.

En la cama, desplegada, estaba la capa de terciopelo y también los guantes y el bolso que hacía juego con los zapatos forrados con la misma tela del traje.

Manolita iba del espejo a la cajita de espejuelos, cogía una violeta y terminaba masticándola como los niños. Luego se quedaba embelesada mirando su propia fotografía de boda que ya había colocado en el nuevo marco. Sólo una vez miró a Rosita, que dormía en la cuna que ya le venía chica.

—Ha caído como un leño —decía Mariquita.

—Claro, todo el día jugando...

—He pensado que tendríamos que adecentar el cuarto de Perico para Rosita y con ella también podría dormir Carmela. Que los niños duerman solos en el de la galería.

—Ay, ahora no me hables de esas cosas. —Se clavaba los zarcillos, Manolita—. ¿Sabes que Pilar dice que esto de agujerear las orejas de las mujeres es cosa de indios?

—Pero bien que le compró las bolitas de oro a Rosita, que bien mona que está ella con sus pendientes.

—Sí, es lo único que tiene de niña, que se pasa el día como un marimacho, jugando a cosas de chicos.

—Natural, juega con sus hermanos.

Se perfumaba Manolita apretando la borla de seda.

—Este perfume me lo trajo Antonio de París y aún no me lo había puesto.

—Pues no exageres, que es un poco fuerte.

—Se irá enseguida. Además, a Antonio le gustan los perfumes, él es muy requeteoriental. ¿Oye, no crees que la capa es una exageración? A mí esto de su majestad la capa de cola añadida, por muy moda que sea... A lo mejor, con un chal...

—No, te lo pones todo, que para eso te lo he hecho y tampoco tienes tantas oportunidades. Además, por la noche, refresca.

—¡Si vamos en coche! ¡Ay, qué nervios! ¡Y me hacen daño los zapatos! ¿Dónde está mi relojito de broche? ¿El que me regaló Antonio?

—Toma. —Se lo daba Mariquita—. ¿Y de verdad no sabes a qué restaurante te lleva?

—No, no ha habido forma de sacárselo. Yo creo que él hubiera preferido ir al «Reina Victoria».

—¿A ese teatro nuevo? ¿Pues qué echan?

—No es por la función, es por el techo. Han hecho un techo que se corre en verano y el teatro queda al aire libre y luego en invierno se cierra y... ¡zas!

—¡Hum! ¡Qué modernidad!

—Es que hoy —cantaba Manolita, «*hoy las ciencias adelantan que es una barbaridad...*»

—Calla, calla, que no se te pegue también a ti. Hay que ver. Vas al mercado, ¡una zarzuela! A la mercera, ¡también! Todo el mundo te contesta en zarzuela. Si hasta Carmela, en vez de cosas de su tierra, ya canta eso de «*a mi novio yo le quiero, porque roba cora-*

zones, con su gracia y su salero, salero...»

—Pues Pilar, cuando le devolvió el anillo a Felipe, después de las tristezas, acabaron cantando por Rosales. Ella a él: «*Ay, Felipe de mi vida, si contigo solamente yo soñaba...*» Imagínate, y él le dijo que se iría de vagabundo a olvidar las calabazas y se puso a cantar lo de «*Canta, vagabundo, tus miserias por el mundo, que tu canción quizá, el viento llevará, hasta la aldea donde tu amor está...*»

—Ay, para, para, que se empieza y no se acaba. A ver, a ver, a ver, un hilván, estáte quieta.

Y aprovechaba Manolita para introducir el dúo de Paloma y Lamparilla.

—«*No hay que quitar los hilvanes / sin que se acabe la prenda / que si el cosido se tuerce / ya no se vende en la tienda.*»

Y claro, Mariquita contestaba:

—«*Si te gustan mis hechuras / sin zurcidos han de ser / o te siento las costuras / o no te vuelvo a coser.*»

—Ah, Baonza ya lo decía. Madrid siempre ha sido muy alegre. El otro día, en el «Café Suizo»... No me hagas morros, está lleno de señoras de alto copete, lo mejor de lo mejor. No sé si contártelo.

—Pero si yo ya sé que la señorita Pilar te lleva al «Café Suizo»...

—Sólo hemos ido dos veces, y una con los niños.

—¿Qué me ibas a contar?

—Lo que contaba una señora muy graciosa, que tiene chófer y todo... Bueno, pues el chófer va en tranvía.

—¿La señora ésta también tiene tranvía?

—Calla, boba, que no te lo cuento. El chófer le contaba a la señora que en el tranvía han puesto unos carteles muy grandes, que dicen: se prohíbe escupir en el suelo.

—¡Jesús! Ya los he visto. ¡Quedan de un mal gusto!

—Bueno, pues que la gente le da por meterse con el conductor: Oiga, entonces ¿dónde? ¿Escupimos en el techo? ¿En las ventanillas?»

Se quería poner seria Mariquita, aguantándose la risa.

—¿Y a ti te parecen eso conversaciones de señoras y de gente bien? ¡Qué vergüenza! Valiente señora con su chófer y todo. Habrá que verla.

—Hay de todo, nuevas ricas... No veas cómo se está enriqueciendo la gente, se están poniendo las botas con la guerra, el que no vende mantas, vende cajas, el otro botones, el otro corchos...

¡Una de fortunas que se están haciendo! Y luego van mujeres muy inteligentes y hasta algunas preocupadas por la política.

—Claro, y cantarán eso de «*si las mujeres mandasen en vez de mandar los hombres, serían balsas de aceite los pueblos y las naciones.*»

—Ahora no empieces tú. Escucha. Hablaba una contra los alemanes... ¡Bueno, bueno! Todo empezó por el hundimiento del barco ese, donde iba el compositor Granados con su mujer y todo, ¡qué horror! Que si para eso servía la neutralidad de los españoles, para que se ahogaran los nuestros, sin más, sin comerlo ni beberlo... Y Pilar, nada, que el lema era «guerra a la guerra»... ¡Se armó una trifulca!

—¿Y qué más?

—Tú mucho criticar el «Suizo», pero luego bien que preguntas. Pues mira, otra gorda la tuvimos con lo de la natación de los Príncipes. Porque al parecer la Reina se ha traído una institutriz inglesa y la buena señora insiste en que los infantes aprendan a nadar... ¡Una discusión!

—Vaya una tontería.

—Ya sabes lo que dice el tío Manuel, que en Galicia los marineros no saben nadar. Y si no sabe nadar un marinero, ¿no te parece?, ¿para qué van a aprender a nadar los príncipes?

—Para nadar y guardar la ropa, hija.

—Mírala ella, qué graciosa.

Antonio ya estaba esperando al pie de las escaleras. Se tocaba la cintura, comprobando que en ella no había ni un gramo de grasa. Estaba hecho un brazo de mar.

Bajó Manolita como si todo este belén fuera el pan nuestro de cada día.

—Huy, creía que te ibas a retrasar. ¿No ibas al mitin de Pablo Iglesias?

—Ha terminado hace rato.

Carmela había asomado por el hueco de la escalera que daba a la cocina y miraba embelesada a su señora.

—Está muy guapa, señora; muy guapa.

—¿Los niños ya se han dormido?

—Sí, señora. ¿Quiere que le lleve la cola?

—Anda, tonta, qué sabrás tú de colas. —La empujaba Mariquita.

—Yo paso las escaleras todos los días, espero que no se haya manchado. Pepillo ha entrado hace un momento y dice que el coche ya está esperando fuera.

Ofreció su brazo Antonio a Manolita.

—¿Estamos?

—Yo, sí —dijo Manolita y apretó su mano enguantada en el antebrazo de él.

—Pues vamos.

Les hicieron pasillo Mariquita y Carmela.

—«*Está usted muy guapa*» —cantó, zarzuelero, Antonio.

—«*Pues ya lo sabía...*» —contestó Manolita.

Reían Carmela y Mariquita. La doña aún tenía que hacerles recomendaciones.

—A ver qué les dan de comer por ahí..., ¡y sobre todo de beber!

Abría la puerta Carmela y pasaban ellos como dos tórtolos, hechos dos pinceles, aprovechando el pie que les había dado Mariquita.

—«*A beber, a beber, a ahogar / el grito del dolor / que el vino hará olvidar / las penas del amor.*»

El cochero levantó el látigo al verlos y se tocó la gorra, saludándoles. Él también se daba cuenta de que allá iban dos dispuestos a vivir su gran noche.

III

Un reservado en «Lhardy». — El monólogo de Manolita. — Las perlas traen mala suerte. — La confesión de Carmela. — Todas las tazas son iguales. — La vida es lo que empieza en cualquier momento.

Poetas, escritores y cronistas, entre ellos Mesonero Romanos, Campoamor, Gómez de la Serna y Asmodeo glosaron las excelencias de lo que bautizó el padre Coloma en *Pequeñeces* como poderosa potencia gastronómica de la Carrera de San Jerónimo. Cantantes como Gayarre, Tamberlick y Anselmi lanzaron gorgoritos de placer en sus pasillos. Aunque no sean santo de nuestra devoción los que juegan con la muerte del toro, en honor de la historia diremos que los espadas *Bombita* y *Frascuelo* alargaron aquí muchas tardes de éxito. Aquí se brindó por la abolición de la esclavitud en el mundo. Aquí, los insignes actores y grandes declamadores Rafael Calvo y Antonio Vico agasajaron a los académicos de la Lengua con motivo de una de las muchas reaperturas del «Español» cuando el reestreno de *El gran galeoto*. El mismísimo Sarasate presenció el ritual del encendido de los candelabros de la chimenea, joyas de orfebrería que prestó la dirección del local para el estreno de *Tosca* en el «Real». Varias generaciones de reyes acudieron aquí de incógnito para saborear el sabio condimento de los manjares y aquí se cocinó hasta para un globo aerostático. Hablamos, naturalmente, de un lugar de dulcísima memoria en el cual, según contaba don Benito Pérez Galdós, «se ponía corbata blanca a los bollos de tahona».

«Lhardy.»

A todos esos nombres ilustres, debe añadir, a partir de ahora, la crónica del alfombrado lugar, los de Mamaíta y Papantonio, ya que éstos, tras anunciarles el timbrazo, subían los peldaños de la escalera de caracol para encontrarse con un *maître* inmaculado que les recibía, ceremonioso.

—Señora, señor, buenas noches. Por aquí, si son tan amables.

Dejó su capa Mamaíta en el guardarropa y Papantonio dejó su sombrero y su gabán.

—Por aquí, señores.

Ni tiempo tuvo Mamaíta de contemplar el comedor principal de la chimenea y los balcones, ni de atisbar las riquezas del salón Japonés, ya que el *maître* de impecable frac los conducía al reservado.

La puerta se había abierto y cerrado sin ruido.

La mesa ovalada estaba preparada, con todo lujo, con doble cubierto y sobre el estirado mantel había multitud de platitos de aperitivos y tantos vasos de distintos tamaños y colores que difícil parecía en una sola noche utilizarlos todos.

—¡Estás loco, loco, loco! ¡Traerme a «Lhardy» y a un reservado!

—Espero que todo sea de tu agrado.

Manolita parecía la Cenicienta en el Palacio del Rey.

—¡Un reservado! ¡Cuando se lo cuente a Pilar! ¿Qué habrán pensado? Igual creen que soy una artista famosa, una entretenida de ministro, una espía de...

—Manolita, no seas fantasiosa. —Le enseñaba Papantonio la tarjeta que había sobre la mesa. «La dirección de "Lhardy" felicita a don Antonio Maldonado y señora en el décimo aniversario de su enlace matrimonial.»

Se dirigió Antonio hacia una cubeta donde dormía, tendida, una botella de champaña.

—No es muy ortodoxo y he tenido que convencerles, que la botella la abría yo.

—¡Champaña! ¡Pero si tú no bebes!

—Un día es un día.

—Te va a costar esto una fortuna. Pilar me ha contado que el «Diner Lhardy» está alrededor de las cincuenta pesetas.

—Qué enterada estás. Pero no hables de dinero, ahora, Mamaíta. Si te hubieras casado con Felipe, él te habría traído aquí todos los meses o quizá todas las semanas. Y te habría llevado de cotillones y saraos.

—¿Y quién piensa en Felipe ahora?

—Yo, yo pienso en Felipe.

—Dios mío, qué extravagancia. Si dicen que los Reyes vienen aquí a cenar. ¿Voy a sentarme yo a la misma mesa que se han sentado los Reyes?

—Pues sí, ya ves. Ellos, también, a partir de ahora, podrán decir que se han sentado a la misma mesa que nosotros.

Una última vuelta de muñeca y salió el tapón disparando su alegría. Sirvió Antonio en las copas correspondientes como si no hubiera hecho otra cosa en su vida.

—Levanto mi copa por nosotros, Manolita, y por tu felicidad, que hoy es lo que más me importa.

También ella sabía cómo comportarse.

—Yo levanto mi copa... ¡Oh! Tengo que decir algo, ¿no?

—No tienes que decir nada si no quieres.

—Hoy ha sido un día tan, tan...

—Di lo que quieras. Como si fuera la primera vez que nos vemos.

Dio un sorbito Manolita y arrugó la nariz con las cosquillas.

—Pues... esta mañana me has dicho que siempre me has respetado.

—Sí, es cierto; siempre te he respetado y te respetaré.

—Pues... —se sentó Manolita en la silla que él le ponía y apuró la copa—, te diré lo que he querido decirte esta mañana. Yo nunca he querido que me respetases, ni quiero que me respetes ahora. ¡Yo quiero que me quieras!

Volvió a llenar la copa de Manolita y se sirvió él también.

—Comprendo.

—Antonio, yo no creo que haya mayor respeto que el amor.

—Toda una frase, muy hermosa, sí.

Ella iba a tener una noche brillante y lo sabía. Alargó su copa vacía y se dispuso a colocar su monólogo.

—Tú no me has querido siempre... y lo sé. Yo te conozco muy bien. —Aprovechó Manolita que él, después de llenar su copa, se entretenía en meter la botella en la cubeta, para quitarse disimuladamente los zapatos y dejarlos debajo de la mesa—. Te conozco seguramente mejor de lo que me conoces tú a mí. Espera, déjame hablar. El champaña desata la lengua, ¿no? —Él se había sentado frente a ella y confiaba que Manolita no le montara una escena. Ella se esponjó en el asiento y casi deseó que hubiera público delante—. Yo he tenido mucho tiempo para estudiarte y tú, en estos diez años, encerrado en el despacho, en el taller, en el estudio... ¡Si casi has pasado más tiempo con Vicenta que conmigo!

Lo había dicho. Se había atrevido y lo había dicho, y él estaba clavado en la silla, no hacía falta ni mirarle. Estaba clavado en la silla pensando cómo iba a salir de ésta. Continuó:

—Mira, con este reloj que me regalaste cuando empezamos el siglo juntos..., ¿te acuerdas? —Se desenganchó el brochecito y le daba cuerda, creando más tensión aún—. Con este reloj he contado muchas veces las horas. Y hoy, me has dicho esta mañana, que no pensara en nosotros como en Mamaíta y en Papantonio, sino como en un hombre y en una mujer... Y yo te pregunto: ¿de qué hablan los hombres y las mujeres, cuando están juntos y son una pareja? Y te contesto. De lo que hay entre ellos, de lo que ha habido, de lo que el uno ha esperado de la otra y la otra del uno, de lo que se han dado, de lo que se han quitado, de lo que podía haber sido, de sus sospechas, de sus soledades, de la ayuda que esperaron y que no llegó, del silencio forzado, de la hipocresía establecida, de...

—No habrás bebido demasiado, ¿verdad, Manolita?

—No.

Se miraron ahora a través de la mesa como dos enemigos que desconocen las armas que para el ataque tiene el contrario.

—Mamaíta... —Él sólo quería un tratado de paz—. Mamaíta, es nuestro aniversario, esto es una fiesta.

Se lo estaba haciendo pasar mal a Antonio. No le importaba.

—Ya lo sé, nuestro aniversario, y tú me has regalado hoy muchas cosas... La cajita de espejuelos llena de violetas, el marco dorado para nuestra foto de boda, esta cena... y por eso... —Ahora le miró y tuvo que apretar las mandíbulas para contener un pequeño temblor—. Te hablaba antes de Vicenta... —Pausa larguísima—. ¿Tú quieres que te pregunte lo que tantas veces he querido saber?

Nunca hubiera creído Papantonio que este momento iba a llegar. Tragó saliva y todo él respiró hondo, para no ahogarse.

—¿Tú quieres que te pregunte lo que tantas veces he querido saber? —estaba repitiendo Manolita.

Él levantó la vista y le clavó sus ojos azules, fríos y ahora, incluso valientes.

—No, yo prefiero que no me preguntes nada, pero cualquier pregunta que hagas juro que la contestaré con toda sinceridad. Lo juro.

¿Sería él tan solemne en las tenidas de sus Logias, como era aquí ante ella? Le volvió a presentar la copa.

Él se levantó para llenarla pero quedó quieto, como quien aguarda un veredicto.

—Mira, tú me has regalado muchas cosas, Antonio, y mi regalo de aniversario es éste, no hacerte ninguna pregunta, ni ahora, ni nunca. Borrón y cuenta nueva.

Él bajó la vista y recibió la sentencia con unción.

—¿No queda champaña? —Estaba sonriendo Manolita, su copa vacía en alto.

—Gracias, Manolita, gracias por tu regalo. Sí, sí queda champaña.

Sirvió otra vez Antonio y bebieron ambos en silencio.

—Me alegro que te guste mi regalo porque no he estado ciega, eso quiero que lo sepas, que no he estado ciega y nunca quiero que me digas que empecé yo, al echarte de nuestro dormitorio, eso no quiero que me lo digas nunca.

—Mamaíta...

—Déjame, ya acabo. Es igual que con los niños. ¿Quién ha empezado? Como si eso importara. A veces empezar uno u otro es pura casualidad. Así que eso no me lo digas nunca.

—Estás muy sabia esta noche y muy guapa, pero deja que te diga que sí que estás un poco ciega.

Porque Manolita había levantado un pico de la servilleta para secarse los labios y no había visto sobre el plato las perlas del collar.

—¡Pero...! ¡Pero Antonio! ¿Qué es esto?

—El tercer regalo. Treinta y tres perlas, como tus años, Manolita.

Ella había olvidado cualquier otra cuestión y contaba las perlas y los enganches.

—¡Y serán de verdad, porque tú cuando te pones...!

—Tan verdaderas como mi cariño por ti.

Él se había acercado a su espalda y le estaba abrochando el collar.

—¡Ay..., perlas! Dicen que las perlas traen mala suerte..., que las perlas estremecen con su contacto...

Él, entonces, la besó en la nuca.

—Habrá que ir pidiendo la cena —dijo.

Masticaba la suya Mariquita con dificultad porque había entrado ya, además de en otros achaques, en los de la dentadura averiada y se llevaba el alimento a un lado y otro de la boca, sin encontrar solución, cuando, de pronto, Carmela, que había estado frotando los fogones con piedra y asperón, se colocó ante ella como quien presenta el cuello al verdugo. Era noche de monólogos.

—Doña Mariquita…, ¡tengo que confesarme!

No estaba para sustos Mariquita y se atragantó.

—Antes de que se entere por otros, será mejor que se entere por mí, antes de que el señor se lo cuente a la señora y la señora se lo cuente a usted…

No le gustaba a Mariquita hablar con la boca llena, pero había que parar a la chica.

—¿Qué has roto?

—No he roto nada. —Y lo soltó todo de un tirón mientras deshacía un estropajo—. Esta tarde he ido con Pepillo al mitin de Pablo Iglesias. Los niños se han quedado con Vicenta. No me atrevía yo a ir, pero me han convencido y hasta urdimos un plan para que todo saliera bien. Después de todo, aunque sé que no he pedido permiso, Pepillo es mi novio y también tengo que agradarle. Ya sé que no tengo perdón, que lo que he hecho está muy mal y le juro por mis muertos que no volveré a marcharme de la casa sin decírselo a usted o a la señora, porque la Virgen del Carmen me ha castigado, que ya lo dice el cura de mi pueblo de Adra, que debemos hacerlo todo como si la Virgen nos estuviera mirando y la Virgen me ha dado una lección, porque estábamos allí, todos apretados y yo estaba nerviosita perdida, agarrada del brazo de mi Pepillo entre la gente y allí estaba ese señor don Pablo, hablando de no sé qué de la legislación de la mejora del obrero y de algo de la guerra que hay en Marruecos y de la amnistía para los delitos políticos y de la condena a la Guerra Europea y mucho hablaba también de que hay que abaratar los abastecimientos y Pepillo me lo iba explicando todo al oído, cuando… Ay, doña Mariquita, qué sudores me dan al contárselo ahora, que por poco me desmayo, que estábamos ahí y de pronto, como una aparición…, ¡don Antonio! Yo, que me quedo pasmada, a Pepillo, que se le va un color y se le viene otro, yo que tierra trágame, Pepillo que no sabía qué hacer… ¿Y a que no sabe qué dijo el señor?

Había hecho por fin una pausa.

—¿Qué? ¿Qué dijo el señor?

—«Buenas tardes», eso dijo, tan tranquilo, sin regañarnos, ni nada. Va y nos dice «buenas tardes» y se marcha tan fresco y a mí

me temblaban las piernas que a punto estuve de dar en el suelo.
—Empezó a temblequear Carmela, acongojada, arrepentida—. Doña
Mariquita, perdóneme, de verdad, yo... ¿No me va a regañar?

Se levantó Mariquita, sintiendo que había perdido el apetito.
Suspiró. Se apoyó en la mesa y parecía cansada.

—No, no te voy a regañar. Son las diez. Los señores no volverán
hasta dentro de dos horas por lo menos. ¿Sabes lo que vas a hacer?

Se esperaba Carmela un castigo digno de su culpa.

—Haré lo que usted me diga, doña Mariquita, haré la peniten-
cia que usted me ponga. Si quiere, me lío ahora mismo a limpiar
la leonera o a colocar las astillas de la carbonera o me pongo a lavar
todo lo de mañana, o me quedo repasando toda la ropa de los niños
hasta que caiga muerta de sueño o me arrodillo sobre garbanzos y
le juro...

—Para, para. Lo que vas a hacer es prepararme el baño.

Creyó Carmela que la doña desvariaba.

—¿Cómo dice, doña Mariquita?

—Lo echaremos a suertes, a ver a quién de las dos le toca primero. Hace años que lo llevo pensando, desde que pusieron la bañera arriba. Yo, lavándome toda la vida a trozos, en un barreño,
igual que tú, igual que mi prima Eulalia. Y el señor te ve en el
mitin y te dice «buenas tardes», muy fino, muy como es él, que
todos le importamos un pimiento... ¿Buenas tardes? Buenas noches, diría yo, ahora, pues lo que te digo es que yo ahora te preparo
el baño a ti y luego tú a mí. ¡Para eso es el Primero de Mayo, el
día de los trabajadores!

—Pero si vienen los señores, doña Mariquita...

—No van a venir y si vinieran, ¿qué? Tú dices que te lo he ordenado yo. ¿Nos iban a echar? No creo, y si te echan a ti, yo digo
que me voy contigo y nos vamos todos al pueblo, a Toledo, tú, Pepillo y yo. Y hasta Vicenta, si queréis, y esa niña que... Algún aho-
rrillo tengo.

—¡Doña Mariquita!

—Lo he estado pensando todo el día, desde que te regañé por
servirme en la taza de la señora, y no hace falta oír a Pablo Iglesias
para saber lo que tú has dicho muy bien esta mañana...

—¿Yo, doña Mariquita? ¿Qué he dicho yo?

—Sí... Tú lo has dicho, ¡que todas las tazas son iguales!

Una vez bañado en el Olivar de Atocha el reivindicativo proletariado, Mariquita metida en su cama como una señorona y Carmela en su camita en el cuarto de los niños, aún húmedo el pelo y oliendo a colonia, se oyó la puerta de la entrada y unas risas y unos pasos que subían, como diría alguien años más tarde, «pian-pia-nino».

Eran Mamaíta y Papantonio que volvían de «Lhardy».

Entraron en el dormitorio de Mamaíta y Carmela desde su cama los oyó perfectamente.

—«Ten cuidado con no despertar a Rosita. Que no se te vaya a caer, Antonio. ¿Pero dónde la vas a meter?

—«En la cama de Carmela.»

Se le paró el corazón a Carmela. Metió la cabeza debajo de la almohada y se quedó más quieta que don Tancredo en la plaza.

Se abría la puerta del cuarto de los niños. Don Antonio, cargando a Rosita en brazos, se acercaba a ¡su cama! Manolita estaba levantando un poco las ropas para meter a la niña con ella. Carmela se clavó en el colchón. Sentía la luz del pasillo sobre su cuello.

—Es muy guapa Carmela, ¿verdad? —estaba susurrando Manolita—. Fíjate qué pelazo tiene. ¿No se ahogará durmiendo así, verdad, boca abajo, con la cabeza bajo la almohada?

—No creo. Las criaturas, incluso los humanos, toman posturas raras para dormir.

—¡Esta chica tiene el pelo empapado!

—Pobrecilla, se habrá lavado la cabeza de noche, no le dejan tiempo los niños... No sale nunca esta chica, deberías darle algún domingo...

—Lo que tú quieras, Antonio; pero, vamos, que se va a despertar Julito, que es el más inquieto.

Le olió la cabeza Manolita.

—Huele bien. Sí, se ha lavado la cabeza..., es que es muy limpia.

—Efectivamente —decía Antonio—. ¡Qué forma tan rara de dormir! ¿Te parece que le quite la almohada? ¿Y si se ahoga?

—¿Y si se despierta? —dijo Manolita, práctica—. No, no, vamos y ¡de puntillas!

Hasta que no cerraron la puerta y pasó otro rato no volvió a tomar aire Carmela. Rosita se había acomodado en sueños a su lado y en una de sus revueltas ya le había quitado toda la ropa. Sacó la cabeza de debajo de la almohada y se puso a mirar las sombras que hacían los árboles en el techo. Se había cerrado la puerta del dormitorio de la señora y no oyó bajar al patrón. Sonrió. Desde que ella llevaba en la casa y según había averiguado, porque es fácil averiguar esas cosas, era la primera vez que don Antonio iba a dormir con doña Manolita. La vida, realmente, era algo que podía empezar en cualquier momento.

IV

Primer día de huelga. — 1917. — Se cumple la profecía de
doña Trinidad. — Alimañas y barcos. — Antonio pierde el
tren. — Los que duermen en el mismo colchón son de la
misma opinión. — «¿Dispararéis?» — Manolita y la guillotina.

No iban a ser menos los de la Fábrica de Muebles de Antonio Mal-
donado y al igual que los demás trabajadores de Madrid y de media
España, que equivale siempre a decir España entera, los obreros del
Olivar de Atocha iniciaban su primer día de huelga.

Allí estaban, en el patio, los ebanistas, los doradores, los ensam-
bladores, los barnizadores, los tallistas, los tapiceros y las tapiceras,
unidos todos en un silencio expectante, agrupados frente a las puertas abiertas del taller al que minutos antes, sintiéndose más sólo que
la una, había entrado el encargado, el señor Juan.

Vicenta estaba junto a la campana del chiscón y tenía los brazos
cruzados sobre el pecho. Lo que es ella, no pensaba tocar la campana, y si quería el señor Juan, que saliera él a tocarla, que de poco le
iba a servir porque allí nadie estaba dispuesto a cruzar la raya invisible que separaba la voluntad de huelga general del quehacer diario
del trabajo.

Del chiscón salió Isabelita, en enagua, medio desnuda y se agarró
a las faldas de su madre y al ser rechazada por ésta, se apartó unos

pasos y copió su gesto, cruzándose la niña también, sobre el pecho, los brazos, cosa que provocó la risa de más de uno.

Vicenta miró hacia la «casa grande». Tras la ventana del mirador del dormitorio de arriba, se adivinaban las figuras de Manolita y de doña Mariquita que espiaban tras los visillos.

Aún estaba Manolita en bata y al reparar en la mirada de la portera, se atusó el cabello y se ahuecó los encajes del camisón.

Doña Mariquita no daba crédito a lo que estaba viendo y sacudía la cabeza con gran violencia en signo de desaprobación.

—¡Miedo..., miedo me dan cuando se ponen así!

—Son unos desagradecidos y esa mujer, Vicenta, una descarada. Y eso que creo que las tapiceras son peores, que tienen una lengua...

—Con lejía se las lavaba yo —proponía Mariquita—. Pero, ¿qué hacen? ¿Tan quietos?

—¡Y yo qué sé! Antonio no tenía que habernos dejado hoy. Si estuviera aquí, sabríamos qué hacer.

—Yo no creo que nosotras tengamos que hacer nada, pero tienes razón. ¡Vaya un día que ha elegido tu maridito para irse a Bilbao! —Suspiraba doña Mariquita, como siempre que no se le ocurría otra cosa—. ¿Te acuerdas de aquello que le dijo tu madre a tu marido?

—Le diría tantas cosas...

—Cuando tu marido le anunció que en el solar de Andrés iba a hacer un taller.

—No me acuerdo. ¡Cualquier barbaridad! ¡Menuda era mamá!

—Le dijo: «¡Se llenará la calle de obreros!» Pues fíjate si levantara la cabeza, como una profecía, hija, igualito que una profecía.

Manolita se volvió para mirar un relojito que había sobre la mesilla.

—Antonio no estaba muy seguro de que salieran los trenes —dijo.

—Algo habrá hecho, menudo es él también. Las dificultades, le crecen, capaz es de haberse ido andando a Bilbao. ¿No se vino andando a Madrid? Aunque eso era porque sabía que te iba a encontrar a ti.

—Boba. Anda, calla, está tan cariñoso últimamente...

—¡Como si no se os notara! Habéis tardado mucho, hija, pero al final habéis encontrado la simpatía conyugal y la hubierais encontrado antes si antes hubieras sacado a Rosita de tu cuarto, que bien mono le ha quedado el cuarto de Perico a la *Nena*. Anda, Manolita, vístete, por si acaso. No pensarás pasarte la mañana en bata.

—Tenía tanta ilusión el pobre en ver cómo se fabricaban las máquinas. Cincuenta, Mariquita, cincuenta máquinas le están haciendo en Bilbao y el mes que viene salen cuarenta para Alemania. Cuando lleguen los pagos, dice que nos vamos a comprar hasta un coche.

—Yo no quiero coche. Con el ruido que hacen y el polvo que levantan. A tu marido siempre le ha faltado un tornillo.

—También levantan polvo los caballos. Además Antonio dice que por todas partes harán carreteras para los coches.

—Son muy peligrosos.

—Como los hombres, Mariquita.

—No, más. Un coche te puede atropellar.

—¿Y los hombres no te atropellan? Fíjate la de muertos que lleva la guerra. Más de dos millones y los países arruinados.

La tomaba el pelo doña Mariquita, afectuosa.

—Como ahora estáis a partir un piñón, hija, qué informada te tiene. ¡Hablas como él!

Manolita había cogido los gemelos de teatro del bolsillón de la camilla y ajustaba el foco.

—A mí los del taller no me pueden dar miedo. Los conozco a todos. Mira al marido de Eulalia... Es quien los manda, ¿eh? De eso no dices nada.

—¿Qué quieres que diga? Lo único que sé es que tan gallito que se le ve en el taller, en su casa es un bendito. El otro día, fregaba hasta los platos.

—¿Él?

—Como lo oyes. Y bajó a la compra y todo y la hizo en un pispás, como a los hombres los atienden primero...

Manolita se llevó los dedos a la boca, mandándola callar.

—Chist... Abre, Mariquita, abre con cuidado un poco la ventana, que va a decir algo.

—No, vamos a bajar a la sala. Desde abajo se oirá mejor.

Luis se había separado del grupo y, subido a unos tablones, lanzaba una arenga, enardecido.

—«... porque en este país de caciquismo, de violencia, no puede apelarse a la razón de una causa, sino que es preciso imponerla. Aquí sólo tiene razón el más fuerte y ahora nosotros somos los más fuertes. Los ferroviarios no están solos en su lucha, los acompañamos todos, ¡todo el proletariado organizado que está en huelga desde hoy! Y aunque esto no tenga nada que ver con esta fábrica en la que siempre hemos recibido comprensión... —Hizo una pausa que ninguno contradijo—. ¡No cesaremos hasta que se obtengan las garantías suficientes de que se ha iniciado un cambio de régimen que es necesario para la salvación de la dignidad, del decoro y de la vida nacionales!»

—¿Pero, le oyes? —se empezaba a molestar Manolita—, que en esta fábrica han recibido comprensión... ¡y buenos duros!

—Sí, hija, parece un orador. Si Eulalia dice que hasta ensaya en casa para no trabucarse.

—¿Y Paco, el ladrón? ¡Mírale! Tan contento, aplaudiendo. Ése sí que no me gusta. ¡Mira que la idea que tuvo Antonio de contratarle! Y eso que yo a mi marido le entiendo muy bien.

—Claro, los que duermen en el mismo colchón, son de la misma opinión.

Suspiró Manolita. Estaba perdiendo interés en los obreros y pensaba en el patrón.

—Antonio tiene las mismas ideas que tenía Andrés... Es un soñador. —Volvió a suspirar—. Ay..., tengo apetito. Habrá que vestirse y desayunar.

—¿Tú crees que durará la huelga, *Nena*?

Manolita, desentendida de todo el problema laboral, después de quitar unas cuantas ramitas secas de los rosales, había cogido dirección al pasillo.

—Luego voy a cortar un ramo —iba diciendo.

En la galería del cuarto de los niños, Carmela, vencida sobre la barandilla, también escuchaba las proclamas del patio. Luis Márquez había sacado una hoja impresa del bolsillo de su pantalón y se disponía a darle lectura.

—Esto es lo que pide el Manifiesto-Programa del Comité de Huelga: «Pedimos la constitución de un Gobierno provisional que asuma los poderes ejecutivos y moderadores y que prepare, previas las modificaciones imprescindibles en la legislación viciada, la celebración de elecciones sinceras de unas Cortes Constituyentes, que aborden, en plena libertad, los problemas fundamentales de la constitución política del país. Mientras no se haya conseguido este objetivo, la organización obrera española se halla absolutamente decidida a mantenerse en su actitud de huelga.»

Aplaudían unos, no se sabía si al orador, o al señor Juan que había salido al patio y los escuchaba desde la puerta del taller.

—«Ciudadanos» —continuaba Luis— «Ciudadanos. No somos instrumentos de desorden, como en su impudicia nos llaman con frecuencia los gobernantes que padecemos. Aceptamos una misión de sacrificio por el bien de todos, por la salvación del pueblo español y solicitamos vuestro concurso. ¡Viva España!»

Contestaron todos aquel grito que tantas veces ha sonado en el aire.

—«Por el Comité Nacional de la Unión General de Trabajadores, firma Francisco Largo Caballero. Por el Comité Nacional del Partido Socialista: Julián Besteiro.» —Y añadió Luis de su propia cosecha—: La CNT, a la que me honro en pertenecer, se suma a este movimiento de huelga.

Carmela no le quitaba los ojos de encima a Pepillo y veía que éste, muy serio, muy preocupado, iba del chiscón, de hablar con su tía, a la puerta del taller donde parlamentaba con el encargado. A Carmela le latía el corazón.

—Ahora —estaba gritando Luis, intentando acallar las voces y los comentarios de los huelguistas—, ahora Paco va a leeros el artículo de Marcelino Domingo, porque no toda la Prensa está contra nosotros. Este señor, ahora lo escucharéis, pide a los soldados, si es que el Ejército se atreve a salir a la calle, como se atrevió en Barcelona y os lo he contado muchas veces... Este señor, Marcelino Domingo, pide a los soldados que desobedezcan las órdenes de sus superiores... —Tosió—. Anda, Paco, lee.

Paco era el que peor leía del taller pero no pensaba amilanarse. Sacó una hoja del periódico *La Lucha*. Con alguna dificultad y cierto tartamudeo, pero con gran convicción leyó:

—«¿Dispararéis? ¿Haréis fuego, soldados, contra vuestros hermanos? ¿Obedeceréis la orden de vuestros superiores si os mandan que nos voléis las cabezas a los que venimos del campo, de las fábricas, del taller? ¿Dispararéis contra el que no come, para proteger al que vive harto? ¿Dispararéis?»

Casi lloraba Carmela y musitaba «no, no, no, no disparéis, no disparéis contra mi Pepillo, no», cuando se dio cuenta que Andrés estaba a su lado, sentado en el suelo, sacando los pies descalzos entre los barandales.

—¡Andresito! Vuelve a la cama.

—¿Por qué? Ya no tengo más sueño. Hace calor.

—En agosto no querrás que haga frío. Saca los pies de ahí, anda, que siempre te las apañas para estar medio colgando de algún sitio.

Le cogió de la mano y le alejó del peligro.

—Hijo, que afán con el vacío. Vértigo me das siempre. Venga, adentro, a ponerte las zapatillas y con cuidado de no despertar a tu hermano.

—Carmela, ¿qué es una alimaña?

—Un bicho muy malo, digo yo... —Le hacía cosquillas—. Un bicho que se te sube por las piernas y se come a los niños que no duermen.

—No, de verdad. —Era muy serio Andrés y no aceptaba que le tratasen como a un niño.

—Pues..., ¡es el bicho que picó al tren! Un bicho, no sé más. ¿Por qué lo preguntas?

—Paco el ladrón, ayer, en casa de Vicenta, dijo que a ellos los han llamado alimañas.

—A ellos, ¿a quiénes?

—Que a los obreros los llaman alimañas y que dicen que hay que darles caza, como a los barcos. —La miraba con sus ojos grandes. tristes—. ¿Tú eres una alimaña?

—No, Andresito, no, no digas tonterías. Yo soy tu Tata Carmela, la que te va a dar ahora mismo el desayuno, ahora cuando te vistas y bajemos a la cocina.

—¿Te van a hundir como a un barco?

El niño sabía bien lo que se decía y su tono reflejaba una verdadera preocupación social.

—El que nos va a hundir es tu padre, que mira por dónde viene, subiendo por Pacífico. ¿No le ves? Con su maleta. ¡Tu padre viene y los del taller se van! Ay, señor..., ha debido perder el tren. Voy a avisar a tu madre.

Pero antes de avisar a nadie y después de comprobar que Rosita dormía en su cuarto, como una santa, Carmela había bajado al patio y se acercaba a Pepillo. El chico estaba en ese momento, rezagado, hablando con su tía y con el encargado.

—Usted se viene con nosotros, señor Juan, con todos, o se va a su casa, lo que quiera, pero aquí no se quede. ¿No ve que no puede ser?

—Yo no le quiero faltar a don Antonio, eso es lo que yo digo. Él siempre ha sido un buen patrón. El mejor.

—Esto no tiene nada que ver con don Antonio. Tiene que ver

con el país. Don Antonio ya sabía que hacíamos huelga —decía Vicenta.

—No, dijo que eligiésemos cada uno libremente —se emperraba el señor Juan.

—Porque nadie se esperaba que iba a ser un paro tan total —razonaba Pepillo—. Vamos, vamos, señor Juan...

—«¡A Sol!» —pasaron gritando por la calle los de la Alcoholera—. «¡A Sol! ¡A Cuatro Caminos!»

—«¡A la Casa del Pueblo!» —se oía gritar a otros.

—¡Primero a tomar un vaso a la taberna de *el Chato*! —proponía alegre, Paco—. Y salimos desde allí.

—Nosotros no vamos a iniciar las hostilidades, señor Juan, haremos que se evite cualquier acto de violencia —tranquilizaba Mariano al encargado—. Vamos, maestro...

—Yo me voy a la estación, a apoyar a los ferroviarios —se desgañitaba Agustina, la tapicera, blandiendo unas tijeras que parecían de anuncio—. ¡Y al que se ponga por delante, lo rajo!

Carmela se acercó a Pepillo y al oído le avisó que el patrón debía andar ya por la cuesta de María Cristina. Pepillo, prudente, le habló también al oído.

—Tú no has visto al patrón ni yo tampoco. Sería peor hablar con él ahora, déjalo, es por su bien. Puede decir cualquiera de sus frasecitas y armarla. Tú vete para la casa, que yo no voy a ningún sitio, sólo a la taberna con todos, y cuando vayan para Sol, yo me vuelvo, que ni voy a dejar sola a la tía Vicen y a Isabelita, ni a ti. Anda, ve a la casa y no te preocupes, que no pasa nada.

Así que cuando Antonio llegó a Fuenterrabía la calle estaba vacía y ya no había ni gritos, ni hombres. Entró en el patio con su maletita y sólo le saludaron los perros, como siempre.

Vicenta estaba en el patio trasero del chiscón, lavándole a Isabelita la cara.

—Hola —le dijo la niña al patrón con una sonrisa que podía desarmar al Universo mundo.

—Hola Isabelita... Buenos días, Vicenta. No ha venido nadie por aquí, ¿eh?

—Han venido y con las mismas, se han ido. ¿No ha cogido usted el tren, don Antonio?

—El tren no me ha cogido a mí, Vicenta.

—¿Tienes un caramelo? —Ya estaba pegada a sus pantalones y extendía su manita exigente.

—Para ti siempre tengo un caramelo. —A Antonio se le ensanchaba el corazón cuando la veía. La cogió en brazos después de meterse un caramelo bajo el nudo de la corbata—. Anda, busca, tengo un caramelo con sabor a barba... —Le tiraba la niña de la barba, buscando—. No, creo que es de sabor a corbata...

Le hurgaba el cuello la niña y le besuqueaba hasta que encontró el caramelo. Reían los dos y Vicenta los miraba con los ojos entornados.

—Ay..., pequeña, pequeña, ay, Isabelita, ¡a qué mundo has venido! Tú verás el resultado de todo esto. ¡Huelgas, huelgas y huelgas! Yo creo, mi niña Isabelita, que lo que pasa es que ahora sí que está empezando el siglo, otra época, sí...

—No le diga esas cosas a la niña, que no le entiende.

En eso apareció Pepillo. Venía corriendo, acalorado.

—¡Don Antonio! Buenos días.

—Es un decir, Pepillo.

—Se han ido todos, don Antonio. A Sol se han ido.

—Estaba cantado. ¿El señor Juan?

—También. Lo hemos convencido para que no entrase, por lo menos hoy era mejor. Los de la Fábrica de Vidrios amenazaron que iban a pasar por todas las fábricas y que como vieran a alguien trabajando...

—Lo sé, lo sé, Pepillo, es mejor así.

—¿Y qué hago yo, don Antonio? Porque yo hago lo que usted diga. ¿Qué tengo que hacer?

—Lo primero, tener cuidado. Y lo segundo, irte con todos, a pedir lo vuestro, como es tu obligación. Y yo me voy a desayunar y tú, Isabelita también, ¿eh? Hoy es día de fiesta.

Se la quitó Vicenta de los brazos, brusca.

—De fiesta, no, don Antonio, ¡de huelga!

Sobre el piano había colocado Manolita un jarrón con rosas. Estaba sentada en el taburete y se giraba al compás de su interés, mordiéndose las uñas como cuando era niña.

Mariquita estaba en el quicio de la puerta en un si es no es de marcharse o quedarse y Antonio, que se estaba terminando un café con leche que le había subido Carmela en una bandeja, entre sorbo y sorbo, narraba su aventura matinal.

—... yo, hasta había sacado mis papeles de la cartera y me disponía a comprobar las cifras, cuando de pronto, ¡un revuelo! Veo que por el pasillo pasaba gente muy deprisa y por la ventanilla veo que... ¡Manolita, te vas a quedar sin uñas!

—Siga, don Antonio, siga que me tengo que marchar a ver qué hacen los niños —se impacientaba Mariquita.

—Bueno, pues había pasado lo siguiente, que el Jefe de Estación se había puesto delante del tren, así, con los brazos abiertos...

—¡Qué barbaridad! —Se abanicaba Manolita con una partitura—. ¿Pero el tren había arrancado ya?

—Todavía no, pero a punto estaba, resoplando..., y cuando se puso delante el Jefe, se armó... ¡Yo lo veía venir!

—¿Y tú te bajaste?

—Antes de que me bajaran, porque al tren se subían los ferroviarios para decirnos a los pasajeros que abajo... Al Jefe de Estación se lo llevaron los guardias... ¡Una barahúnda!

—¿Y ahora qué vas a hacer?

—¿Qué puedo hacer? Esperar a que esto pase. Intentar irme mañana y si no puedo, pasado. Ya se verá.

—¿Y las máquinas?

—Yo tenía que aprobar la siguiente fase y si también están en huelga en Bilbao, pues... Además no seguirán hasta que yo les dé el visto bueno. Ya llevábamos retraso, así que...

—¡Con lo puntual que tú eres!

—Los alemanes sabrán comprender y si no peor para ellos, también ellos fallan a veces.

—Pero están en guerra. Es normal.

—Y nosotros en huelga. También es normal.

—¿Y los periódicos, don Antonio? ¿Qué dicen?

—Los periódicos, si es que salen, poco van a decir. De momento, esta mañana, a la estación, no habían llegado.

—Pues el *ABC* ayer bien claro que lo decía. —Ya no leía *El Universo* y se había hecho del *ABC* doña Mariquita—. Decía que no se puede tolerar el carácter crónico de esta dictadura obrera y que ahora le toca al ministro de la Guerra.

Se miraba el matrimonio, sorprendido por la virulencia de la doña.

—No, si doña Mariquita el día menos pensado nos lleva a la hoguera... ¡No diga esas cosas, doña Mariquita!

—Yo digo lo que dicen los periódicos.

—Algunos periódicos —rectificaba Antonio—, porque otros dicen otras cosas. Unamuno ha escrito, por ejemplo, que las causas de la huelga hay que buscarlas en las profundas aspiraciones democráticas del país. —Se secaba la barba con la servilleta—. Y ha tenido suerte en que le dejen decir algo, porque hay censura previa y tienen que entregar por duplicado las galeradas.

—No va a decir todo el mundo lo que quiera —argüía Mariquita escandalizada.

—De eso se trata, Mariquita, de que cada uno diga lo que quiera, como ahora nosotros. —Se ponía muy democrática Manolita, mirándose la punta de los pies.

—Mire, doña Mariquita —añadía Antonio—, en los periódicos han prohibido que se hable sobre las Instituciones fundamentales, sobre la cuestión militar, sobre las Juntas de Defensa, sobre los mítines, sobre las exportaciones... ¡Fíjese, incluso sobre las exportaciones! ¡Ni de mis máquinas ensambladoras se puede hablar!

—Bueno, de eso, don Antonio...

—Pues deberían hablar de mis máquinas. Todo el mundo exporta cosas para que siga la guerra, ¿no? Pues se debería hablar de que también vamos a exportar máquinas para que se hagan muebles más deprisa y mejor.

—Ay, señor. —Se aburría Manolita con la discusión y quería zanjarla poniéndose graciosa—. Si prohíben tantas cosas, es lógico que no salgan los periódicos. ¿Qué van a decir?

—Pues también está prohibido que salga con blancos en las páginas —remataba Antonio.

Recogía Mariquita la bandeja y se disponía a salir.

—Si hubiera visto usted, don Antonio, cómo iban los hombres, pegando voces por la calle...

—Los nuestros iban más formales —les justificaba Manolita.

—Mamaíta..., ¡no son los nuestros!

—No sé cómo te han hecho esto a ti.

—No me han hecho nada a mí.

—Nosotros que pusimos las diez horas y luego las nueve...

—Pues ahora quieren las ocho.

—¿Y quién trabaja? Luego se quejan de que hay parados. No lo entiendo.

—Entenderás que hay gente que no cena.

—No serán los nuestros.

—Y dale con los nuestros, Mamaíta.

—Que no me entero yo de lo que traen en las tarteras. Creerás que no me entero.

Ahora se burlaba de ella doña Mariquita.

—Si los mira con lupa, don Antonio, con los gemelos de su padre, desde arriba, desde el mirador y dice que hasta se ve si comen garbanzos o judías...

—¡Y buenos trozos de magro! —se enfadaba Manolita.

—De eso, verás menos, al precio que está —se enzarzaba la doña.

—Tampoco Antonio come carne.

—¡Manolita, no digas eso! —reía el vegetariano.

—¿No es verdad? Tú no comes carne y estás bien fuerte. ¡Pues que los obreros se hagan vegetarianos!

—Manolita..., ¿tú sabes lo de María Antonieta —negaba Manolita—, que le dijeron que el pueblo se quejaba de que no había pan y ella dijo «pues que coman bollos»?

—Pues tenía razón —seguía en sus trece, Manolita.

—¡Pues la llevaron a la guillotina!

A quien más gracia hizo el lance fue a Mariquita que ahora sí que salió para ir a contárselo a Carmela.

V

Un éxito como los de «La Chelito». — Luis Márquez jura por el «LCE». — Una vuelta por Cuatro Caminos. — Suenan las notas del «Chopin» de Schumann. — Andresito es un ángel. — Llaman a la puerta. — Había serrín en la escalera.

Propagada la huelga a todo el país, llevaba una semana en la calle aquel que la Prensa reaccionaria llamaría «movimiento sedicioso, antipatriótico, revolucionario y antisocial, constituido por vividores sin conciencia, honor y virilidad». El Ejército, en estado de guerra, había respondido afirmativamente al ruego de Paco el ladrón, cuando leía aquel artículo de Marcelino Domingo titulado: «¿Dispararéis?», y llevaba una semana disparando a placer no sólo contra ferroviarios, campesinos, mineros, obreros de la construcción, panaderos y tipógrafos, sino que acababa de abatir a los amotinados presos de la Cárcel Modelo. El tal Marcelino Domingo había sido maltratado en el cuartel de Atarazanas y trasladado a un barco. Así las cosas, y concretamente en Madrid, las ametralladoras seguían emplazadas en Cuatro Caminos aquel domingo en que Luis Márquez se disponía a salir de nuevo a la calle.

—¿No hay nada? —Quería saber Eulalia.

Había vuelto exultante Luis y tenía prisa por volverse a marchar.

—No, nada. ¡Todo cerrado!

—¡Y tú como unas castañuelas aunque nos muramos de hambre!

Eulalia seguía en la cama, algo pachucha y exageraba su malestar para retener al anarquista.

—¡A quien se le diga que te alegras de que no tengamos comida!

Luis se sentaba en la cama y ofrecía su brazo.

—Toma, fiera, muerde. Mi Eulalia no se va a morir de hambre mientras a mí me quede un trozo de carne. ¡Toma brazo de gitano!

Le mordió Eulalia, efectivamente y le enredaba, enseñándole la lengua para que se quedase con ella.

—¡Tonto!

—Paloma...

Aprovechaba él para morder donde podía y se revolcaban, riendo y gozando.

—Yo tendré que alimentarme también, digo yo... A ver, paloma, por aquí, por aquí...

Gritaba Eulalia, quejándose de sus mordiscos, echándole las piernas por encima. Él la pellizcaba para que se soltase.

—¡Qué carnes tan duras tiene mi enfermita! ¡Me voy a romper los dedos y los dientes! ¡Qué carnes! Mira, si la huelga dura mucho más, como tiene que durar nos metemos aquí en la cama tú y yo..., primero me como esta boca y...

Se enroscaba Eulalia y le atenazaba con siete llaves.

—Sí, Luis mío, yo te corto una pierna y la aso pinchada a un palo.

Deshacía el abrazo Luis, pendiente de unos gritos que se daban abajo.

—Déjame, paloma, ahora me tengo que ir.

—¿Cómo te vas a ir? ¿Cómo me vas a dejar sola, así, queriéndote tanto? ¿No te gusta nuestra casa, nuestra cama, no te gusta todo esto que tienes aquí? Mira, mira... Soy la Eulalia, tu paloma... ¿Cómo te vas a ir, si te pido que te quedes? —le provocaba—. ¿Cómo te vas a ir?

—Por la puerta. Me voy por la puerta —reía él—, pero cuando vuelva, verás, verás lo que es bueno.

Se agarraba a él dispuesta a no dejarle marchar.

—Donde tú vayas puedo ir yo. Hoy voy yo contigo.

—Quieta en la cama, paloma, tú quieta en la cama, sin moverte, esperándome...

—Yo me voy contigo. —Intentaba incorporarse ella.

—Luego, conmigo, luego, que te voy a quitar yo todos los males...

Había conseguido librarse y se estaba ajustando las ropas.

—Si voy contigo, quizá en la tienda... ¿Ni pan había?

—¡Pan, menos!

—Aún me queda una bolsa del duro. Hacemos un gazpachito...

—Si vuelvo enseguida, paloma. Tú preparas lo que quieras, ¿eh? Pero no bajes, ¿eh?, porque hoy tampoco va a abrir nadie. ¡Es un éxito la huelga, un éxito!

—Has estado en la calle todos los días. Hoy te podías quedar, Luis y, si no, déjame que vaya contigo, como en Barcelona.

—No, paloma, no. Nada va a ser como en Barcelona, esta vez va a ser un éxito, lo vamos a conseguir.

—¡Con la Ley Marcial!

—Se cansarán. Ha habido reyertas, pero se cansarán. No nos van a matar a todos, mujer. Esta vez será un éxito, como los de *la Chelito.*

Ella estaba sentada en la cama, entre las sábanas revueltas y se ponía seria, exponiendo otras razones.

—Mira lo que dijo ayer Paco, que estaban deteniendo a muchos y que no se van a andar con chiquitas.

—Tampoco nosotros nos andamos con chiquitas.

Se enfadaba ella de verdad, le regañaba como a un hijo.

—Luis, que te conozco, que te pierdes, que se te calienta la boca y te pierdes.

—No digas bobadas, mujer. ¿Qué quieres, que sea un cagao mientras otros dan la cara por mí? ¿Con quién te crees que te has casado tú, con un cobarde, con un esclavo? —Se inclinaba sobre ella y la sujetaba los hombros contra los barrotes de la cama para besarla.

—Me haces daño.

—Más daño me haces tú, hablándome así, de que me quede en casa... ¿No te acuerdas de Barcelona? Tú, tan valiente, eras la primera en tirar piedras a las farolas y ladrillos a los tricornios. Yo te miraba y se me caía la baba de gusto, mi hembra, tan caliente, allí, zurrándoles la badana a los guardias... Estos días te imagino en la calle, a mi lado, gritando, porque no hace falta que estés conmigo para que yo te lleve conmigo, porque tú estás a mi lado, siempre conmigo y yo te hablo como si estuvieras ahí, paloma... Estás ahí de rodillas, detrás de los sacos, con las faldas levantadas, tirando piedras, conmigo... Así es como estás más guapa, luchando conmigo contra la explotación de los ricos.

—¿Me vas a dar un mitin?

—No, te voy a comer a besazos cuando vuelva. ¿Me oyes? ¡Pero es que nos estamos jugando el porvenir!

Ella ya no sabía qué decir.

—Es que estoy un poco mala —dijo, con mucha pena.

—¡Estás más buena que el trigo! Anda, paloma, que Paco debe estar abajo esperándome.

—Dile que suba, os hago un café, no vais a pasaros el día ¿in comer.

—No. Hoy vuelvo antes, sólo es una vuelta... Hoy vengo bien prontito, para darte un repaso.

—¿Sólo una vuelta por Cuatro Caminos?

—Sólo. Tú haces el gazpacho y Paco y yo venimos a comer y si encontramos algo por las huertas, lo compramos.

—¿A la hora de comer, me lo juras?

—Te lo prometo.

—Júramelo por Dios.

—Te lo juro por el LCE.

Le ponía ella el cuello.

—A ver, a ver, pon la boca aquí, en mi lunar y jura..., ¿no se pone la mano en el Evangelio para jurar por Dios?

Le puso él, la boca en el lunar y la mano en los profundos rincones de su vientre.

—Por el LCE, por el Lunar del Cuello de la Eulalia, juro que sólo será una vuelta por Cuatro Caminos.

Durante toda aquella semana de huelga, Papantonio volvía pronto del taller. Por las mañanas comprobaba los pedidos de la fábrica, que cada día iban más atrasados; después de comer se acercaba andando a Correos para ver si llegaban las sacas con noticias de Bilbao o de Alemania, y a la hora del té, porque él tenía su «hora del té», volvía a casa y bajadas las persianas del mirador de la sala, se echaba la siesta hasta que se ocultaba el sol.

—Esto de despertarse de noche, me parece una excentricidad —decía Manolita que estaba a su lado, afanándose con el hilo del ganchillo.

—¿Qué quieres que haga? Además, con este calor, lo sabio es dormir la siesta y vivir unas horitas de noche.

Tiraba del ovillo Manolita, nerviosa, y la tomaba con Mariquita que andaba amodorrada todavía.

—No sé para qué te emperras, Mariquita, en que aprenda a hacer ganchillo cuando se me enreda todo.

Julito y Andresito estaban haciendo sumas tirados por el suelo y Rosita se había subido a las barbas de Papantonio que acababa de despertarse y volvía con su eterna cantinela.

—¿Por qué no me tocas el piano, Papantonio? Anda, yo juego a que nazco y tú me tocas el piano.

—*Nena*, deja a tu padre —decía cansina Mariquita.

—Rosita, ¡qué pesada eres! ¿Vamos a jugar al patio? —proponía Julito.

—Yo no quiero jugar —intervenía Andrés—. No he terminado las sumas. Y aún me quedan las restas.

Rosita se estaba poniendo tan pesada como sólo ella era capaz de ponerse. Tiraba de la mano de su padre.

—Anda, anda, Papantonio. Le tocaste el piano a Julito y a Andresito también...

—Pero *Nena* —se enfadaba Manolita—, ¡a ti te lo ha tocado miles de veces!

—Pues otra —insitía Rosita—. ¡Otra vez!

Se ponía roja de tantos esfuerzos que hacía por levantar a su padre.

—No, si serás capaz de traerme el piano aquí, como te empeñes.

Se bajó Rosita de su rodillas y se fue hacia el piano para intentarlo.

—Pero qué niña tan cafre —se levantó Mariquita—. ¡Qué poco femenina! Si querrá mover ella sola el piano, con seis años que tiene. ¡Anda, *Nena*, eslómate!

Se levantó Papantonio.

Se puso en pie de un salto Julito.

—Pues si lo toca Papantonio, que sea para nosotros también.

Andresito, desde el suelo, los miraba a todos.

—Bueno, pues para los tres —hacía una reverencia Papantonio y se ponía un poco ganso, preparándose una entrada, ocultándose detrás de las cortinas.

—Querido público, a petición de mi pequeña Rosita, que es una pequeña loquita de Leganés, y de mis hijos mayores, el muy morrocotudo, brutote y buenísimo de don Julito y el muy espiritifláutico, aventurero y sumador de don Andresito, voy a tocar para ustedes una delicadísima pieza titulada *Chopin* perteneciente al Opus 9, Carnaval de Schumann.

Hizo como si se retirase los faldones del frac para sentarse en el taburete, levantó la tapa del piano y atacó, después de mucho gesticuleo, las notas. A veces las cantaba.

—Do, mi, re, mi, re...

Repitió la cortísima pieza más de diez veces y cada vez, cuando terminaba, se volvía para que los niños le aplaudieran.

—Ay, me vais a volver loca —se quejaba Manolita.

De pronto sonó el timbre de la puerta de forma insistente.

Andresito se estremeció como sólo se estremecen los ángeles.

—¡Alguien llama a la puerta! —¿quién lo dijo?

Mariquita levantó la vista de la labor.

—¿Iba a venir la señorita Pilar?

—No, está en La Granja, con Felipe, con este calorcito que hace, Madrid ni lo pisan.

—Novios o no, esos dos están siempre juntos —decía Antonio.

—¿Quién será?

Habían dejado de llamar y todos escucharon. Ya se oía a Carmela por el pasillo hacia el vestíbulo. La puerta de la sala estaba abierta. Se escuchó la voz de Eulalia, nerviosa.

—«¿Está doña Mariquita? ¡Soy su prima Eulalia, avísela! He pasado por el patio de la cocina, pero no he visto a nadie...»

Había en el tono de su voz tanta alarma, que Antonio salió de la sala, seguido de Manolita y de Mariquita. Los niños iban detrás, sin perder comba.

Eulalia, en el vestíbulo, se restregaba las manos.

—Buenas noches, Mariquita, perdona. Don Antonio, doña Manolita, es que he ido por la cocina pero...

—No te preocupes, Eulalia, pasa, pasa —ofrecía Manolita.

—Ya me la llevo yo a la cocina, a ver qué quiera ésta a estas horas. —Tironeaba de la chica, su prima.

—Hija, para una vez que vienes a la casa del Olivar, no te vamos a dejar en la puerta. Antonio, dile que pase, pasa a la sala, Eulalia. Mariquita, que pase a la sala.

Se mordía los labios la «chirula» y miraba a su alrededor, forzándose a sonreír.

—Todo sigue igual, doña Manolita, bueno, casi igual...

Intervino ya Antonio.

—Pero, ¿qué pasa, Eulalia? ¿Ocurre algo?

—Yo venía para ver si ustedes, si usted, don Antonio, había visto hoy a Luis, si...

—¿Luis...? No...

—Esta chica está muy pálida. —La estudiaba Manolita con buen ojo—. Carmela, hija, trae un poco de agua... ¡A ti te pasa algo, Eulalia!

—No, ha sido la impresión. Cuando me acercaba a la casa he oído el piano, esa música que tocaban aquí cuando..., ¡y me ha dado una cosa!

Y de pronto, se llevó las manos al cuello y cayó desplomada sobre la alfombra.

No duró más allá de segundos el desmayo. Le desabrocharon la camisa, aflojaron el cinturón y hasta quería quitarle las zapatillas Antonio, diciendo que era conveniente pellizcarle en los pies.

—Luis, Luis... —salía Eulalia del desmayo—. Tenía que haber venido a la hora de comer.

—Será mejor que vayamos a preguntar por el barrio. —Había tomado el mando Antonio—. Carmela, ve a avisar a Pepillo, se vendrá con nosotros. ¿Sabe alguien dónde vive Paco?

—Quizá Vicenta sepa.

—No, la señora Vicenta no sabe nada, ya me he pasado por el chiscón antes.

—Que vaya Pepillo a buscar a Paco, Eulalia que se eche un rato, hasta que se le pase, es el bochorno. Luego iremos nosotros a acompañarla.

—Ha salido esta mañana y me había jurado que vendría a comer —seguía diciendo Eulalia, como una letanía—. Le ha pasado algo, seguro. Yo creo que han tenido que detenerle, don Antonio, con esto de irse todos los días a la calle, estar en medio, que no lo puede evitar que se le note. Yo creo que debe estar preso, otra vez, como en Barcelona.

—Vamos, vamos, usted, doña Mariquita... —Estaba cogiendo el sombrero Antonio y organizándolo todo como si fuera un capitán general—. Ahora mismo vamos a Santa Isabel y usted, Mariquita, se queda con Eulalia, allí, por si aparece Luis o por si alguien viene a informarla. Yo, con Pepillo, me iré a la Policía, tengo unos amigos, Flores y Juanito Martínez... Ellos sabrán qué hay que hacer en estos casos.

Como era el padre de familia y el patrón, todas las órdenes se acataron.

Manolita se quedó con los niños y con Carmela.

—A ver si ahora que has venido por fin al Olivar te decides a visitarnos más veces, Eulalia... Yo siempre te recuerdo con mucho cariño.

Cuando se marcharon los exploradores, Mamaíta quedó contándoles a los niños quién era Eulalia.

Se hizo como lo había planeado Antonio y primero, antes de subir hasta Sol, pasaron por la corrala.

A la puerta de la calle, ya había gente.

En un abrir y cerrar de ojos se desplomó sobre todos la maldita realidad, hiriéndoles con su rayo.

—Hay gente…, hay gente. —Echó a correr Eulalia—. Eso es que pasa algo… ¡Mi Luis…, mi Luis!

Le hicieron pasillo todos y Eulalia subía las escaleras de dos en dos, tropezando. Antonio no podía alcanzarla.

La puerta del cuarto estaba abierta y se agolpaba más gente ante la misma.

Gritaba Eulalia.

—Lo acaban de traer…, lo acaban de traer —estaba diciendo alguien.

—¡Mi Luis! ¡Mi Luis! ¡Mi Luis! —gritaba la mujer, empujándoles a todos.

A Mariquita le entraban por los oídos otras voces.

—«Lo han traído hecho una pena. ¡Lleno de sangre! Aún está caliente, el pobre…»

Había serrín en la escalera.

Al querer entrar en su casa, Eulalia, se encontró con Paco y con otros del taller que la rodearon.

—¡Mi Luis! ¡Mi Luis! —Se le rompía la voz en la garganta—. ¡Mi Luis! ¿Qué le han hecho? ¿Qué le han hecho?

La sujetaron entre todos.

—Ha muerto, Eulalia, ya le trajimos muerto. —Era Paco el único que hablaba, tranquilo, pálido, mandando—. Pero yo te lo he traído, te lo he traído, pero no quiero que lo veas, él no quería que lo vieras así… Él me pidió que no lo vieras así.

Gritaba como una condenada Eulalia y se revolvía, pero Paco la tenía bien sujeta.

—¡Mi Luis! ¡Mi Luis!

Mariano se acercó a Antonio.

—Que no le vea, no, don Antonio. Lo hemos traído que parecía un grifo, chorreando como un cerdo…, que no le vea la Eulalia. Ya ha visto, don Antonio, cómo está la escalera, llena de serrín. Que no le vea. Luis tiene la cara destrozada a culatazos.

Antonio cerró los ojos unos instantes. Al abrirlos vio que efectivamente había mucho serrín en la escalera.

VI

Un minuto de silencio. — La huelga continúa en Asturias. — Hasta los coches de muerto. — Carmela también jura por el «LCE». — Las sacas de Correos. — La ruina. — La vida sirve para que Paco aprenda a leer.

Mentira parece que el mismo badajo, golpeando el mismo bronce de la misma campana, produzca sones tan distintos. Todos recordaban el toque de Basilio, que era desganado, espeso, somnoliento y perezoso, el toque de Pepillo, que era claro, preciso, musical, y el toque de Vicenta que era ligero y variado, según su humor, pero nadie había oído nunca un toque como éste, de campana herida, que más que llamar al trabajo, llamaba a muerto.

Los perros, que solían huir y esconderse en el almacén de maderas cuando sonaba la campana, esta mañana no se habían separado de Vicenta y cuando ésta soltó la cuerda y se dirigió al taller con Isabelita en brazos, *Boca* y *Tiritón*, pegados a sus faldas, la escoltaron, solemnes.

En la nave, el señor Juan esta mañana ni miraba a nadie, ni comprobaba la hora del reloj, ni sacudía el polvo que se había amontonado durante los días de huelga en su mesa. Se estaba quitando la chaqueta y se ponía la blusa, ensimismado, olvidado de su papel de encargado.

Paco el ladrón andaba apoyándose en una pared y otra, sin ver el momento de encender el pitillo y se lo sacaba del bolsillo del chaleco y se lo metía en la faja y lo devolvía a la gorra, para ponérselo, inmediatamente después, tras la oreja. Mientras, no les quitaba el ojo de encima a los demás y resultaba curioso verlos hoy a todos tan ausentes, tan preocupados, cada uno con su banco, con sus herramientas, con sus patrones, deseando, parecía, ponerse a trabajar.

Pepillo en el altillo de los ebanistas, revisaba unos cajones como si le faltara o le sobrara algo.

Las tapiceras habían entrado a su sala sin decir oste ni moste y sólo volvieron a salir al ver que desde el despacho, con un periódico en la mano, Antonio estaba entrando al taller, con cara de circunstancias.

Se colocó el patrón junto a la mesa del encargado. Puso el periódico sobre la mesa, lo volvió a coger, lo dobló, se lo pasó de mano y no necesitó abrirlo ni leerlo. Tragó saliva. Carraspeó. Los miró a todos, de uno en uno y terminó el recorrido en el altillo, donde Pepillo le miraba a él, con ojos que desorbitaba el dolor. Volvió a tragar saliva Antonio y él mismo se extrañó de la claridad y serenidad de su voz.

—La huelga general —dijo—, la huelga que ha paralizado al país, ha sido sofocada por el Ejército y la Guardia Civil en Madrid, Barcelona, Oviedo, Valencia y Andalucía.

Tenía un nudo en la garganta y se llevó la mano al cuello. Miró el periódico, lo volvió a doblar y ya en cuatro, lo apretaba en la mano como si fuera un testigo.

—El Gobierno da una lista oficial de ochenta muertos, doscientos heridos y dos mil detenidos.

Creyó escuchar un sollozo al fondo del taller. Lo más probable es que fuera la señá Agustina, la oficiala tapicera. No la quiso mirar. Elevó un poco la voz.

—Seguramente, el Gobierno —hizo una pausa y rectificó el tono de odio y desprecio que le había salido al referirse al Gobierno—, el Gobierno, seguramente se queda corto, porque en sus listas no aparece el nombre de Luis Márquez, oficial tallista de esta empresa.

Ahora sí los miró a todos. Ninguno le miraba a él. Estaban todas las miradas puestas en el suelo.

—Pido, señoras y señores —dijo Antonio y tuvo que recuperarse porque a través de los cristales de la nave se movían las hojas del olivo inocente y esa visión de vida le distrajo—, pido, señoras y señores, un minuto de silencio en muestra de respeto a la memoria del que fue nuestro compañero de trabajo y amigo, un minuto de silencio en memoria de Luis Márquez.

Ahora se volvió. A Vicenta le caían dos ríos de lágrimas por las mejillas y la niña Isabelita tenía la boca abierta de admiración y no podía comprender la niña por qué estaban hoy como estaban, tan serios todos, tan intensos.

Y transcurrió el minuto, sin sentirse, transcurrió el minuto como un guiño o un siglo lento, lento.

—La huelga, señores, continúa en Asturias —remató Antonio.

Vicenta lloraba y algún otro, también, pero es que hubieran querido llorar hasta las piedras.

En silencio y de puntillas iba a andar hoy todo el mundo. En la cocina, Mariquita y Carmela andaban revolviendo con los desayunos.

—No hagas ruido, Carmela, no sea que se haya dormido.

Miraban las dos hacia la puerta medio entornada que daba al cuarto de doña Mariquita.

—¿Anoche... tampoco? —preguntaba Carmela, angustiada.

—No, hija, tampoco, ni duerme, ni habla. Y no me atrevo a cerrarle la puerta. ¡Me da un miedo! Lleva dos días sin abrir la boca.

Carmela ponía la cafetera y la leche en la bandeja.

—Si quiere, doña Mariquita, subo yo los desayunos al comedor y usted se queda aquí, por si necesita algo.

—No, no, yo subo los desayunos, que los niños se tienen que ir al colegio y a mí me hacen más caso. Quédate tú aquí.

—Pobrecita —dijo Carmela.

—¡Qué asco de vida! —dijo Mariquita.

—Es que si no se desahoga, le va a dar algo, ¿verdad doña Mariquita? A lo mejor, yo...

—Tú haz lo que quieras, pero yo me subo.

Cogió la bandeja Mariquita y se subió hacia las alturas.

Carmela se lo estuvo pensando un momento y se decidió a entrar. También ella llevaba una bandeja.

Sentada, dentro de la cama de Mariquita, estaba Eulalia, en enaguas, los pelos sueltos, la mirada extraviada a veces y otras fija en la punta de sus dedos. Tenía la cara roja y sudorosa, y le temblaba el labio cuando no se lo mordía.

Carmela entró, dejó la bandeja sobre el baúl y cogiendo la taza de leche, la dejó sobre la mesilla.

—Una tacita de leche le vendrá bien, Eulalia. Le he puesto dos cucharadas de azúcar, pero si quiere más, le traigo el azucarero.

No contestó Eulalia.

—Me ha dicho doña Mariquita que anoche tampoco durmió usted, ni lo que se dice una cabezada.

Silencio.

—Así no puede ser. Va a enfermar. ¿Quiere que le abra la ventana? Si quiere la abro y bajo la persiana y así, a oscuritas, quizá pueda descansar un poco.

Había una pequeña maleta encima de una silla.

—¿Quiere que le planche algo, Eulalia? Hoy se levantará un poquito, ¿no?

Estaba de espaldas Carmela, haciendo que hacía algo, cuando Eulalia por fin, dijo algo, lo más inesperado.

—¿Tú sabes planchar?

Se volvió Carmela, satisfecha al oírla y disimuló para que no se le notara la extrañeza.

—Otra cosa no, pero planchar... Me enseñó mi madre, que plancha las cosas de la iglesia y que es muy primorosa.

—¡Pues vete! —dijo con dureza Eulalia.

No comprendió lo que quería decir. Dio unos pasos hacia la puerta, Carmela.

—No la he querido molestar, señora Eulalia.

—Digo que te marches de esta casa, lo antes posible, ¡que te marches de esta mierda de país!

—¿Por qué, doña Eulalia? Yo soy muy española.

—Tonterías. Vete, vete de la casa y lo más lejos posible de este país.

Se apoyó Carmela en los barrotes del piecero y miraba a Eulalia, cuyas desnudeces herían su pudor de niña andaluza. Se apartó de la cama y comenzó a arreglarle la habitación.

—¿Qué va a hacer usted ahora, Eulalia?

—Levantarme, salir a la calle, coger una de esas metralletas que mataron a mi Luis y liarme a tiros con todo el mundo. Eso es lo que voy a hacer, cargarme a todo el que me encuentre por delante.

—¡Si la oyera doña Mariquita!

—Por eso no hablo, para que no me oiga —sonrió ahora, feroz—. ¿Sabes que Paco ha tenido que llevar a enterrar a Luis en el coche del taller?

—Sí, me lo dijo la señora Vicenta.

Apretaba los puños Eulalia.

—Ni un coche de muertos, ni un cura para decirle el gorigori... Hasta los coches de muertos han estado de huelga toda la semana, ¡hasta los coches de muertos! ¡Un éxito!

—No sé cómo puede usted hablar así.

—¿Sabes por qué? ¿Sabes por qué no lloro? Porque ya lo sabía, sabía que iba a pasar, lo quise evitar y no hubo forma. Tenía que pasar y yo lo sabía. Y porque todo lo que tenía que llorar, ya lo lloré en Barcelona, cuando estuvo a punto de pasar lo mismo.

—Pobre, pobre... —No se atrevía a pronunciar el nombre del anarquista muerto, para no desencadenar más tragedias.

—Él lo hubiera preferido, eso sí, estaría tan contento. Esta vez no le han metido en la cárcel. ¡Ni un coche de muertos! Él se hubiera alegrado. «Un éxito de huelga», hubiera dicho.

Carmela estaba horrorizada y le puso la taza de leche en las manos. Ante su asombro, Eulalia bebía con avidez.

—¿Has visto a Paco?

—Sí, ha ido a buscar el correo. Como no ha habido correo en toda la semana, ha ido a ver. Yo estoy que me muero, espero que venga carta de mi madre. ¡Habrá pasado un susto ella también! Y creo que por allá abajo ha habido también lo suyo. ¿Quiere otro tazón?

—Sí. —Se estaba animando Eulalia—. Y mira a ver si hay algo de comer.

Se le animó la cara a la chica, viendo que la cosa iba mejorando.

—Mucho no hay, pero algo sí, hay galletas y miel y pan, algún huevo... poco, ¡como todo ha estado cerrado!

—¿A eso llamás tú poco? En mis tiempos en esta casa, en la cocina no había nada. Algo en la despensa, pero como las llaves las tenía siempre doña Trinidad y no las soltaba ni por equivocación.

—Yo tengo la despensa siempre abierta. ¿Aquí, quién va a entrar?

Comenzó a sonreír Eulalia y daba miedo ver cómo estaba a punto de soltar la carcajada.

—Eres una buena chica, Carmela, una buena chica. No se te ocurra decirle a mi prima lo que te he dicho antes de que me voy a ir a matar a todo el mundo, porque además no es verdad..., no voy a matar a nadie... y, ¿sabes por qué?

Claro que lo sabía Carmela.

—Porque es pecado mortal.

Ahora sí que rió Eulalia y eran sus risas muecas que espantaban.

—¿Tú crees que el Ejército que ha matado tantos obreros, aquí, en Barcelona, en Asturias, en Valencia..., tú crees que ellos piensan que matar es un pecado mortal?

—No sé.

—Yo sí lo sé. —Saltó de la cama y se levantó, estirándose las enaguas sudadas—. Pero si no voy a salir a la calle a matar, no es por eso, es porque voy a tener un hijo.

Se le abrieron unos ojos como platos a Carmela.

—¿Un hijo? ¿Un hijo, doña Eulalia? ¡Que venga con salud! ¡Enhorabuena!

Se estaba lavando la cara en la palangana y Carmela le preparaba una toalla.

—Sí, un hijo..., pero no se te ocurra decírselo a mi prima.

Se llevó los dedos cruzados a la boca, Carmela.

—Lo juro, Eulalia, que no se lo digo a nadie.

Carmela la estaba mirando y le brillaban los ojos.

—¿Lo juras por Dios?

—Sí, doña Eulalia, lo juro por Dios...

—Pues no lo jures por Dios... Júralo por el LCE.

—Y eso, ¿qué es?

—Tú, júralo.

Y juró Carmela, sin saber por qué juraba, por lo más sagrado, por el Lunar del Cuello de la Eulalia. Y cuando oyó su juramento, Eulalia primero la abrazó y luego se metió otra vez en la cama, y estuvo toda la mañana tirándose de los pelos y aullando, hasta que cayó rendida.

Ni ese día, ni el siguiente, se abrieron las sacas de correos, pero al tercero, como en toda resurrección, apareció Paco el ladrón en el despacho de Antonio con dos cartas en la mano.

Se levantó el patrón alegre y abrió una con ansiedad.

—¿No había nada más, Paco? —Se había puesto lívido.

—No; la suya y la carta de la madre de Carmela.

—Pero, quizá..., ¿no le han dicho...?

—No señor. De lo que tenían clasificado, esto era lo único. Y menudo trabajo que me ha costado que me atendieran. Yo, porque tengo amigos en todas partes.

Miraba la carta Antonio y un color se le iba y otro se le venía. Le daba vueltas al papel, sin acabar de creérselo.

—Tiene fecha de hace dos semanas.

—¿Pasa algo, don Antonio?

Le miró Antonio y se sentó, abrumado. Levantó la vista.

—Y a usted, Paco..., ¿le pasa algo?

—Yo quería hablar con usted, don Antonio, de un asunto particular.

—Siéntese.

—Verá, don Antonio —corrió la silla el ladrón y tomó asiento, apoyando los codos sobre la mesa del patrón, mirándole muy fijo—. Verá, esto que le voy a decir, quizá le va a chocar.

—Pues estamos bien. —Se apoyó en el respaldo Antonio—. Diga.

—Ya sabe usted que yo era muy amigo de Luis Márquez.

—Sí.

—Y de la Eulalia, también, claro. Yo le gastaba bromas a la Eulalia y él se reía de mí. «Paco, no la mires tanto que te pincho.» Y a ella... «Paloma, que aquí el único que te mira soy yo.» Bah, cosas de hombres.

—Sí.

—Pues resulta que ahora, la Eulalia, me ha pedido que la lleve a su pueblo.

Antonio le miró y lo supo enseguida. No pudo evitar una sonrisa.

—¿No se la irá usted a llevar en el carro del taller?

—No, no, señor. En el tren o en el omnibús. Ella no quiere llegar sola y como yo soy amigo suyo, pues así, para presentarse ella ante la familia que le queda...

No se creía una sola palabra Antonio y bastante tenía él con la carta que estaba intentado olvidar. A lo mejor, había sido un sueño esa carta, a lo mejor, si seguía hablando con Paco, al final, la carta resultaba haber sido un sueño.

—¿Y a mí por qué me cuenta todo esto, Paco?

—Porque ella se quiere ir ya, dice que no soporta la visión de Madrid, que quiere perderlo todo de vista, que no se quiere quedar en la capital. Vamos, que se quiere ir hoy. Yo le quería pedir permiso...

—¿Quiere que le dé la cuenta, Paco?

—No, don Antonio, yo...

—Lo está usted diciendo con la boca chica.

—No. —Lo dijo con la boca chica.

—¿Lo ve? Usted se quiere ir y no volver. Pues ahora hacemos las cuentas y ya está, por eso no se preocupe, y si usted se arregla con ella y se la lleva a Toledo o a Guadalajara o a Tombuctú, que sea para bien, mejor que mejor.

—A mí ella me gusta, don Antonio, para qué se lo voy a negar, me gusta mucho, y está muy sola y muy angustiada. Si ella, cuando pase un poco de tiempo, me quiere, yo..., de alguna forma, se lo debo a Luis, no creo que le haga daño a nadie.

—Tiene usted mucha razón, Paco, mucha razón.

—Pero si a usted le viene mal ahora...

—No, no.

—Porque parece usted muy preocupado.

—¡Quiá! —Le mostraba la carta que no se había volatilizado—. Mire, en esta carta me ratifican la anulación del pedido de las máquinas. ¿Y ahora qué hago yo con cincuenta máquinas a medio fabricar? ¡Maldita guerra! Han debido mandar una carta antes, dando más explicaciones. En fin...

—¿Y eso qué quiere decir, don Antonio?

—Espero que hayan considerado algún tipo de indemnización, mayor que la que ya se contemplaba en el contrato. ¡Es increíble! ¡Cómo todo se puede venir abajo en un momento! ¡Maldita guerra! Pero usted me hacía una pregunta, pues esto quiere decir la ruina, sí, la ruina, ¡la ruina de la que siempre hablaba el señor Baonza! ¡Y lo que van a decir los Bancos! Bueno, y don Manuel y sus clientes alemanes, que han sido mis fiadores... ¡Es increíble! —Reía.

—Lo dice usted de una forma...

—¿Cómo quiere que lo diga? Mientras no lo pierda todo, que no me extrañaría... —Suspiró hondo—. Así que se va usted en buen momento porque este barco se hunde, pero si hablo así, tranquilo, si no saco la pistolita de Baonza y me disparo un tiro en la cabeza, que es lo que harían otros, es porque en momentos así es cuando uno se da cuenta del valor de la vida y comprende que el sentido de la vida no es enriquecerse, que lo importante es vivir, hacer lo que usted va a hacer, reaccionar y vivir. ¡Qué cosas se me ocurren ahora! Yo muchas veces he pensado en cambiar mi vida y siempre me he frenado. ¿Qué le parece si usted y yo nos cogemos el carro y nos marchamos por ahí, a vivir?

—No le entiendo, don Antonio.

—Da igual. —Ya no se reía.

Se hizo un largo silencio mientras que Antonio sacaba el libro de los jornales y horas. Y Paco miraba los apuntes con disimulo, queriendo acabar, coger el portante y liarse un pitillo.

—A veces yo también me lo pregunto, don Antonio. ¿Para qué sirve la vida? Usted siempre trabajando, inventando y ahora..., ¿qué vemos? Muertos y más muertos y puede ser peor si entramos en guerra.

—Sí, todo siempre puede ser peor, hasta que llega la paz de la muerte.

—Yo es lo que me he preguntado, ¿para qué he servido yo en la vida? Por eso, ahora, si le puedo servir de algo a Eulalia...

—Claro, claro...

—¿Usted sabe para qué ha servido su vida, don Antonio? —No se estaba perdiendo ni una coma de las anotaciones que hacía Antonio al extenderle el recibo.

Antonio se quedó pensando mientras apartaba la carta de Alemania y sacaba la cajita de caudales.

—Sí, Paco, sí, yo sí lo sé.

—¿Para qué?

Fue ahora Antonio el que se inclinó sobre la mesa y quien le miraba como si fuera la primera vez.

—¿Se acuerda usted cuando nos vimos aquí, en este despacho, hace unos diez años, después de aquella noche toledana?

—Sí, don Antonio, claro que me acuerdo, estaban ustedes metiendo el agua.

—Sí, eso, metiendo el agua, y usted vino a devolverme parte de lo robado y a pedirme trabajo.

—Sí, sí, ¡cómo pasa el tiempo! Usted me contó un cuento muy largo..., ¡y estaba yo para cuentos!

—Sí, se lo iba a recordar, sí, una anécdota muy larga, no era un cuento, era verdad, un caso de Valle-Inclán. Pues para eso, Paco, para eso ha servido mi vida... ¡Para que usted haya aprendido a leer! Para que dejara de robar y aprendiese a leer.

VII

1919. — Jugando a los médicos. — Como las olas del mar. — A la caza y captura. — La procesión de los barcos. — Antonio, inventor de baldosines. — Felipe, padrino de alpinista. — El número de Ramper.

Iban pasando las hojas del calendario sobre el Olivar de Atocha y era aquél un domingo de marzo de 1919.

El balance de la ruina económica provocada por las patentes y las dichosas máquinas ensambladoras de Papantonio, difícilmente podía ser más negativo, el inventor se había quedado sin la tienda de Barquillo, se había pulido el legado que Baonza le dejara a Julito y nuestro tenaz y muy liberal masón estaba de deudas hasta los ojos.

Pero más estragos había causado y aún causaría la «gripe española», que el año anterior a punto había estado de acabar con el cuadro y de un plumazo hacer imposible la continuación de esta crónica. Porque estaba siendo voraz la muerte que llevaba en su vientre aquella peste africana o plaga de Egipto o maldición apocalíptica que como nuestros antepasados, nos negamos a que lleve nuestro sello de marca y nos parece mal que nosotros mismos propagásemos entonces aquel infundio de que la gripe fuera nuestra con cantares como aquel «De España vengo, / soy española...» o aquella otra copla, también zarzuelera, «Pobrecitos cadáveres / sin decir una palabra...»

Pero, pobre España, que dio nombre a aquella ira mortal de los infiernos, a aquella gripe devastadora, y ya puestos en lamentos, pobre Olivar de Atocha, que estaba viviendo, sin saberlo, el preludio de calma que precede a la tormenta de la muerte.

Los niños, aquella tarde, jugaban a los médicos en la leonera, cuyo alto ventanuco parecía que daba al mar.

Rosita hacía de enferma y los hermanos, como si fuese una camilla, la llevaban sobre una funda de almohada. La llevaban es un decir, más bien la arrastraban por el suelo, girándola y mareándola en el estrecho espacio de la leonera.

Isabelita, dirigía las operaciones, encaramada sobre unos fardales y cajas.

—Usted, médico, así no llegará al hospital. Enfermero, córtele usted una pierna. Enséñele los dientes, enferma, como los caballos, respire, respire. Usted, médico, póngale una lavativa en el culito. Y ahora, cuando lleven al hospital a la enferma, usted se muere, médico, y luego el enfermo también, a ver, cáete, médico, sobre la enferma y la ahogas... Muérase, estás muerto, enfermero, tú muérete, médico. Ahora el médico soy yo y vamos a enterrar al alcalde y al cura y al maestro y a la señora Pepina...

Cuando estaba Isabelita con ellos, y solía estar, la niña del chiscón era la que dirigía la puesta en escena.

En el mirador de la sala, Manolita miraba a Pilar que fumaba en larga boquilla y se entregaban a las confidencias mientras, la de La Granja, hacía demostraciones de todo lo que se puede hacer con el humo. Y hablaba la una y contestaba la otra, con un vaivén de olas, porque estaban hablando como el mar.

—Ahora tenemos menos dinero, pero somos más felices, ya ves. Yo creo que hasta me he puesto más guapa.

—Son cosas que pasan y es verdad, Manolita, que estás bien guapa.

—Yo estoy llegando a pensar que la felicidad es una cosa muy rara.

—Nadie sabe lo que es la felicidad.

—Para mí, la felicidad es Antonio, y como ahora nos llevamos tan bien...

—Anda, Manolita...

—Antonio es como una aventura.

—Eso no vale.

—¿Por qué no?

—Porque no.

Plas, plas, iban y venían las olas de la marea.

—Vivir con Antonio ha sido como dar la vuelta al mundo.

—¡Bueno!

—Con él, la vida cada día ha sido una sorpresa, de verdad, un día se arruina, otro sale a flote... ¡Con lo mal que andamos de dinero y ha puesto hasta teléfono en el taller! Y dice que traerán otro a la casa, con clavija. Yo con él nunca salgo de mi asombro.

—Tú, porque tienes capacidad de sorprenderte, pero la aventura es otra cosa.

—¿Cuántas veces se puede dar la vuelta al mundo? —Estaba dispuesta Manolita a demostrar su teoría—. ¿Y cuántas veces se puede dar la vuelta a una persona? ¿A ver?

Reía Pilar, bajito, sin creerse una palabra, y volvía a pasar la espuma del mar barriendo la sala, dejándose alguna concha bajo el piano.

—A mí no me gusta la vida —decía Pilar—, hago como si me gustase, para que los demás no sufran..., aunque a los demás les da igual, no te creas.

—A mí, ha habido veces que tampoco me ha gustado, hasta un día pensé en subirme a la buhardilla, encerrarme y no volver a salir. Imaginaba que me sacaban con los pies por delante, y me daba un gusto, morirme, ¡verme muerta! Pero cuando me entra la murria me acuerdo de todo lo bueno, de cómo he disfrutado de tantas cosas, de... —Se calló de golpe.

Dieron las siete en el reloj.

—¿A qué hora viene Felipe a buscarte?

—Si no se olvida...

—¿A qué hora?

—No hemos quedado a ninguna hora. Con él es imposible. Cualquiera diría que es él el que me lleva a La Granja. Pues no, soy yo, que se lo llevo a su madre.

—¿Nunca les ha chocado a los vecinos veros siempre juntos?

—Si les choca, allá ellos.

—¡Qué moderna eres, Pilar, qué graciosa!

—Además, como siempre se ha dicho que éramos primos... Cuando estuvimos a punto de casarnos, mi madre le explicó a todo el mundo que íbamos a pedir una dispensa al Papa. ¡Las familias son tan raras! La verdad es que algo primos somos, pero, ¿quién entiende a las familias? Las familias se acaban.

—¿Cómo van a acabarse?

—Siendo de otra forma, pero no lo vamos a ver.

—¿Tú piensas vivir muchos años?

—Una vez que me he librado de la gripe, ¿cómo no? Pienso ser como Matusalén.

—Ay, no hablemos de la gripe. Ha habido más de ciento cincuenta mil muertos, como en una guerra, dice Antonio.

—En la Europea ha habido diecisiete millones.

—¡Qué horror, la gripe! El tío Manuel, el señor Juan, su mujer y todas sus hijas... Del taller, han muerto cuatro, pobres, pero yo al que más conocía era al señor Juan. Del colegio de Rosita, tres maestras y del de los niños, el portero. Y es que es ir por las tiendas y te empiezan a contar con los dedos y es que no se ha salvado nadie.

—¿Cómo has dicho, ciento cincuenta mil? Si Felipe me ha dicho que la gripe ha matado a un millón.

—Un millón en Europa, Pilar, en España ciento cincuenta mil. A los viejos y a los niños los ha borrado. En la Inclusa no queda ni un solo niño, ni uno solo.

—Lo de la Inclusa clama al cielo, es una vergüenza. Yo ya ni doy dinero. Una vergüenza, y el doctor Marañón, un bárbaro.

—¡Pero si todos los que se criaban a biberón han muerto el cien por cien!

—Eso no le da derecho a decir que es más humanitario tirarlos al Manzanares antes de llevarlos a la Inclusa... ¡Un bárbaro!

Sonrieron un rato, discutiendo datos y chistes que se contaban de la gripe mientras las olas seguían entrando y saliendo por el mirador, aplacándose las aguas en la playa del patio.

—La pobre Celia se ha quedado destrozada con lo de su padre, no quiere ni pisar el piso de Corcubión. Se pasa la vida en la casita de la playa.

—Ahora la consolarás cuando vayas.

—Sí, estoy deseando, a los niños les gusta mucho Galicia.

—Ahora en Semana Santa hará frío.

—El frío de Galicia es una leyenda.

—¿Y no es mejor Adra?

—No, ni hablar; Andalucía para la Chacha Clara y los suyos. Cuando vamos, bueno, pues me aguanto; pero al hermano de Antonio, yo...

—Y la Chacha Clara, ¿cómo está?

—Estupendamente. Además, iremos a Adra para cuando se case Carmela, porque los niños se han empeñado.

—No sé qué vas a hacer sin Carmela.

—Ya me las arreglaré, buscaremos a otra, me traeré a otra.

—Yo te podría recomendar a alguna, por casa de mi madre pasan tantas...

—Ha tenido suerte Carmela, con ese Pepillo y con Antonio, claro, que lo ha recomendado a un taller que él conoce en Almería. Como es un tallista tan bueno...

—Te puedo recomendar a una que se llama Águeda, que está buscando.

—Ya nos arreglaremos. Primero, que pase el verano.

—Sí, aquí todo se arregla.

—Eso dice Antonio. ¿Que el pan está caro? Pues nada, se autoriza que el kilo tenga ochocientos gramos y ya está. Se dice pronto, ¿verdad?

—Sí, se dice pronto.

Suspiró de pronto Manolita y se le abrieron las aletas de la nariz.

—Estamos aquí tan tranquilas, ¿verdad? Tú dices una cosa, yo otra, estamos hablando como las olas del mar.

—Sí... —sonrió triste Pilar, mirando el reloj—, como las olas del mar.

Prueba de que la vida no es igual para todo el mundo, mientras que las amigas navegaban en el mirador, Carmela, iba de una punta a otra de la casa, buscando a Andrés, que se había perdido como tantas otras tardes.

Había tenido que dejar a Pepillo que le estaba haciendo una talla, una muñeca de madera con los brazos en alto, como decía que la veía él, desde el taller, cuando ella estaba colgando la ropa junto al pozo... Había tenido que dejar aquella dulce compañía para dedicarse a la busca y captura de Andrés, una vez que Isabelita le había ido con el cuento de que hacía una hora que no le habían visto.

Así que entró Carmela a la cocina, que se la llevaban los demonios.

—Julito dice que hace horas que no le ha visto. Rosita, ¡con encogerse de hombros! Isabelita es la peor, a veces me dan ganas de matarla.

Mariquita, con su estampita de la Virgen de Atocha apoyada en un vaso, estaba cosiendo unos trapajos al lado de la ventana y no le hacía caso.

—Pues hace un rato ha aparecido, hija, a beber agua, decía que se aburría.

—Ese niño, cuando se aburre... —Ponía el grito en el cielo Carmela.

—Lo que has cambiado, hija, con la paciencia que tenías antes con los niños.

—¿Usted no lo estará escondiendo?

—¿Yo? No tendré yo otra cosa que hacer.

Se puso a mirar Carmela por la despensa, bajo la cama de Mariquita, en el armario.

—Me va a volver loca.

—Los niños estropean el carácter —dijo Mariquita, chupando un hilo y enhebrando con dificultad la aguja—, anda, enhébramela tú, que se está yendo la luz y no veo.

—Claro, usted, aquí, en el altar, cosiendo porquerías.

—¡Porquerías! Si no rompieras tantos paños.

—¡Cómo no los voy a romper si cuando me los da se ve a través de ellos! Además, si los rompo, no sé para qué les hace esos dobladillos de punto invisible.

—Hija, estamos en la ruina, y una familia en la ruina es una familia en la ruina, pero no por eso voy a hacer yo mal las cosas. —De pronto se le ocurrió—. ¿No estará metido en alguna caja de patrones, en las estanterías del taller, como el otro día?

—El taller está cerrado. ¡Hoy, de verdad, le doy un azote!

—Un azote siempre viene bien, hija.

Se había puesto en jarras Carmela y miraba a la doña con gestos de descaro.

—¿Sabe lo que le digo?

—Si no me lo dices, no. —Se mordía la lengua Mariquita y cosía, muy concentrada.

—Que estoy harta.

—Pues vaya una cosa.

—¡Me quedan cuatro meses! Y estoy deseando que llegue el día del Carmen, porque el día de mi santo yo estoy con los barcos.

—¿A casarte llamáis en tu pueblo estar con los barcos? ¡Cada día se aprende algo nuevo!

—No es eso, doña Mariquita, no me ponga nerviosa. El día del Carmen se hace una procesión en Adra por el mar. Llevo pensando en el mar toda la tarde y en la procesión de los barcos.

La miró Mariquita a quien no le importaban aquella tarde ni los barcos ni el mar.

—¿Has buscado en la buhardilla?

—Sí y tampoco está. Ni en el cuarto de las escobas debajo de la escalera, ni en la carbonera, ni... ¡Si he revuelto ya Roma con Santiago!

Se marchó Carmela de la cocina, dispuesta a seguir la búsqueda y Mariquita se acordó del difunto Andrés, de su Andrés.

—¡Ay, Andrés, mi Andresillo también se escapaba!

—¿Ha visto usted a Andrés, Vicenta?

—Esta tarde, no, hija. Isabelita me ha dicho que estaban en la leonera, jugando, pero verle no le he visto.

Vicenta estaba preparándose un brasero.

—¿Tanto frío tiene? —le espetó malhumorada Carmela.

—¿Y a ti qué te importa? Anda, que se te está poniendo un carácter...

—Es que Andresito me saca de quicio.

—¿No se habrá ido a la calle?

—Como se haya ido otra vez a la calle, ¡es que no sé qué le hago!

—Son una cruz, hija, los niños, una cruz, pero vivimos para ellos. —Había puesto el brasero bajo las faldas de la camilla y metía las rodillas, encantada, invitando a Carmela a hacer lo mismo—. Anda, mujer, siéntate un ratito, ya aparecerá. Igual cuando vuelvas a la casa está tan tranquilo en su cuarto, con sus acuarelas. Isabelita me ha dicho que estaban jugando a los médicos, pero que Andresito quería irse a pintar el mar y los barcos.

—Claro, los barcos que le he contado yo —suspiraba Carmela y se sentaba—. Ay, señora Vicenta, el braserito, qué bueno está. Es verdad que todavía refresca, pero como ando de un lado para otro no me doy cuenta. El braserito. En Adra, de niña, lo sacábamos por la noche a la playa y asábamos sardinas, ¡más buenas! Y el mar, plas, plas, plas..., y el olorcito de las sardinas y el braserito y las brasas, brillando en la noche... y el mar, plas, plas... ¡Mira que no conocer usted el mar, Vicenta!

—Ahora cuando os caséis, hija, ahora cuando os caséis. ¿O es que no me vas a invitar a la boda?

—Huy, si usted no viene de madrina, ya sabe lo que ha dicho Pepillo, que no se casa conmigo. Así, que por la cuenta que me tiene, la llevo a usted a rastras y lo primero que voy a hacer es meterla en una barca de pescadores y llevarla a dar un paseíto por el mar.

Se había tranquilizado Carmela, porque el mar calma y serena, y baja los humos de pobres y ricos y pone todas las cosas en su sitio.

—¿Has preguntado a don Antonio?

—Al señor no le he preguntado, por no molestarle. Lleva toda la tarde metido en su estudio. ¡Anda, que no está despistado!

—Siempre ha sido así.

—Usted lo conoció de joven, claro.

—Sí, cuando vino a Madrid.

—Andando que se vino, ¿eh? Eso le ha contado él a los niños. Eso no puede ser verdad.

—Claro que es verdad.

—¿Y usted cómo lo sabe, Vicenta? ¿Cómo sabe que es verdad?

Se quedó pensativa Vicenta.

—Tienes razón. Él lo ha dicho siempre, pero, ¿cómo sabemos lo que es verdad? Hay cosas que vivimos y ni siquiera sabemos si han pasado o no, ¿cómo vamos a saber lo que es verdad?

—Y que se vino con las alpargatas al hombro...

—Al hombro no sé, pero vino en alpargatas, eso sí, porque lo vi yo. Fíjate, fue en 1898, un agosto que hacía mucho calor. ¡Más de veinte años que le conozco! ¡Veinte años! Uno cuando es joven ni se imagina que un día dirá eso.

—¿Decir qué?

—«¡Veinte años!»

—Me está entrando un sueñecito...

—Pregúntale a don Antonio, anda, no te vayas a quedar dormida, que está anocheciendo y luego me cuentas lo que estaba haciendo el señor.

—Eso ya se lo puedo decir ahora. Estará dibujando esos baldosines raros, unos cocimientos que se trae... Corcho prensado para hacer baldosines. Si es que el señor...

—¿Qué ibas a decir, que está chiflado?

—¡Es que inventar baldosines! Pues anda que no hace tiempo que están inventados los baldosines. Don Antonio es que está como don Quijote, que era uno de mi pueblo que pinchaba los pellejos de vino.

Se escandalizó Vicenta, con el escándalo de los cultos.

—¿Qué dices, chiquilla? ¿Don Quijote de tu pueblo? ¡Don Quijote es un libro! Fíjate, un día, cuando don Antonio me estaba enseñando a leer, me dio ese libro, *El Quijote*, y me pidió que leyera, como siempre. Era cuando yo estaba harta de leer el *Lector Práctico*, y me puse a leer, y ¿quieres creer que de pronto levanto la vista y estaba llorando? ¡Llorando!

En eso que entró Isabelita y tras ser hábilmente interrogada, cantó la verdad.

—Andrés está en el Panteón, subido a la estatua de Sagasta.

—¿Pero qué dices, niña?

—Que sí —decía Isabelita—, que vosotras no lo sabéis, pero que ayer se quiso subir Julito y no pudo y hoy se ha subido Andrés y ahora no puede bajar.

Se había levantado de un salto Carmela y no se quedó a ver cómo zarandeaba Vicenta a la niña.

—¿Y por qué no lo has contado antes, por qué?

—Porque no he querido. —La niña no tenía pelos en la lengua.

—Te voy a dar. —Y le dio.

Gritó Isabelita.

—No me pegues en la cabeza. ¡Papantonio dice que no me pegues en la cabeza!

—¿Quién eres tú para llamar Papantonio a don Antonio, eh? ¿Quién eres tú? —Y la pegaba más.

Isabelita lloraba a grito pelado y amenazaba a su madre con esa cara de mala que se le ponía que miedo daba verla.

—Un día me voy a escapar, me voy a escapar y no me vas a encontrar, a mí sí que no me vais a encontrar. Me iré a París a buscar a mi papá, porque mi papá no vuelve de París ¡porque tú eres mala, mala, mala!

No es que fuera la paliza del siglo, porque Isabelita solía cobrar más que una estera, pero fue una paliza.

De dos zancadas llegaron todos a la puerta del Panteón de Hombres Ilustres. El edificio estaba en obras y se podía entrar por la verja sin dificultad alguna.

Iba toda la comitiva, Manolita, Antonio, Mariquita, Pilar, Carmela y Felipe, que hacía poco que había llegado a la casa, y parecía encantado con la idea de ser padrino de alpinista.

—Mejor el Panteón que la escalada del otro día, que por poco estropea los telares de la Real Fábrica —decía Felipe.

—Sí, anda, tú malmete —le regañaba Pilar.

—Es que mi ahijado es el espíritu de la aventura, un alpinista, quiere ver el mundo desde lo alto, ¡hace bien!

—Pues se va a llevar unos azotes que se le va a oír hasta en La Cibeles —aseguraba Mariquita.

—Ya será menos —calmaba a todos Antonio.

—Si no dejaran abierta la puerta del Panteón... —Siempre buscaba un culpable ajeno, Manolita.

Andresito había trepado por los andamios que rodeaban la estatua de Sagasta y se había quedado sentado en un repecho, a veinte metros del suelo.

—No sé bajar —les dijo, muy tranquilo.

Manolita se llevó las manos a la cara y por poco se desmaya.

Felipe ya estaba empezando a trepar por los andamios y Antonio le seguía, para hacer entre ambos una cadena y bajar al niño.

—Aquí es como estar en el circo —decía Andrés para disimular su miedo y quitarle hierro al asunto—. ¿Por qué no me haces el número de «Ramper», padrino? Ése de «Ramper», que coge un cubo y un muñeco que llora y le limpia el culo como si fuera un limpiabotas y luego le mete la cabeza en el agua...

—Esto pasa por llevarles Felipe al «Price» —se seguía quejando Manolita.

—Mujer, déjalo, ya casi le tienen.

—Ay, no puedo mirar, no puedo mirar. —Se tapaba los ojos Mariquita.

—Es que es un mono, un mono. —Le rechinaban los dientes a Carmela.

—Con más motivo habrá que llevarle al «Price» —decía Pilar para rebajar la tensión.

Carmela estaba roja y se le salían los globos de los ojos.

—Yo, señora, es que no puedo, no puedo con él. Todo el mundo me lo dice, ¡que me ha cambiado el carácter!

La cosa no llegó a mayores. Andresito fue rescatado de los altos de la estatua de Sagasta y metido en la cama sin cenar que equivalía a decir que Carmela le subió luego un plato de croquetas y dos vasos de leche. Manolita sí que tuvo que tomarse unos polvos que le hacían en la farmacia para cuando perdía los nervios y Antonio prometió que al día siguiente, sin más tardar, iría a quejarse a los albañiles del Panteón para que nunca más dejaran las puertas

abiertas. Luego reunió a los tres niños y se puso tan serio que, uno
a uno, prometieron por su honor no volver a pisar la calle hasta la
la semana siguiente cuando salieran para coger el tren que les
llevaría al mar.

VIII

Repaso junto al mar. — Ya iba siendo hora que apareciese Celia. — El cubo y la pala de Rosita. — Antonio levanta la voz. — El médico de los infantes. — «De las doce palabras retorneadas, dime las doce». — ¿Quién ha dicho que de noche no se ve el mar? — La Novena Sinfonía.

Mar abierto y gris el de Galicia. El sol aparecía y se ocultaba con suavidad, sin querer llamar la atención y no daba tiempo ni a que se helaran los bañistas, que además no los había, ni a que se abrasaran, tampoco.

Era pues clemente el sol y, dulce y arrullador el mar, ofrecía todas sus grandezas a aquellos cuatro gatos que había en la playa, porque no había ni un alma más; sólo Celia, que ya iba siendo hora que apareciese; Manolita; las dos cerca de la casa, sentadas en unos sillones de mimbre debajo de unas sombrillas, y algo alejados los chicos que, con Carmela, jugaban a enterrarse en la arena. Más allá, Rosita, que el mar lo quería para ella sola y que estaba apartada de todos con su cubo y su pala.

—Carmela es una joya —estaba diciendo Celia.

—No veas la pena que tengo con que se case, otra como ella no voy a encontrar, que lleve tan bien a los niños.

—Bueno, sigamos con el repaso.

Los madrileños habían llegado la noche antes y Celia quería

ponerse al día, porque la galleguita, que cada día que pasaba más parecía un ectoplasma, toda desvaída y desdibujada, sólo cobraba luz, carne y color cuando se hablaba de los demás.

—A ver..., ¿quién queda? Carmen y Matilde, tus amigas.

—Huy, ésas, están hechas una pena. Carmen tenía tu edad, ¿no, Celia? Bueno, pues parece una anciana, no sabes lo que se acuerda de ti, «ya lo decía Celia, que el matrimonio es una trampa para las mujeres». Lo que se acuerda de ti, porque por ti no pasa el tiempo, con ese cutis que tienes, ese tipo. ¡Privilegios de la soltería!

—Anda, anda, si no levanto cabeza.

—Y tu hermana Fuensanta, ¿cuándo vendrá a la playa?

—No va a venir.

Se enfadaba Manolita, aunque realmente le importaba un rábano y casi lo prefería.

—Claro, porque vengo yo. Tu hermana piensa que mis hijos son unos salvajes y aunque razón no le falta, son primos segundos, ¿verdad?

—Ya te he dicho que no es por eso, es porque llegas de Madrid.

—¡Pero si en Madrid ya no se dan casos!

—Ya sabes que es muy exagerada. No veas cómo van mis sobrinos; parecen disecados. Les pone algodones en las narices y en las orejas, cada vez que salen a la calle, lo poco que salen, los pañuelos empapados de alcanfor, tapándoles la boca, ¡unos cromos! Ella dice, que mucha risa, pero que en su casa no ha habido ni un solo enfermo.

—¡Qué barbaridad!

—Les compra además todas las pastillas que salen, ¡y los niños agarran cada empacho! Y a cada empacho, un susto, ¡no vive!

—En Madrid, el invierno pasado, a la gente le dio por tomar coñac, anís y todo tipo de aguardientes a todas horas y las borracheras que se veían... Iba la gente por la calle dándose contra las esquinas.

—Es que una epidemia es lo peor, hija, y nos ha tocado vivirla.

—Yo también he estado preocupada, no creas. En el taller, se dieron varios casos, ya sabes, y hubo que cerrar. Ha habido familias enteras, ¡familias enteras! Vicenta, la portera, pasó un buen susto con su hija y luego no fue nada, pero un susto... Hasta Antonio no dormía y se pasaba las noches en el taller por si en el chiscón necesitaban algo y eso que está Pepillo, en fin, ¡y mira que se echaba zotal en el patio!

—¡Ay!

—Todo cerrado en Madrid, una pena. Ni teatros, ni escuelas, y los niños en casa, imagínate, con los casos del taller. Yo hasta quería que se sacrificase a los perros, pero Antonio se negó y ¡tuvimos una! Al señor Juan le mató la enfermedad por mojar un sello con la lengua.

—Manolita, ¡qué cosas tan raras dices! Si no se sabe, si ni siquiera se sabe si es contagiosa. Se han hecho cábalas, pero no se ha llegado a saber todavía.

—¡Qué año! Cogías el periódico y daba miedo, catorce, dieciocho, veinte, setenta, cien muertos, así iba aumentando todos los días. Mariquita llegó a decir que era el Juicio Final.

—Bueno, pues ya se ha calmado, ya sólo quedan algunos brotes y los chistes. Qué país, ¡siempre los chistes! Aquí se decían unos versitos muy graciosos, ¡como subieron tanto las cosas en las farmacias!

—Cuenta, cuenta.

—«*Tiene gracia, tiene gracia / lo que cuesta la farmacia / la aspirina, tres tabletas / cuestan hoy quince pesetas. / Esto prueba y no estoy loco / que en el boticario atraco / contra el tal bacilococo / no vacila nunca Caco.*» ¿Qué te parece?

—Que tiene mucha gracia. —No le había hecho demasiada a la madrileña, porque a Celia, con su acento, a veces ni se la entendía—. En Madrid se dijo que era del Metropolitano.

—Huy, el Metropolitano. Conmigo que no cuenten para viajar así, en un túnel, bajo tierra.

—Se inaugura este invierno. Que si acaban, que si no acaban, ¡hay cada apuesta!

—Aquí en Corcubión, hija, aquí no pasan tantas cosas.

—¿Sabes? A las mujeres de los obreros del Metro las llaman «las viudas». Me he acordado hablando de chistes..., ¡como sus maridos están bajo tierra!

Celia era más generosa y se reía con las bromas de la prima.

—Ay, sí, «las viudas», qué risa... ¿Y Eulalia?

—A Eulalia y a Paco el ladrón se los ha tragado la tierra. A Toledo no han ido, porque fue Mariquita a enterarse y a abrir su casa, que va cada dos años, y por Toledo ni aparecer, y la pobre doña Mariquita está como antes, cuando Eulalia se escapó a Barcelona, escribiendo a todas las parroquias de España para ver si la encuentra. Un poquillo ligera de cascos sí que salió ésa, no me digas.

—¡Qué vida la de esa mujer! ¡Qué pasiones! —Ponía morritos Celia, que había elegido, y ella creía que muy bien, vivir apartada de la pasión, cosa que consideraba de peluqueros.

—Y del niño que iba a tener, nunca más se oyó hablar, pero como es tan mentirosa, pues igual fue un cuento que le contó a Carmela. Paco le había dicho a Pepillo que él quería irse a América a probar fortuna, así que igual, vaya usted a saber, igual andan los dos por la Pampa, haciendo fortuna.

—¿Y de Basilio? —preguntó como el que no quiere la cosa.

—Nunca más se supo.

—¿A quién se parece?

—A quién se parece, ¿quién?

—Isabelita, la hija de Vicenta —preguntó, cauta, Celia.

—A su madre, ¿a quién se va a parecer? Es igualita a su madre y va a ser guapísima esa niña, guapísima. Es un demonio, pero va a ser guapísima.

Había comenzado a colocarse los pliegues de la falda con mucha atención y sabía Celia que por ahí no había forma de seguir la conversación.

—Me hubiera gustado que se viniera Mariquita, pero alguien tenía que quedar con Antonio. ¡Está de graciosa! Se le olvidan ya muchas cosas. Me ha pedido hasta un bastón, se queja de las escaleras y está tan roñosa... A Carmela, antes la traía frita, pero ella no se deja mangonear, menudo carácter está echando Carmela, que antes era pura miel y pura sonrisa.

—¡Ay, qué bien se está aquí, hija! Yo sin el mar no puedo vivir.

—El otro día, con Pilar, estábamos en el mirador de las rosas y decíamos que hablábamos como el mar, como tú y yo ahora, hablando como el mar, que va y que viene.

Celia se volvió hacia la playa.

—La que viene es Carmela, corriendo. —Se levantó—. Hija, ¿qué es eso? Mira, se han debido pelear los niños.

Se levantó Manolita asustada. No se veía bien lo que había pasado.

Rosita y Julito venían también corriendo detrás de Carmela y Andresito estaba tumbado en la playa, quieto.

Carmela llegó que el corazón se le salía por la boca.

—Señora... ¡Andrés tiene fiebre!

Antonio cogió el teléfono que le entregaba Tomás, el nuevo encargado y se pegaba el auricular al oído como si quisiera que le taladrase el cráneo.

—¿Cómo dice? Sí, aviso de conferencia, sí, ¿que si soy yo? Sí, claro que soy yo, no, no, si están ahí, pásemelas ya, por favor... ¿Cómo? ¡Manolita! ¡Manolita! Sí, sí, te oigo, sí, enseguida. Mañana por la tarde puedo estar ahí... Sí..., ¿cómo?

Tomás le miraba con sus ojillos de ratón traicionero.

El patrón se había quedado como la cera.

—Oiga, oiga, señorita...

Colgó el auricular Antonio.

—¡Se ha cortado! ¡Se ha cortado!

Entró a la nave de los ebanistas y por primera vez en su vida levantó la voz, gritando:

—¡Pepillo!

El muchacho casi se tiró del altillo y acudió a la llamada del patrón que ya había entrado de nuevo en el despacho y que abría y cerraba cajones con gran prisa.

—Don Antonio...

Ni le miraba, Antonio. Se limitaba a darle órdenes una detrás de otra, con gran precisión.

—Busca a don Felipe, en su casa de Madrid o por el Rastro o donde creas. Que don Felipe busque al doctor Blasco, el de La Granja, el de los infantes. Le dices a don Felipe que lo coja y se lo traiga por los pelos. Yo voy a la estación y sacaré billetes para los tres, para Felipe, para el médico y para mí. El tren sale a las siete, así que tenemos más de nueve horas para organizarlo todo. ¿Lo has entendido?

—Sí, señor.

—Primero voy a por los billetes y luego vengo para acá, volando, y quiero que me llames si pasa algo, si tienes alguna dificultad. Dejaré aquí a Tomás todo el rato por si llamas. Él siempre sabrá dónde localizarme. ¿Me está oyendo, Tomás?

—Sí, don Antonio —dijeron Pepillo y Tomás.

—Toma —le dio unas monedas—, coge un coche y que te lleve a todas partes, no pierdas ni un minuto. —Entonces vio la cara de Pepillo—. Carmela está bien, todos están bien. Es Andrés, creen que es un brote de gripe.

Andrés estaba con la cabeza doblada, sonriente, en el mejor dormitorio de la pequeña casa de la playa. Carmela estaba a su lado, sonriente también, agarrándole la mano.

En la habitación de al lado, Felipe, Manolita, Antonio y Celia, estaban prendidos en la cháchara del doctor, haciendo lo posible por creerse lo que decía.

—Nada, nada, estupendamente, el niño está estupendamente. Ha sido una falsa alarma, hará crisis esta noche, seguro. Las fiebres altas son muy aparatosas, porque claro, el paciente delira y una madre, ¿qué va a pensar una madre? La pobre siempre piensa lo peor. Está tan tranquilo. En estos casos lo mejor siempre es mantener la calma y no hacer nada contraproducente, hay que actuar con sentido común, con inteligencia, pero desde luego, no tienen que preocuparse. Yo ahora mismo, me retiro a esa habitación de arriba tan agradable que dice que me ha preparado doña Celia y ya está y de verdad, si quieren mañana, cuando se les haya pasado a todos el susto, traen a los otros niños para que distraigan a su hermano. Nada, nada, no hay que preocuparse de nada y usted, don Antonio, no tiene nada que agradecerme, de verdad, nada. Yo hago siempre lo que me diga mi amigo don Felipe, yo siempre estoy a sus órdenes y mi poco saber también, y aunque el viaje ha sido un poco largo, yo tan contento con tomar un poco de vino de la tierra, eso siempre se agradece y que a mí me gusta Galicia. Mañana ya verán las cosas de otra manera. Es natural que don Antonio se haya acordado, porque yo curé a los infantes, que los infantes estaban mal de verdad, pero al niño de ustedes no tiene ningún mérito curarle, está como una rosa. La hermana de doña Celia, que nos ha mandado un médico de aquí, que claro se ha alarmado innecesariamente. Ya quisiera yo estar como Andresito. Estos niños que parecen tan débiles, luego suelen ser los más fuertes, ya lo verán. Y ahora, de verdad, obedezcan al médico. Usted, doña Celia, me acompaña a mi habitación y si alguien me necesita, allí estoy, para servirles. El niño se dormirá enseguida, ya verán. La muchacha se puede quedar a su lado si quieren, en la silla puede echar una cabezadita, por si el niño se despierta y quiere algo, agua, algo, sobre todo que no ande descalzo, que es faltal para la insolación, que una insolación como una casa es lo que ha cogido el niño. Pero ya han visto qué mejoría. Usted, doña Manolita, lo que tiene que hacer es descansar, menuda cara tiene, si lleva dos días sin dormir, no me extraña. Ahora mismo, don Antonio, se la lleva usted a respirar un poco fuera, a la playa, y luego a dormir, tan tranquilos...

Y con éstas y algunas recomendaciones más se retiró el doctor Blasco, médico de los infantes, a la habitación que le había preparado Celia.

—Dicen que es un hombre muy competente —estaba diciendo Felipe—, tiene mucha fama desde que curó a los infantes, ¡pero habla por los codos! ¿Oyen?

Se quedaron escuchando los tres.

—¿Está rezando Carmela? —preguntó Antonio, molesto.

Le sujetó Manolita.

—No, no entres, no son rezos, déjala, es para que Andrés se duerma.

—«... las doce, los doce apóstoles... —se oía decir a Andresito—, dime las doce, Carmela.»

La voz de Andrés sonaba fatigada pero alegre, como tantas otras noche en el Olivar.

—«Anda, tata Carmela..., de las doce palabras retorneadas, dime las doce, que nunca llegas...»

—«Las doce, los doce apóstoles, las once, las once mil vírgenes, las diez, los diez mandamientos, las nueve, los nueve meses, las ocho, los ocho gozos, las siete, los siete coros, las seis, los seis candeleros, las cinco, las cinco llagas, las cuatro, los cuatro evangelistas, las tres, las tres Marías, las dos, las dos tablillas de Moisés, donde Jesucristo puso los pies para subir a la casa santa de Jerusalén, la una, el sol y la luna. ¡Doce he dicho y trece aguarda! ¡Revienta, ladrón, que san José te lo guarda!»

—¡Qué disparate! —comentó Antonio bajito desde el quicio de la puerta—. Pero se ha dormido, es verdad.

Colocó los músculos de la espalda, giró el cuello y alargó, estirándoselos, sus dedos de artista. Respiró hondo.

—¿Un paseíto, Mamaíta? ¿Un paseíto por la playa?

—¿A estas horas? Si a estas horas no se ve el mar.

—Te hará bien, unos minutitos, y luego nos vamos a la cama.

—Ande, Manolita, sí, haga lo que dice Antonio. Yo de aquí no me muevo. Den un paseíto ahí fuera. Luego quizá salga yo un ratito también —insistía Felipe.

—Pero luego yo no me voy a la cama, yo quiero estar a su lado —aclaraba Manolita.

—Bueno, como quieras, pero ahora un paseíto.

Antes de salir, Manolita, desde la puerta miró a su hijo.

Dormía como un bendito, profundamente, con largas respiraciones, y desde luego tenía una sonrisa en la boca. Carmela estaba a su lado más tranquila también, feliz por haber llegado a «las doce».

El mar hacía plas, plas, plas.

—¿Ves como sí se ve el mar de noche, Manolita?

—No nos alejemos de la casa, Antonio.

—No, mujer, si no nos alejamos.

La casa se veía al fondo, con las ventanas iluminadas.

Y el mar, plas, plas, plas.

—No es fácil andar sobre la arena —se quejaba Manolita, agarrada del brazo del marido.

—A ti nunca te ha gustado andar.

—Se me mete la arena por todas partes. —Se paró de pronto—. ¿Sabes lo que he pensado, Antonio?

—¿Qué?

—Que mientras yo viva, nadie más en nuestra familia va a llamarse Andrés.

—Qué cosas se te ocurren.

—Imagínate que acabamos ricos...

—Es mucho imaginar.

—Bueno, pues si acabamos ricos, como si acabamos pobres, en mi testamento lo pienso dejar dicho, que nadie se vuelva a llamar Andrés. Y si alguien me quiere heredar, no podrá poner a ningún hijo Andrés.

—¡Vaya ocurrencia! —Y arrancaba otra vez a andar.

—¿Quién va a pagar al médico?

—¿A ese fatuo? No sé, yo le pagaré, ya me las arreglaré. Felipe también se ha ofrecido. Fue lo primero que se me ocurrió. Como había sacado a los infantes tan bien el verano pasado en La Granja..., por tener otra opinión... El niño, desde luego, ahora está bien.

—Anoche no se le podía tocar. Y desvariaba hablando de barcos y de la leonera.

Siguieron andando y el mar hacía...

—¿Sabes, Antonio? Me gusta mucho el mar.

—Sí, a mí también. ¿Y ves cómo se ve de noche? Se ve muy bien con la luna.

—Me gustaría meter los pies en el agua.

—Manolita, ¡qué capricho!

—Si tú no quieres...

—Mujer, no es que no quiera.

—Espero que siempre me siga gustando el mar.

—Pues claro.

—Cuando Andrés se puso tan malo la primera mañana en la playa, lo primero que pensé, fíjate, es que no quería ponerme de luto otra vez. ¡Qué cosas se le ocurren a una! ¿Te acuerdas cuántos años estuve de luto?

—Sí. —Antonio no se acordaba.

—No te acuerdas. Mi madre decía que se sabía siempre, que cuando un hijo se moría, una madre lo sabía siempre. Y yo, pues, no, claro, yo esta vez, a los niños, como corren tantos peligros, se pasa una la vida enterrándolos en la imaginación...

—Vaya ideas que te vienen a la cabeza —se burlaba dulcemente de ella y la cogía más fuerte del brazo.

—El profesor de Pilar, el que la enseña inglés, dice que adivina el futuro.

—Eso dice él.

—Yo estaba tan contenta, hablaba con Pilar el otro día y le decía que ahora era feliz.

—Y lo seguirás siendo.

—¿Tú crees? —Se paraba otra vez ella y volvía a mirar hacia la casa—. ¿Tú crees?

—Claro.

—Decíamos tonterías, cosas de mujeres, que qué queda de la vida, cosas así. ¿Tú qué crees? ¿Qué queda de la vida?

—Bakunin dice que queda la *Novena Sinfonía* de Beethoven.

—¿Bakunin?

—Sí.

—No hables de músicas.

—No, no hablemos de músicas.

Manolita se puso a mirar el mar.

—También queda el mar.

—Sí, la *Novena Sinfonía* y el mar.

Fue al decir aquello último, cuando Manolita sintió que el corazón se le paraba y se volvió bruscamente hacia la casa.

Alguien corría hacia ellos. Era Felipe. Corría y corría y corría hacia ellos y parecía que no llegaba nunca y ellos se habían quedado quietos, incapaces de mover una pestaña.

No llegaba nunca Felipe pero ellos ya lo sabían. Sobre todo Manolita, que no había dejado de saberlo. Se puso a golpear a Antonio con sus puños hasta que éste la abrazó inmovilizándola.

—¡Lo sabía! ¡Lo sabía! ¡Lo sabía!

No le salían las lágrimas y seguía gritando cada vez más fuerte.

—¡Lo sabía! ¡Lo sabía!

Felipe seguía corriendo hacia ellos.

El mar, indiferente, seguía haciendo plas, plas, plas.

Sobre la playa se alargaban las sombras convulsas de **Mamaíta** y Papantonio.

A MODO DE EPÍLOGO

Confiando en que, más que confundir, aclare lo que antecede, revelaremos que veinte años después de la muerte de Andresito, Ramón Salaguerri contestó a la carta que le enviara el 2 de noviembre de 1939, Rosita Maldonado a Argelès. De la carta de Ramón escogemos el último párrafo: «... porque te escribo desde el vértigo de la muerte, con el corazón en la mano y la razón perdida, tan perdida como la guerra que ha roto nuestras vidas. De tus cuadernillos últimos te diré que no he recibido los seis que me dices que me mandaste, sino sólo dos y en los entresijos de la censura y entre los avatares del muy deficiente y caótico correo deben quedar los secretos de las Logias y esas cosas tan graciosas que me dices que me cuentas de los canarios de Vicenta y de las perdices de Pepillo. De eso no he recibido nada, así que cuando haces alusión en tus cartas a ciertas cosas que desconozco me entra una grave desazón. Guarda copia de todo, querida Rosita, que todo lo del Olivar me entretiene mucho y más podrá entretenernos a todos en el futuro y se me ha ocurrido, que ya que lo estás escribiendo, debían quizá llamarse todos esos cuadernillos o capítulos los del «Rosal de Atocha», en vez de los del Olivar. En fin, que no sé de qué me hablas cuando te refieres a la paliza que se ganó Julito cuando hacía de celestino de Pepillo y se fueron al retrete del patio a espiar a Carmela y de que se perdiera doña Mariquita a la vuelta de Toledo, de eso tampoco sé nada y de lo que dices de la búsqueda de la polea en la buhardilla para saborear Mamaíta las mieles del suicidio..., ¿qué es eso? ¿Que el «cafre de don Salvador» murió también víctima de la gripe? Ni idea. Espero que si no recibo tus siguientes cuadernos, al menos tenga los suficientes datos como para imaginarme lo que desconozco. Ya me completarás toda la información cuando volvamos a reunirnos aunque mucho me temo que si vuelvo a España será para entrar directamente en prisión. A ti, sí que te veo de pequeña, dándole a la pinza de la ropa de un lado a otro del patio del taller, que ésa debe ser, como te dije, la pinza de Proust que despierta y fertiliza tu memoria. En la foto que me mandas, a Antoñito, lo veo bien, con el flequillo un poco largo y a Lolín, que estoy deseando conocerla, la veo con cara de genio y que ya desde tan chica se aparte de todos, con su cubo y su pala, como tú de pequeña, no sé si está bien. Sí, me gusta que me llames Candi, quizá tienes razón y Cándido resulte incluso ridículo, después de tanta lucha perdida, de tanta esperanza rota. ¿De leer, dices? Casi nada. Lo que guardaron los huidos en su equipaje, que se reparte como si esto fuera una biblioteca. No es que nos traten mal en este campo de refugiados, que más parece de concentración inhumana, pero, ¿qué van a hacer los franceses con esta avalancha? No sufras por mí, que he decidido dejar de ser el «Cándido» de Voltaire y aseguro desde hoy ser el «Candi» de Rosita. ¡Vivid vosotros, los tres, en alegría! Tu Candi.»

FIN DEL LIBRO SEGUNDO

ÍNDICE